« PAVILLONS »

Collection dirigée par Maggie Doyle

Du même auteur

Chez le même éditeur :

La Lumière des étoiles mortes, 2014 (10-18, 2016)
Infinis, 2011
La Mer, 2007 (10-18, 2009)
Athena, 2005
Impostures, 2003
Éclipse, 2002

Sous le nom de Benjamin Black :

Vengeance, 2017
La Blonde aux yeux noirs, 2015

Chez NiL Éditions :

Mort en été, 2014
La Disparition d'April Latimer, 2013
La Double Vie de Laura Swan, 2011
Les Disparus de Dublin, 2010

Aux Éditions Flammarion :

L'Intouchable, 1998 (10-18, 2001)
La Lettre de Newton, 1996
Kepler, 1992
Le Livre des aveux, 1990 (Babel-Actes Sud, 1996)

JOHN BANVILLE

LA GUITARE BLEUE

roman

traduit de l'anglais (Irlande)
par Michèle Albaret-Maatsch

**Robert
Laffont**

Titre original : THE BLUE GUITAR
© John Banville, 2015
Traduction française : Éditions Robert Laffont, S.A.S., Paris, 2018

ISBN : 978-2-221-19562-8
(édition originale : ISBN 978-0-241-00432-6, Viking, an imprint of
Penguin Random House, UK)

Dépôt légal : janvier 2018

« Les choses telles qu'elles sont
changent sur la guitare bleue. »

Wallace Stevens

I

Appelez-moi Autolycos. Enfin, non. Même si, comme ce triste clown, j'escamote des babioles par-ci par-là. Façon prétentieuse de dire que je vole. Et que je l'ai toujours fait, d'aussi loin que je me souvienne. Je peux affirmer en toute équité que j'ai été un enfant prodige dans le bel art de la fauche. Tel est mon secret, un de mes secrets honteux, dont je n'ai pourtant pas vraiment honte, pas autant qu'il le faudrait. Je ne vole pas par intérêt financier. Les objets, les artefacts que je subtilise – en voilà un joli mot, guindé, corseté – n'ont dans l'ensemble que peu de valeur. Bien souvent, leurs propriétaires ne s'aperçoivent même pas qu'ils ne les ont plus. Ce qui me dérange et me place devant un dilemme. Je ne dirais pas que j'ai envie de me faire prendre, mais je tiens vivement à ce que cette perte soit notée ; c'est important. Enfin, important pour moi, ainsi que pour la portée et la légitimité de… comment dire ? De l'exploit. De l'entreprise. De l'acte. À quoi bon voler, je vous le demande, si personne, à l'exception du voleur, n'a conscience qu'il y a eu vol ?

Dans le temps, je peignais. C'était mon autre passion, mon autre inclination. Dans le temps, j'étais peintre.

Ha ! Le mot que j'ai écrit en premier, c'était barbouilleur au lieu de peintre. *Lapsus calami, lapsus mentis*. Pertinent, cependant. Autrefois j'étais peintre, aujourd'hui je suis barbouilleur. Ha.

Je devrais arrêter avant qu'il ne soit trop tard. Mais il est trop tard.

Orme. C'est mon nom. Quelques-uns d'entre vous, qui aimez l'art, qui détestez l'art, n'avez peut-être pas oublié cette époque révolue. Oliver Orme. Oliver Otway Orme, en fait. O O O. Quelle absurdité ! Digne d'une enseigne de prêteur sur gages. Otway, à propos, en souvenir d'une rue banale où mes parents habitaient quand ils étaient jeunes, au début de leur relation, et où ils m'ont conçu, je présume. Orme, c'est un nom valable pour un peintre, non ? Un nom pictural. Il faisait bon effet sur le coin droit au bas d'une toile, modestement minuscule, mais immanquable, son *O* pareil à un œil de chouette, son *r* assez Art nouveau et très proche du *t* grec, le *m* évoquant deux épaules secouées par un bel accès de gaîté, le *e* – oh, je ne sais pas. Ou bien si, je sais : pareil à l'anse d'un pot de chambre. Bref, là, vous m'avez tel que. Orme, le grand peintre qui ne peint plus.

Ce que je veux dire, c'est

Orage aujourd'hui, éléments déchaînés. Furieuses rafales de vent tonnant contre la maison, bousculant sa vieille charpente. Pourquoi ce genre de temps me fait-il toujours penser à l'enfance, pourquoi me donne-t-il l'impression que je suis revenu à ces jours révolus, culottes courtes, chaussettes tirebouchonnées et cheveux en brosse ? L'enfance est censée être un printemps radieux, mais la mienne me semble avoir été un perpétuel automne, bourrasques tourbillonnant comme aujourd'hui dans les grands hêtres derrière la vieille maison de gardien à côté de l'entrée, notre logement, corbeaux tournoyant au petit bonheur au-dessus des arbres, telles des particules carbonisées s'élevant d'un feu de joie, et une lueur beurre se mourant dans le ciel à l'ouest. Surtout que je suis fatigué du passé, de l'envie d'être là-bas et pas ici. Quand j'étais là-bas, je pleurnichais en me tordant dans mes chaînes. Je frise la cinquantaine et j'ai l'impression d'être un centenaire au ventre distendu par le poids des années.

Ce que je veux dire, c'est que j'ai décidé, j'ai résolu d'essuyer l'orage. L'orage intérieur. Je ne suis pas en bon état, c'est vrai. Je me fais l'effet d'un réveille-matin auquel un dormeur, dans son sommeil rageur ou à son réveil rageur, a flanqué un tel coup que tous ses ressorts ont du mou et qu'il a du jeu dans les pignons. Je cliquette de partout. Il faudrait que j'aille me faire réparer chez Marcus Pettit. Ha ha.

Là-bas, à l'autre bout de l'estuaire, ils doivent avoir remarqué ma disparition. Ils doivent se demander où je suis passé – moi aussi, d'ailleurs – et n'imaginent pas que je suis si proche. Polly est sûrement dans un état épouvantable, sans personne à qui parler, à qui se confier, sans personne auprès de qui chercher du réconfort, sinon Marcus, auquel il est peu, très peu probable qu'elle s'adresse, compte tenu du contexte. Elle me manque déjà. Pourquoi suis-je parti ? Parce que je ne pouvais pas rester. Je la visualise dans son salon exigu au-dessus de l'atelier de Marcus, recroquevillée devant le feu dans l'obscure lumière de cette fin d'après-midi de septembre, les genoux brillants à la lueur des flammes et les tibias marqués de losanges. De ses petites dents pointues qui m'évoquent toujours les particules de graisse luisante d'un pudding de Noël, elle doit se mordiller nerveusement la commissure des lèvres. Polly, c'est, c'était mon cher pudding à moi.

Encore une fois : pourquoi suis-je parti ? Ô ces questions ! Je sais pourquoi je suis parti, je le sais très bien, et il faudrait que j'arrête de jouer les ignorants.

Marcus doit être dans son atelier, devant son établi. Lui aussi, je le vois, dans sa veste en cuir, sans manches, concentré et respirant à peine, la loupe d'horloger vissée à son orbite, tandis qu'il dissèque une Patek Philippe à l'aide de ses minuscules instruments qui, dans mon imaginaire, s'apparentent à un scalpel et à des forceps en acier. Bien qu'il soit plus jeune que moi – j'ai l'impression que tout le monde est plus jeune que moi –, il a déjà les cheveux clairsemés, grisonnants et, regardez, ils pendouillent en mèches duveteuses de part et d'autre de son étroit visage de saint et frémissent doucement, doucement, au rythme de sa respiration. Autrefois, son physique rappelait un peu le Dürer de l'autoportrait androgyne, celui qui est de trois quarts avec des boucles fauves, une bouche en bouton de rose et des yeux étonnamment aguichants ; néanmoins, avec les années, on pourrait le prendre pour un des Christs souffrants de Grünewald.

« Le travail, Olly, m'a-t-il dit tristement, je n'ai que le travail pour me distraire de mon angoisse. »

C'est le mot qu'il a utilisé : angoisse. Même dans des circonstances aussi terribles, le terme m'a paru bizarre, plus proche de la fioriture que du vocable. Mais la souffrance impose l'éloquence – regarde-moi, écoute-moi.

L'enfant est là aussi, quelque part, la petite Pip, comme ils l'appellent – jamais Pip tout court, toujours la petite Pip. Il est vrai qu'elle est très petite, mais allez savoir si, en grandissant, elle ne se métamorphosera pas en amazone. La petite Pip, la gentille géante. Je ne devrais pas ricaner, je sais ; c'est la jalousie qui me titille, la jalousie et un vilain regret. Gloria et moi avons eu une petite à nous, un court moment.

Gloria ! Elle m'était sortie de l'esprit jusqu'à maintenant. Elle aussi doit se demander où j'ai bien pu passer, bon sang. Où, bon sang.

Zut, pourquoi faut-il que tout soit aussi difficile ?

Je vais revenir à la nuit où je suis finalement tombé amoureux de Polly, la première fois en tout cas. N'importe quoi pour faire diversion, alors que c'est de ces pensées amoureuses que je devrais me détourner, vu le pétrin dans lequel cet amour m'a collé. C'est arrivé au dîner annuel de la Guilde des horlogers, serruriers et orfèvres. Nous étions là, Gloria et moi, à l'invitation de Marcus – Gloria à contrecœur, ajouterais-je, car elle est aussi vulnérable que moi à l'ennui et au ras-le-bol généralisé –, assis à sa table en sa compagnie et celle de Polly, plus quelques autres individus auxquels nous n'avons pas besoin de prêter attention. Bifteck et rôti de porc au menu, accompagnés de patates bien entendu, bouillies, en purée, cuites au four ou frites, sans oublier le sempiternel chou au petit salé. Peut-être est-ce la puanteur diffuse de la viande grillée qui suscitait chez moi une sensation singulière ; ça et la fumée des bougies sur la table, associées aux accents borborygmiques du trio de musiciens. Dans le grand hall derrière moi ne cessait d'enfler un brouhaha continu d'où s'élevait de temps à autre, tel un poisson frétillant, le rire strident d'une femme grise. J'avais bu, mais je ne pense pas que j'étais soûl. Cela étant, pendant que je parlais à Polly, que je la regardais – que je la dévorais des yeux plutôt –, j'ai eu l'impression de recevoir une illumination, une brusque révélation, ce qui est très fréquent à une certaine phase de l'ivresse. Elle ne m'a pas paru d'une beauté nouvelle, pas exactement, mais elle irradiait quelque chose que je n'avais pas remarqué jusque-là, quelque chose d'unique, qui n'appartenait qu'à elle : son abondance, la substance même de son être. C'est chimérique, je le sais, et il est probable que ce que je croyais voir n'était dû qu'aux vapeurs du mauvais vin, mais j'essaie de fixer l'essence de ce moment, d'isoler l'étincelle qui allait déclencher une telle conflagration d'extase et de souffrance, d'âneries, de mal et, oui, d'angoisses marcusiennes.

Et, de toute façon, qui peut dire que ce que nous ressentons en état d'ivresse n'est pas la réalité et le monde sobre une fantasmagorie floutée ?

Polly n'est pas une beauté. J'espère ne pas me montrer goujat en m'exprimant de la sorte ; mieux vaut commencer honnêtement, puisque je compte continuer ainsi, pour autant que je sois capable d'honnêteté. Bien entendu, je l'ai trouvée, je la trouve absolument ravissante. Elle a des courbes généreuses, des hanches rondes – imaginez la partie inférieure joliment arrondie d'un violoncelle pour enfant –, un visage frais en forme de cœur et des cheveux châtains un peu rebelles. Ses yeux sont vraiment remarquables. Gris pâle et comme translucides ou presque, ils prennent un reflet nacré sous certaines lumières. Ils présentent un léger strabisme, lequel trouve un adorable écho dans le léger chevauchement de ses deux dents de devant. Bien qu'ayant un comportement en principe paisible, elle peut avoir un coup d'œil étonnamment perçant et elle est parfois capable de vous lancer une remarque très, très cinglante. Dans l'ensemble, elle porte néanmoins un regard méfiant sur un monde où elle ne se sent pas totalement à l'aise. Alors que ma Gloria est pleine d'assurance, Polly n'oublie jamais qu'il lui manque un vernis social – c'est une fille de la campagne après tout, même si sa famille exhibe une grandeur miteuse – et elle n'est

16

pas très au fait des convenances et des bonnes manières. Durant cette fameuse soirée des Clockers, ainsi qu'on surnomme familièrement l'événement, c'était très touchant de la voir, avant chaque plat, jeter un vif coup d'œil sur la tablée pour repérer le couvert que nous choisissions et s'emparer alors d'un couteau, d'une fourchette ou d'une cuillère. Peut-être est-ce ainsi que naît l'amour, non pas dans de brusques transports de passion, mais dans la reconnaissance et la simple acceptation de, de... d'un truc ou d'un autre, je ne sais quoi.

La soirée des Clockers est une affaire rasoir, et je me sentais idiot d'être venu. En appui sur les coudes et tournant le dos à la foule en liesse, j'étais allègrement penché sur la table, si bien que mon visage brûlant et palpitant était presque calé contre la poitrine de Polly, ou qu'il l'aurait été si elle ne s'était mise de côté pour me regarder de biais, par-dessus la courbe dodue de son épaule droite. De quoi lui parlais-je avec tant de conviction et de ferveur ? Je ne m'en souviens pas – encore que ça n'ait aucune importance : ce qui comptait, c'était le ton, pas le contenu. J'avais tout à fait conscience que Gloria nous surveillait d'un œil amusé et sceptique. Il m'arrive souvent de penser qu'elle m'a épousé afin d'avoir constamment une raison de rire. Je ne cherche pas à exprimer de rancœur, pas du tout. Son rire n'est pas cruel ni même blessant. Elle me trouve simplement drôle, pas pour ce que je dis ou fais, mais pour ce que je suis, son patapouf, son rouquin et, si tant est qu'elle l'ignore, son petit bout d'homme aux doigts crochus.

Polly à l'époque, l'époque de la soirée des Clockers où je suis tombé amoureux d'elle, était mariée depuis trois ou quatre ans et n'avait assurément rien d'une oie blanche susceptible d'être sensible à mes flatteries lourdes de sous-entendus. Il était clair néanmoins que

17

je la troublais. Elle m'écoutait avec de grands yeux et regardait fixement droit devant elle, de l'air de la femme mariée incrédule – expression qu'accentuait sa position de guingois – qui réalise avec un plaisir hésitant qu'un homme qu'elle connaît depuis des années et qui n'est pas son mari lui déclare soudain, bien que de manière ampoulée et grandiloquente, être subitement tombé amoureux d'elle.

Loin au milieu des danseurs, Marcus braillait et tapait du pied. Malgré une disposition timide et incurablement mélancolique, il adore la fête et entre dans la danse avec un violent enthousiasme dès le premier plop de bouchon ou la première sonnerie de clairon – cette nuit-là, il avait invité Gloria pas moins de trois fois à s'associer à ses fariboles et, chaque fois, à ma grande surprise, elle avait accepté. Au début de ma relation avec Polly, j'essayais régulièrement, en fourbe prédateur que je suis, de la faire parler de Marcus, me rapporter des choses qu'il disait et accomplissait dans l'intimité de leur quotidien, mais c'est quelqu'un de loyal et elle m'a fait comprendre d'emblée, et ce avec une fermeté impressionnante, que les bizarreries de son mari, si tant est qu'il en eût, étaient un sujet tabou.

Et d'abord comment nous sommes-nous rencontrés tous les quatre ? Je pense que Gloria et Polly ont dû se lier d'amitié ou, pour être plus précis, qu'elles sont entrées en contact, alors que, moi, j'ai l'impression d'avoir connu Marcus toute ma vie, ou toute la sienne, étant donné que je suis son aîné. Je me rappelle un pique-nique initial dans un jardin d'ornement quelque part – pain, fromage, vin et pluie – et Polly dans une robe d'été blanche, jambes nues et gracieuse. Inévitablement, je revois cet événement à la lumière du *Déjeuner sur l'herbe* de Manet – le premier tableau, le plus petit –, avec Gloria la blonde dans le plus simple appareil et Polly se lavant les pieds en arrière-plan. Polly avait tout juste l'air d'une jeune fille, aux joues roses et au teint velouté, plutôt que de la femme mariée qu'elle était. Marcus portait un chapeau de paille troué et Gloria était resplendissante comme à son habitude, grande beauté éblouissante dispensant son rayonnement partout autour d'elle. Seigneur, ma femme était féerique ce jour-là, ainsi qu'elle l'est toujours, bien sûr. À trente-cinq ans, elle a atteint toute la splendeur de la maturité. Quand je pense à elle me vient l'image de divers métaux, l'or, naturellement, à cause de ses cheveux, l'argent pour sa peau, mais elle a aussi quelque chose de la somptuosité du laiton et du bronze : un éclat magnifique, majestueux. À dire vrai, elle est plus proche du type Tiepolo que de Manet, rappelle l'une des Cléopâtre du maître vénitien, par exemple, ou sa Béatrice de Bourgogne. Polly arrivait à peine à la cheville de ma lumineuse Gloria, cheville qu'elle a fine et délicate comme ces bougies votives pour lesquelles les croyants donnaient un sou à l'église afin de les faire brûler devant la statue de leur saint préféré. Pourquoi alors ai-je… ? Ah, là est la question, une de celles que j'ai explorées jusqu'à l'épuisement.

La soirée des Clockers s'est terminée de la façon mystérieusement abrupte dont se terminent ce genre d'événements, et la plupart des gens à notre table, déjà debout, déployaient des efforts avinés pour se préparer à partir quand Polly a quasiment sauté sur ses pieds – elle pensait à la petite Pip, je présume, sur laquelle veillaient en principe son père et sa pauvre mère, bien confuse –, pour finalement s'arrêter une seconde et prendre une drôle de petite posture théâtrale frémissante : affichant un sourire surpris, elle a haussé les sourcils et mis ses mains sur le côté, paumes en l'air tel un bambin tentant une révérence. Ce n'était peut-être rien de plus que la vision de son derrière se détachant de l'assise de son siège – il faisait très chaud et humide dans la pièce –, mais j'ai eu l'impression qu'un médium porteur et invisible la soulevait et que, l'espace d'une seconde, elle marchait littéralement sur l'air. Cela n'était pas vraiment dû au fervent discours auquel je l'avais soumise en l'absence de son mari, pourtant j'en ai été ému au point de verser des larmes brûlantes, ou presque, tant j'avais le sentiment d'avoir été autorisé à partager avec elle cette brève et secrète exaltation. Elle s'est saisie de sa pochette en velours avec encore un soupçon de sourire vaguement surpris – ne rougissait-elle pas un peu ? – et a fait mine de chercher Marcus des yeux, lequel était parti récupérer leurs manteaux. À mon tour, je me suis levé, le cœur palpitant et les genoux, mes pauvres genoux, transformés en caout-chouc.

Amoureux ! Encore une fois !

Une fois dehors, la nuit nous a paru inhabituellement vaste sous un ciel fourmillant d'étoiles scintillantes. Après le vacarme de la salle, le silence autour de nous bruissait d'un tintement excitant dans l'atmosphère gelée. Au début, la voiture de Marcus a refusé de démarrer parce que ce dernier, qui était pingre, avait rempli son réservoir d'un fluide de qualité inférieure et que le sel avait bouché les tuyaux. Pendant qu'il fourrageait sous le capot, soupirant et jurant à mi-voix, Polly et moi avons attendu sur le trottoir, côte à côte mais sans nous toucher. Gloria s'était un peu écartée pour fumer une cigarette à la dérobée. Le menton enfoncé dans son col de fourrure, Polly se serrait étroitement dans son manteau et, lorsqu'elle m'a regardé, elle n'a pas bougé la tête mais a tourné les yeux de manière cocasse en affichant le sourire tombant et malheureux d'un clown.

20

Nous n'avons pas dit un mot. J'avais envie de la prendre dans mes bras, de la presser contre moi pendant que Gloria ne me voyait pas, de l'embrasser rapidement, ne serait-ce que sur la joue ou même le front, comme un vieil ami pourrait le faire en pareil moment ; mais je n'ai pas osé. Ce que je voulais en réalité, c'était embrasser ses lèvres, lécher ses paupières, plonger le bout de ma langue dans les mystérieuses volutes roses de son oreille. J'étais dans un état de griserie stupéfiée, devant ce que j'étais, devant Polly, devant ce que nous étions et tout ce que nous étions subitement devenus. On aurait cru qu'un dieu, là-haut dans le ciel étoilé, avait tendu le bras pour nous recueillir au creux de sa main et nous avait immédiatement transformés en une petite constellation.

Il m'a toujours semblé que l'un des aspects les plus déplorables de la mort, à part la terreur, la souffrance et les souillures, c'est le fait que, moi parti, il n'y aura plus personne pour appréhender le monde à ma manière. Ne vous méprenez pas, je n'ai aucune illusion sur le sens de ma présence dans le torride ordre des choses. D'autres appréhenderont d'autres versions du monde, d'innombrables milliards d'autres versions, une avalanche de mondes, tous singuliers, mais celui que j'aurai délimité rien que par ma brève présence en son sein sera à jamais perdu. C'est une idée pénible, plus encore je trouve, d'une certaine façon, que la perspective de sa propre fin. Imaginez-moi là cette fameuse nuit, sous cette jonchée de gemmes à même leur tapis de velours pourpre, magiquement assailli par l'amour, regardant autour de moi, bouche bée, notant les ombres accusées que la lumière des étoiles projetait de biais sur les flancs des maisons ; le toit de la voiture de Marcus chatoyant comme s'il avait reçu un mince film d'huile ; les pointes dressées et rougeoyantes du col en renard de Polly ; les reflets sombres de la rue saupoudrée de givre et l'éclat des contours de ce qui nous entourait – tout ça, le monde connu, banal, que mon simple regard singularisait. Polly souriante, Marcus contrarié, Gloria avec son mégot, la foule des gens derrière moi en proie à un accès d'hilarité avinée au sortir des Clockers et dont l'haleine formait des globes d'ectoplasme dans l'air – tous verraient ce que je voyais, mais pas comme moi, avec mes yeux, mon point de vue particulier, ma façon à moi, laquelle est aussi peu convaincante et perspicace que celle de tout un chacun mais qui est néanmoins mienne : mienne et donc unique.

Une fois terminé son bricolage sur la tuyauterie de son véhicule, Marcus s'est redressé et a refermé le capot avec un tel fracas que la nuit a paru reculer d'effroi. Pestant contre les carburateurs, il s'est essuyé les mains sur ses longs flancs étroits, puis s'est glissé derrière le volant, a appuyé furieusement sur le démarreur et la machine, toussant et ahanant, s'est animée en frémissant. La portière ouverte et un pied sur le trottoir, il a fait tourner son moteur en écoutant les gémissements tendus de la pauvre brute. J'aime bien Marcus, oui, vraiment. C'est un chic type. Je pense qu'il se voit quasiment de la façon dont Gloria me voit, un homme en général agréable, mais fondamentalement malchanceux, facile à rouler dans la farine et plus ou moins cocasse. Pendant qu'il était assis là, à tendre l'oreille pour écouter le bruit du moteur, il ne cessait de hocher lugubrement la tête avec un vague sourire crispé, comme si cette panne n'était que le dernier incident de toute une série de petits ennuis affligeants qui l'avaient poursuivi toute sa vie sans qu'il y puisse rien. Ah, Marcus, mon vieux, je suis désolé pour tout, sincèrement. Curieux comme il est difficile de dire désolé et de paraître convaincant. Il devrait y avoir une manière spécifique de formuler ses regrets. Peut-être sortirai-je quelque chose sur le sujet, un manuel de conseils pratiques ou même un guide : *Alphabet d'excuses, échantillons de regrets.*

Gloria et moi nous sommes installés sur le siège arrière, moi derrière Polly, à l'avant à côté de Marcus. Je sentais la cigarette dans l'haleine de Gloria. Polly riait et se plaignait du froid et, avec sa tête ronde, sombre et brillante enfoncée dans son col de fourrure, on aurait en effet pu la prendre, vue de ma place, pour une petite Esquimaude dodue emmitouflée dans des peaux de phoque. Tandis que nous glissions en douceur dans les rues silencieuses, j'ai observé les maisons maussades et les boutiques fermées en m'efforçant de ne pas me focaliser sur la lenteur et la prudence exaspérantes avec lesquelles Marcus conduisait. La graineterie et quincaillerie Pierce, la pharmacie Cotter, le palais de la tarte Prendergast, le taudis, avec ses œils-de-bœuf de louchon – une horreur ! –, autrefois habité par Granny Colfer, la légendaire sage-femme, coincé entre l'église méthodiste et les salles de réunion aux multiples fenêtres de l'Ancient Order of Foresters. Miller la modiste, Hanley le mercier. L'ancienne imprimerie de mon père, avec aussi mon ancien atelier au-dessus. Le boucher. Le boulanger. Le fabricant de bougies. Pourquoi a-t-il fallu que je revienne m'installer ici ? Dans ma jeunesse, je l'ai déjà dit, j'étais plus qu'impatient de partir. D'après Gloria, j'avais peur du vaste monde et me suis donc retiré dans ce petit univers étriqué. Elle a peut-être raison, mais pas totalement, sans doute. Je me fais l'effet d'être l'archéologue de mon propre passé, creusant une à une diverses couches de schiste sans jamais atteindre la roche mère. Je m'étais aussi secrètement imaginé qu'on admirerait le personnage nouveau que j'allais incarner dans ce décor vieillot, plastronnant depuis ma grande demeure crème sur les hauteurs de Fairmount – qu'on appelait jadis la Colline du bourreau jusqu'à ce que la mairie ait la sagesse d'en changer le nom –, tandis que ceux dont j'étais censé avoir peur venaient me prêter allégeance. Je comptais être comme Picasso à Vence ou Matisse au château de Vauvenargues alors que je me suis retrouvé plus proche du malheureux Pierre Bonnard, captif de sa moitié au Cannet. Or, au lieu de me rendre hommage, la ville m'a traité en petit rigolo avec mon chapeau, ma canne et mes foulards voyants, mon outrecuidance, ma précieuse blonde et jeune épouse, totalement imméritée. Ça ne m'a rien fait, tant j'étais heureux d'évoluer de nouveau parmi les scènes de mon enfance, toutes miraculeusement préservées, comme conservées au fond d'une jarre de silicate de soude dans l'attente confiante et patiente de mon inévitable retour.

La grand-rue était déserte. La Humber avançait en grommelant dans le sillage des deux faisceaux lumineux de ses phares. Un couple n'a jamais l'air aussi marié que vu de l'arrière d'une voiture, échangeant à mi-voix à l'avant. Enfermé derrière eux dans un mutisme vigilant, j'avais l'impression que Polly et Marcus étaient déjà dans leur chambre à coucher, tant leur conversation me paraissait douce et intime. Premier pincement de jalousie. Plus qu'un pincement. De quoi parlaient-ils ? De rien. N'est-ce pas toujours ce dont parlent les gens quand il y a des tiers pour écouter ce qu'ils se disent ?

Là-dessus, quelque chose m'a tâté le genou et j'ai failli pousser un cri de frayeur – il se pouvait fort bien que le vieux moteur de Marcus abrite des rats –, quand, en baissant les yeux, j'ai aperçu le reflet d'une main et me suis rendu compte que c'était Polly qui m'avait

24

attrapé ainsi. Sans paraître esquisser le moindre mouvement, elle avait réussi à glisser le bras entre sa portière et son siège, du côté où Marcus ne risquait pas de remarquer quoi que ce soit, et me tripotait la rotule d'une manière qui ne laissait aucune place au doute. Pour une surprise, c'était une surprise, pour ne pas dire un choc, en dépit de tout ce qui s'était passé entre nous un peu plus tôt à table. Le fait est que, chaque fois que j'avais cherché à séduire une femme, ce qui m'était rarement arrivé, y compris dans ma jeunesse, je ne m'étais jamais attendu à être pris en considération ni même remarqué, malgré quelques succès que j'avais eu tendance à considérer comme des coups de pot, dus à un malentendu ou à la sottise de la femme en question et à une simple bonne fortune pour moi. Je ne suis pas un spécimen d'emblée attrayant, ayant été au départ l'avorton de la famille. Je suis petit et corpulent ou, pour m'exprimer sans détours, ce qui est préférable, disons que je suis obèse avec une grosse tête et de tout petits pieds. Quant à mes cheveux, ils se situent entre le roux foncé et le laiton ultra-terne et, par temps de pluie ou bien en bord de mer, ils frisottent en bouclettes aussi serrées que des fleurets de choux-fleurs et résistent furieusement aux peignes les plus combatifs. Ma peau – oh, ma peau ! – est un tégument livide, moite et flasque, au point que je donne l'impression de m'être longtemps étiolé dans l'obscurité. De mes taches de rousseur je ne parlerai pas. J'ai des jambes et des bras courts et épais, larges en haut, puis un peu effilés au niveau des chevilles et des poignets, telles des massues en plus court et plus potelé. Je nourris l'idée que, mon tour de taille augmentant avec l'âge, ces massues en viendront à se résorber peu à peu pour être totalement absorbées, que ma tête et mon gros cou s'aplatiront aussi, de sorte que je serai alors parfaitement sphérique, grosse et pâle vesse-de-loup que Gloria sera la première à rouler gentiment jusqu'au jour où, à bout de courage, elle cédera sa place à une austère personne vêtue de blanc, chaussée de caoutchoucs et dotée d'une coiffe amidonnée. Que quelqu'un, surtout une jeune femme raisonnable du genre de Polly Pettit, ait pu me prendre au sérieux ou accorder le moindre crédit à ce que j'avais à dire constitue encore pour moi un motif de stupéfaction. Enfin, toujours est-il que cette même Polly me palpait le genou, tandis que, sans se douter de rien, son mari, couché sur son volant et le nez presque collé au pare-brise, nous ramenait lentement vers nos foyers respectifs dans sa vieille citrouille de bagnole au beau milieu de cette nuit chatoyante et subitement transfigurée.

Gloria, ma femme à l'œil d'ordinaire perçant, n'a rien remarqué non plus. À moins que ? On ne sait jamais vraiment avec Gloria. Ça fait partie de son charme, je suppose.

Quoi qu'il en soit, on en est restés là. Mais je veux qu'il soit compris et noté dans le dossier qu'en vertu de cet attouchement fatidique de mon genou, c'est Polly qui techniquement a pris l'initiative, puisque les compliments plus que louangeurs dont je l'avais abreuvée à table n'avaient jamais été que des mots, pas des actes – je n'ai jamais posé un doigt sur elle, m'sieur le juge, pas cette nuit-là, je le jure. Quand, à mon tour, j'ai tendu le bras et tenté maladroitement de lui prendre la main, elle l'a retirée sur-le-champ et a esquissé, sans se retourner, un infinitésimal mouvement de la tête que j'ai interprété comme une mise en garde et même une rebuffade. Extrêmement agité, autant par la caresse de Polly que par son rejet, j'ai prié Marcus de me laisser descendre au prétexte que je voulais faire le reste du chemin à pied et profiter de l'air de la nuit pour m'éclaircir les idées. Gloria m'a lancé un bref coup d'œil étonné – je n'ai jamais été très porté sur l'exercice physique, sinon dans mon imagination de barbouilleur –, mais s'est abstenue de tout commentaire. Marcus s'est arrêté sur le pont enjambant le bief. Je suis descendu, j'ai réfléchi une seconde, puis j'ai posé la main sur le toit du véhicule et me suis penché pour souhaiter bonne nuit aux deux conjoints, Marcus a grogné – il était encore fâché de ne pas avoir réussi à démarrer sa voiture – et Polly s'est contentée d'un petit mot que je n'ai pas saisi. Encore une fois, elle n'a voulu ni tourner la tête ni me regarder. Ils se sont éloignés, laissant dans l'air une puanteur saline et âcre de gaz d'échappement, et je me suis ébranlé à pas lents dans leur sillage, j'ai franchi le petit pont en dos-d'âne sous lequel le courant du bief tourbillonnait bruyamment et, l'esprit en ébullition, j'ai suivi du regard ces feux arrière qui se perdaient dans l'obscurité, tels les yeux d'un tigre battant furtivement en retraite. Oh, être dévoré !

Maintenant, pour ce qui est du vol, par où commencer ? J'avoue être gêné par ce vice puéril – appelons-le un vice – et ne vois franchement pas pourquoi je vous avoue ça, à vous, mon confesseur inexistant. La question morale ici est délicate. De même que l'art épuise ses matériaux en les absorbant intégralement dans l'œuvre, ainsi que le professe Collingwood – un tableau consume et la peinture et la toile tandis qu'une table est à jamais le bois qui la constitue –, l'acte, l'art de voler transmue aussi l'objet volé. Avec le temps, la plupart des biens perdent de leur lustre, se ternissent et sombrent dans l'oubli ; une fois volés, ils reprennent vie et recouvrent l'éclat de leur singularité. Dans cette optique, le voleur ne rend-il pas service aux objets en leur donnant une nouvelle

27

vie ? N'embellit-il pas le monde en se chargeant de son argenterie ternie ? J'espère avoir posé les préliminaires de mon cas avec suffisamment de force et de persuasion.

La première chose que j'ai jamais volée, ou que je me rappelle avoir volée, est un tube de peinture à l'huile. Oui, je sais, cela paraît d'une totale banalité, n'est-ce pas, étant donné que j'allais devenir un artiste et tout et tout, mais c'est ainsi. La scène de crime était la boutique de jouets de Geppetto, dans une ruelle étroite à deux pas de la rue de Saint Swithin – oui, je sais, ces noms, je les invente à mesure que je raconte. On devait être aux alentours de Noël, vu que la nuit commençait à tomber à quatre heures de l'après-midi et que les pavés couleur bleu de moule de l'allée luisaient sous une pluie très légère. J'étais avec ma mère. Faudrait-il que je dise quelque chose sur elle ? Oui : lui rendre justice n'est que justice. À l'époque – j'avais neuf ou dix ans lors de cet épisode –, elle m'apparaissait plus comme une sœur aînée bienveillante (nettement plus bienveillante, c'est sûr, que ma véritable sœur) que comme une mère. Maman affichait toujours un air distrait, voire vaguement hébété et n'était de manière générale pas adaptée à cette banale affaire qu'est la vie, attitude que les gens trouvaient soit exaspérante, soit attachante ou les deux. Elle était belle, je pense, dans un genre éthéré, mais se souciait peu de son apparence, à moins que sa négligence supposée ne fût une affectation soigneusement entretenue, même si à mon avis ce n'était pas le cas. En particulier, elle ne prenait pas du tout soin de ses cheveux. Ils étaient brun-roux et fournis, mais très fins, telle une rare variété d'herbes séchées ornementales et, dans presque tous les souvenirs que j'ai d'elle, elle plonge les doigts dedans en un geste de vague désespoir tristement amusé. Il y avait chez elle un

28

soupçon de romanichelle, pour la plus grande honte et contrariété de ses enfants, moi excepté, car à mes yeux tout ce qu'elle était et faisait frisait la perfection, telle qu'elle est humainement possible. Elle portait des blouses paysannes bouffantes, des jupes à imprimés fleuris et, les mois les plus chauds, elle allait pieds nus dans la maison et parfois même dans la rue – elle devait constituer un objet de scandale dans notre petite ville étriquée. Elle avait des yeux violet pâle étonnamment ravissants, dont j'ai hérité, ce qui est assurément un gâchis. Quand j'étais petit, nous étions toujours extrêmement heureux d'être ensemble, au point que ça ne m'aurait pas dérangé, et sans doute elle non plus, s'il n'y avait eu que nous deux, sans mon père ou mes aînés pour jouer les figurants. Pourquoi aurais-je dû être son préféré ? Je n'en ai pas idée, mais je l'étais. Je suppose que, plus jeune, je n'étais pas encore vilain et, de toute façon, les mères préfèrent toujours leur petit dernier, pas vrai ? Je la surprenais qui m'observait intensément, les yeux brillants d'espoir, comme si j'étais à tout moment susceptible de réaliser quelque chose de stupéfiant, d'effectuer un tour extraordinaire, de me mettre sans effort sur les mains, par exemple, d'entonner un air d'opéra ou d'arborer soudain de petites ailes dorées aux poignets et aux chevilles et de m'envoler avec de puissants battements.

J'avais très tôt annoncé dans mon style le plus précoce et le plus pompeux que je comptais devenir peintre – quel insupportable petit crétin je devais faire – et elle avait bien sûr jugé, malgré les murmures inquiets de mon père, que c'était une idée splendide. Naturellement, les crayons noirs et de couleur ordinaires ne pouvaient pas me convenir, non, son fiston devait avoir ce qui se faisait de mieux, nous avons donc foncé vers la boutique de Geppetto, seul endroit en ville où nous savions trouver en stock peintures à huile, toiles et authentiques pinceaux. Bien que hauts de plafond, les lieux étaient exigus, à l'image de nombreuses maisons et locaux de l'agglomération ; tellement exigus en réalité que les clients avaient automatiquement tendance à y entrer de biais, en s'y faufilant, la tête tournée et le ventre rentré. Il y avait sur la droite un escalier hélicoïdal en fer forgé que j'ai toujours cru devoir mener à une chaire, et les murs disparaissaient derrière des étagères de jouets déployées jusqu'au plafond. Les fournitures de dessin étaient rangées au fond, sur une section surélevée à laquelle on accédait par trois marches raides. C'était là que Geppetto avait son bureau qui, haut et étroit lui aussi, ressemblait franchement beaucoup à une chaire. De ce poste, il pouvait surveiller toute la boutique par-dessus ses verres en affichant ce sourire affable et pétillant où brillait, telle une incisive à découvert, l'attention, vive et perçante, du bonimenteur-né. Il s'appelait en fait Johnson ou Jameson ou Jimson, je ne m'en souviens pas précisément, mais je l'avais surnommé Geppetto parce que, avec ses papillotes blanches et frisottantes et ses lunettes percées vissées sur le bout de son long nez fin, il était le portrait craché du vieux fabricant de jouets tel qu'illustré dans un gros livre racontant l'histoire de Pinocchio que j'avais reçu en cadeau un Noël.

À propos, je pourrais dire beaucoup de choses sur ce gamin en bois et son désir de devenir humain, oh oui, beaucoup de choses. Mais je m'en abstiendrai.

Les diverses couleurs, je les revois encore, étaient disposées en de captivantes rangées sur un présentoir en bois sculpté qui faisait penser à un râtelier à pipes surdimensionné. D'emblée, je me suis focalisé sur un tube de blanc de zinc somptueusement dodu. Par une heureuse coïncidence, le tube lui-même semblait être fait de zinc tandis que l'étiquette blanche avait la texture mate et sèche du gesso, nuance devenue depuis ma préférée, comme vous le sauriez si vous connaissiez quoi que ce soit de mon travail, ce que je n'espère pas. D'instinct, j'ai veillé à dissimuler mon intérêt : je n'aurais certainement pas eu l'imprudence de m'emparer de cet article pour l'examiner ou même le toucher. Dans la première phase du vol, le voleur ne se permettra qu'une sorte de respect feutré pour l'objet de son désir, non seulement pour des raisons de stratégie et de sécurité, mais parce que différer la gratification est un gage de plaisir accru, comme le sait tout hédoniste qui se respecte. Ma mère parlait à Geppetto à sa façon distraite, en fixant un point au-delà de l'oreille gauche de son interlocuteur et en jouant sans y penser avec un crayon qu'elle avait chipé sur son bureau et qu'elle tournait et retournait entre ses doigts d'une finesse attirante, en dépit de leur aspect un peu masculin. De quoi pouvaient-ils bien parler, ces deux personnages si mal assortis ? Malgré mon jeune âge et ses années à lui, je voyais bien que le vieux bonhomme était extrêmement séduit par cette créature aux cheveux fous et aux yeux limpides. Ma mère, je dois le dire, était toujours dans la séduction quand elle avait affaire aux hommes ; était-ce intentionnel ou pas ? Je ne peux le dire. C'était son flou même, je crois, son côté rêveur un tantinet bizarre, un tantinet renfrogné, qui les éblouissait et les subjuguait. Et là j'ai vu ma chance. Estimant qu'elle avait enfermé le vieux marchand dans un état de confusion vitreuse, j'ai tendu une patte griffue et, hop, le tube de peinture a fini dans ma poche.

Vous pouvez imaginer ce que j'ai ressenti, la gorge nouée par une brûlante boule de peur et le cœur battant à tout rompre. J'ai aussi éprouvé une sensation de triomphe jubilatoire, secret bien sûr, horrible. Mon état d'excitation réprimée était tel que j'ai cru que mes yeux allaient sortir de leur orbite et mes joues dilatées éclater. Croyez-moi, en matière de premières, le vol et l'amour ont beaucoup en commun. Que ce tube de peinture m'a paru somptueusement glacial au toucher, qu'il était lourd, on aurait juré qu'il était constitué d'un matériau surnaturel venu d'une planète lointaine, où la gravité aurait été mille fois plus importante que sur Terre, et qu'il avait atterri dans cette boutique. Je n'aurais pas été surpris de le voir transpercer ma poche de pantalon et s'écraser au sol où il aurait creusé un trou avant de dégringoler jusqu'en Australie pour la plus grande surprise des aborigènes et la plus grande peur des kangourous.

Je crois que ce qui m'a le plus impressionné dans mon geste, c'est sa rapidité. Je ne parle pas seulement de la rapidité de l'acte lui-même, même s'il y avait quelque chose d'étrange, de magique dans la fugacité apparente avec laquelle le tube de peinture était passé de sa place sur le présentoir en bois à ma poche. Je pense à ces particules Godley dont on entend tellement parler ces temps-ci, présentes à tel endroit à tel moment donné et à tel autre à tel autre moment, même à l'autre bout de l'univers, sans que la façon dont elles ont circulé d'ici à là ait laissé la moindre trace. Or, il en va toujours ainsi avec un vol. C'est comme si un objet, du fait qu'il a été volé, se voyait instantanément multiplié par deux : l'objet qui appartenait auparavant à quelqu'un d'autre et celui pas totalement identique qui à présent est mien. C'est une sorte de, comment diriez-vous, une sorte de transsubstantiation, si ce n'est pas exagéré. Parce que ça m'a bel et bien procuré un sentiment proche d'une sainte terreur, cette première fois, et c'est toujours le cas depuis. Ça, c'est pour le côté sacré de la chose ; le côté profane est peut-être même plus terrifiant encore.

Geppetto m'a-t-il surpris en flagrant délit ? J'ai eu peur, malgré sa fascination pour le regard azur de ma mère, pourtant pas totalement focalisé sur lui, qu'il n'ait repéré ma main vivement déployée et mes doigts se refermant sur cette belle grosse demi-livre de peinture brillante pour la faire magickement disparaître dans ma poche. Quand d'aventure je retournais à sa boutique, ce qui allait m'arriver bien des fois au fil des ans, il me décochait un sourire qui me paraissait spécial, sournois, lourd de sous-entendus.

« Et voici notre petit peintre ! s'écriait-il en lâchant un rire étouffé via ses narines encombrées de poils hirsutes et grisonnants. Notre Léonard à nous ! »

Cette première fois, je me suis senti tellement euphorique que je n'ai attaché aucune importance au fait qu'il puisse savoir, mais c'est malgré tout quelqu'un que j'ai veillé à ne plus jamais voler.

Comment ai-je justifié ce coûteux tube de peinture devant ma mère, laquelle savait forcément qu'elle ne l'avait pas acheté à Geppetto ? En dépit de sa distraction, elle faisait toujours attention à ses sous. Expliquer la soudaine et énigmatique apparition d'un objet inconnu est toujours un exercice délicat, tous ceux qui volent pour s'amuser vous le diront – je dis pour s'amuser alors qu'il s'agit en réalité d'une question d'esthétique, d'érotisme même, mais nous y viendrons d'ici un moment, si j'en ai le cœur. Il y a de la prestidigitation là-dedans – un coup tu ne vois rien, un coup tu vois – et je suis vite devenu expert dans l'art d'empaumer et de désempaumer les broutilles chapardées. Les gens sont généralement distraits, le voleur, lui, ne l'est jamais. Il observe, attend, puis fonce. Contrairement au voleur professionnel, avec ses rayures et son

33

masque ridiculement petit, qui rentre du turbin à l'aube et déverse fièrement son sac sur la courtepointe afin que la patronne aux yeux lourds de sommeil puisse admirer son butin, nous, les maîtres voleurs, devons dissimuler notre talent et les gratifications qu'il nous procure. Où as-tu trouvé ce stylo à plume ? nous demandera-t-on – ou cette épingle de cravate, cette tabatière, cette chaîne de montre, peu importe. Je ne me rappelle pas t'avoir vu acheter ça. Pour répondre, il convient premièrement de ne jamais réagir sur-le-champ, mais de laisser passer une seconde ou deux avant d'ouvrir la bouche ; deuxièmement, de se montrer un peu hésitant quant à la provenance de la babiole en question ; troisièmement, et avant tout, de ne jamais chercher à être exhaustif, car rien n'attise plus la flamme du soupçon qu'une surabondance de détails. Et puis...

Mais je m'emballe ; le cœur d'un voleur est un organe impétueux qui, bien que palpitant en quête d'une absolution, ne peut s'abstenir de fanfaronner.

Mon père, je l'ai dit, n'appréciait pas mon nouveau passe-temps, ainsi qu'il considérait la chose – la peinture, soyons précis –, et a continué à ne pas l'apprécier même quand, déjà à mes débuts alors que j'étais un peu plus vieux, mes barbouillages se sont mis à me rapporter des sommes non négligeables. Au départ, il pensait aux frais engagés, car après tout lui aussi gagnait sa vie dans le domaine de l'art, ou à sa périphérie, de sorte qu'il ne pouvait ignorer ce que coûtaient peintures, toiles et bons pinceaux en soie naturelle. Je crois cependant que ses appréhensions ne reflétaient en réalité que la terreur de l'inconnu. Son fils, un artiste ! C'était la dernière chose à laquelle il se serait attendu, or ce à quoi il ne s'attendait pas l'effrayait. Mon père, dois-je brosser son portrait à lui aussi ? Oui : il faut être juste. C'était un homme sans prétentions, dégingandé, d'une minceur qui frisait l'émaciation – à l'évidence, je dois être un atavisme –, avec des épaules voûtées et une tête allongée et étroite pareille à la lame sculptée d'une hache primitive. Plus proche du style de Marc l'Ascète, maintenant que j'y songe, encore que d'un aspect moins raffiné, moins saint confit dans la souffrance. Mon père se déplaçait à la manière singulière d'une mante religieuse, comme si tous ses membres n'étaient pas totalement attachés les uns aux autres et qu'il eût été obligé de préserver soigneusement et à grand-peine l'intégralité de son squelette dans son enveloppe corporelle. Apparemment, le seul trait physique qui me vient de lui, ce sont mes cheveux roux foncé. J'ai sa timidité aussi, sa trouille à la petite semaine. Très tôt, j'ai éprouvé pour lui un mépris accablant, ce qui me dérange aujourd'hui alors qu'il est hélas trop tard pour me rattraper. Il se montrait gentil envers ma mère, les autres enfants et moi, d'après ses critères. Ce que je ne pouvais lui pardonner, c'était son goût exécrable. Chaque fois qu'il fallait que j'aille à son atelier, ma lèvre se retroussait de dédain, instantanément et d'elle-même, tel un plastron en celluloïd d'antan. Que je méprisais, déjà enfant, les innombrables tirages de gamins larmoyants, de chatons batifolant avec une pelote de laine, de clairières tachetées de lumière, de cerfs majestueux à la *Monarch of the Glen*, pour évoquer un tableau célèbre, et – premier objet de ma détestation – ce buste grandeur nature d'une pensive beauté orientale à la peau verdâtre, serti dans un cadre doré et accroché en une incontournable majesté au-dessus de la caisse enregistreuse. Il n'a jamais été question qu'il stocke mes tableaux, certainement pas – il ne me l'a pas demandé et je ne le lui ai pas proposé. Imaginez donc ma surprise et mon désarroi, le lendemain de sa mort, quand, en fouillant ses affaires, je suis tombé sur un dossier en grosse toile qu'à mon avis il avait dû fabriquer lui-même, dans lequel il conservait le portrait que j'avais fait de ma pauvre mère sur son lit de mort. Craie de tailleur sur une jolie feuille crème en papier Fabriano. Ce n'était pas mal, pour un débutant. Mais qu'il l'ait gardé toutes ces années et dans son dossier spécial en plus, eh bien ça, c'était un os. Parfois, j'ai comme l'impression que je rate beaucoup de choses dans le cours du quotidien.

Mais attendez une minute. Puis-je vraiment considérer ce tube de peinture comme le premier objet que j'ai volé ? Il existe de nombreux types de vols, depuis le geste capricieux jusqu'au malicieux, mais, pour moi, un seul compte : le vol totalement inutile. Les objets que je dérobe ne doivent avoir aucune utilité pratique, en tout cas pour moi. Comme je l'ai dit au début, je ne vole pas par intérêt financier – à moins que le frisson de plaisir secret que le vol me procure puisse être considéré comme un gain matériel –, pourtant, ce tube de peinture, non seulement je le voulais mais en plus j'en avais besoin, de même que je voulais Polly et que j'avais besoin d'elle, et il n'y a aucun doute sur le fait que ce tube m'a bien servi – oups ! Cette allusion à Polly m'a échappé ou s'est glissée là à mon insu. Néanmoins, c'est vrai, je suppose. Je l'ai bel et bien volée, je l'ai raflée pendant que son mari avait les yeux tournés et l'ai fourrée dans ma poche. Oui, j'ai subtilisé Polly ; Polly, je l'ai dérobée. Je me suis servi d'elle aussi, et vilainement, je lui ai soutiré tout ce qu'elle avait à donner, puis je me suis enfui en l'abandonnant. Imaginez une contorsion, un frisson de honte, imaginez deux gros poings aux jointures blêmes martelant vainement un torse. C'est ça le hic avec la culpabilité, un des hics : pas moyen d'échapper à son œil ; il me suit partout dans la pièce, dans le monde, bouffi, sceptique, entendu, arrogant et bien trop célèbre, comme celui de la Joconde.

Juste redescendu du toit. Pouah ! Plus tôt ce matin, l'orage a soulevé une demi-douzaine de tuiles, les a précipitées au sol où elles se sont brisées, et à présent la pluie passe à travers le plafond et tombe dans une des chambres du fond après avoir causé on ne sait combien de gros dégâts dans le grenier. La maison se résume à un rez-de-chaussée au-dessus d'un sous-sol, de sorte que le toit n'est pas si haut que ça, mais il est très pentu et je ne sais quelle mouche m'a piqué et poussé à cette grimpette, qui plus est par ce temps. Je négociais mon chemin en vacillant sur les tuiles quand j'ai glissé et me suis retrouvé sur le ventre ; j'aurais continué tout droit et atterri par terre si je n'avais réussi à m'agripper du bout des doigts à la faîtière. Quel spectacle, si on m'avait vu, gigotant et haletant comme un scarabée empalé, lançant mes cuisseaux en tous sens tandis que le bout de mes chaussures tentait désespérément de m'assurer un appui sur les tuiles glissantes. Si j'étais tombé sur le ciment de la cour de derrière, aurais-je rebondi ? J'ai fini par me calmer et suis resté immobile un moment, en me retenant toujours de mes doigts glacés et raidis, sous la pluie persistante et les huées d'un vol de corbeaux tournoyant autour de moi. Puis, les yeux fermés et une prière en tête, j'ai lâché la faîtière et me suis laissé glisser lentement et bruyamment le long de la pente jusqu'à ce que mes orteils, crispés à l'intérieur de mes chaussures désormais vilainement éraflées, rencontrent la gouttière et que j'aie la joie de m'arrêter. Après une autre brève pause, j'ai pu me redresser et prendre du champ tant bien que mal et à croupetons – un miracle que la gouttière n'ait pas cédé sous mon poids –, de la démarche sautillante et chaloupante d'un orang-outan. J'ai poussé des petits cris terrifiés en gagnant la sécurité relative de la haute cheminée de briques qui saille à l'angle nord-est du toit, ou sud-est peut-être ? Quelle sottise que d'être monté là-haut au départ. J'aurais pu me rompre le cou et rester là des semaines avant qu'on ne découvre mon cadavre. Les corbeaux alentour auraient-ils eu l'audace de s'attaquer à mes yeux figés, apeurés et incrédules ?

Je ne sais pas pourquoi je suis venu ici – je veux dire pourquoi ici, dans cette maison. C'est ici que j'ai grandi, c'est ici que mon passé s'est déroulé. Est-ce une illustration du lapin blessé se traînant vers son terrier ? Non, ça ne le fera pas. C'est moi, somme toute, qui ai blessé d'autres gens, même si je ne m'en suis certainement pas sorti indemne. En tout cas, c'est là que je suis, pas la peine de continuer à ruminer les raisons qui m'ont poussé à revenir ici et pas ailleurs. J'en ai assez de ruminer, ça ne sert à rien.

Je me méfiais des bois quand j'étais jeune. Oh, j'adorais m'y balader, surtout au crépuscule, sous la haute et sombre voûte de feuillages, parmi les jeunes arbres, les pousses de fougères et les grands massifs de ronciers violets, mais j'avais toujours peur aussi, peur des animaux sauvages et autres. Je savais que les dieux anciens habitaient toujours là, les ogres aussi. Aujourd'hui, on abat des arbres – j'entends le bruit au loin, dans les profondeurs de la futaie. Quel temps pénible pour ce genre de tâche. Il n'en reste sûrement plus beaucoup qui vaillent la peine d'être coupés. Toutes les propriétés alentour sont aux mains du clan Hyland, même si pour l'essentiel elles sont à présent dépouillées de leur abondance d'antan. Leur dénuement me touche, autant que le mien. Je m'attends à ce que les bûcherons montent un jour ici, c'en sera alors fini des derniers vieux arbres. Peut-être m'abattront-ils avec eux. Ce serait une belle fin, m'écraser dans un grand battement de bras. En tout cas, ce serait toujours mieux que de m'éclater le crâne en glissant d'un toit.

Mon père éprouvait un brûlant mépris pour les Hyland, qu'il surnommait avec méchanceté les Huns, lorsque ceux-ci ne pouvaient l'entendre, en référence à leurs origines alpines. Il y a une centaine d'années, un certain Otto, premier des Hohengrund, nom de la lignée au départ, a fui les impressionnantes hauteurs alpines déchirées par la guerre pour s'installer ici. En cette période d'affluence, les désormais fort pragmatiquement rebaptisés Hyland – Hohengrund, Hyland : vous me suivez ? – n'ont pas tardé à devenir non seulement de grands propriétaires terriens, mais aussi des capitaines d'industrie avec, dans le port de la ville, une flotte de navires charbonniers et une installation de stockage de pétrole alimentant l'ensemble de la province. Leurs jours fastes se sont achevés lorsque le monde, le nouveau vieux monde façonné par le théorème de Godley, a appris à tirer l'énergie des océans aussi bien que de l'air. Pourtant, alors même que les temps se faisaient plus durs, la famille est parvenue à se cramponner à ses hectares avec, de surcroît, un pot d'or ou deux, si bien qu'aujourd'hui encore le nom Hyland poussera certains des citoyens les plus âgés à se découvrir d'instinct ou à porter la main vers leur tête chenue en guise de salut. Pas mon père, cependant. Il était peut-être du genre timide, mais, Seigneur, quand il se lançait sur le thème de nos suzerains autoproclamés – dont le brusque déclin n'avait commencé qu'au moment où le sien se terminait –, il se transformait en une brute féroce, un Tartar, comme auraient dit les gens du coin. Qu'est-ce qu'il les détestait l'espace d'un soir ! Il abattait bruyamment le poing sur la table et faisait sauter et cliqueter tout le service à thé tandis que ma mère affichait un air encore plus rêveur et plongeait les doigts dans ses cheveux aux allures de nid d'oiseaux, le regard vague. Néanmoins, en dépit de leur férocité, je n'ai jamais vraiment cru à ces coups de gueule. J'ai dans l'idée que mon père se fichait totalement des Hyland et voyait en eux un prétexte pour hurler, marteler la table et se libérer ainsi d'une part de ce sentiment de déception et d'échec qui toute sa vie l'avait rongé comme un chancre. Pauvre papa. J'ai dû l'aimer à ma façon, quelle qu'elle ait pu être.

La maison de gardien dans laquelle nous vivions – ou logions – était la propriété de ces mêmes Hyland qui nous la louaient à l'année, ce qui n'arrangeait pas l'humeur de mon père. Quel sinistre silence s'abattait sur notre foyer quand venait le moment, durant la première semaine de janvier, où il enfilait son plus beau costume de serge bleu brillant et prenait, marmonnant et chagrin, le chemin menant à la ville et aux bureaux de F. X. Reck & Son, notaires, agents immobiliers et officiers ayant qualité pour recevoir des déclarations sous serment, afin de se soumettre, à l'instar d'un manant ou d'un vassal d'autrefois, au solennel renouvellement du contrat de location. C'est au siècle dernier que le premier Otto von Hohengrund avait fait l'acquisition du manoir auquel se rattachait notre logement. De notre temps, ledit manoir appartenait à l'un des nombreux descendants d'Otto, un certain Urs, qui avait en effet un aspect d'ours et portait, je le jure, le *Lederhose*, la fameuse culotte de cuir, durant les mois d'été. Dans le bois, j'apercevais parfois ses enfants, fragiles créatures aux cheveux falots mais néanmoins impérieuses. Un jour, en des circonstances que je n'oublierai jamais, l'un d'eux, une petite fille avec des nattes plaquées en

40

macaron sur les oreilles et des lèvres à la Habsbourg, m'a accusé d'être entré sans *aotorisatzionne* dans sa propriété et m'a cinglé le visage avec sa houssine de noisetier. Vous imaginez aisément la fureur de mon père lorsqu'il a vu ma joue zébrée et qu'il a appris comment elle m'était venue. Il arrive cependant que les puissants soient punis et, l'automne suivant, la même petite fille fut sauvagement attaquée par un loup, une des deux bêtes supposément apprivoisées que son père, sans doute taraudé par la nostalgie des terribles forêts et repaires montagneux de ses terres ancestrales, avait introduites ici. L'animal, sorti de son enclos, était tombé sur la fillette qui ramassait des baies dans un vallon peu éloigné de l'endroit où elle m'avait frappé. Mon père a prétendu être choqué comme tout le monde par cet horrible incident, mais il était évident, pour moi du moins, qu'il avait au fond le sentiment que justice avait été rendue (de manière disproportionnée certes) et qu'il en était dûment gratifié.

Je me demande quel était le sujet de ma première peinture. Impossible de m'en souvenir. Une scène sylvestre, j'imagine, avec feuilles, échaliers et meumeu, le tout disposé au mépris de la perspective sous le regard rond d'un soleil jaune d'œuf. Je ne ricane pas. Il est vrai que j'étais simplement heureux au début avec mes barbouillages tous azimuts, or, bien entendu, ce n'est pas le bonheur qui fait le talent. Je passais davantage de temps, je crois, dans la caverne aux trésors de Geppetto que devant mon chevalet – oui, elle m'avait acheté un chevalet, ma mère, une palette aussi, dont les courbes elliptiques me causaient, et me causent toujours, car je l'ai gardée, de secrètes palpitations amoureuses. L'odeur de la peinture et la douceur des poils de martre m'étaient aussi précieuses que des billes, un arc

41

et des flèches pouvaient l'être pour les garçons de mon âge. N'était-ce donc pour moi qu'un jeu alors, en toute innocence ? C'est possible, toutefois je parierais que j'ai produit un meilleur travail à l'époque, dans mon enfance, que plus tard lorsque j'ai perdu de ma spontanéité et commencé à me prendre pour un artiste. Seigneur, quel cauchemar que d'essayer d'assimiler ne serait-ce que les rudiments ! Les réassimiler, en fait, une fois passées la chance et l'euphorie de mes jeunes années insouciantes. Tout le monde pense que ce doit être facile d'être peintre, pourvu qu'on ait un peu de talent, qu'on maîtrise quelques règles de base et qu'on ne soit pas daltonien. Et il est vrai que le côté technique de la chose n'est pas si difficile, c'est une affaire de pratique, à peine plus qu'un coup à prendre, sincèrement. La technique, ça peut s'acquérir, la technique, ça peut s'apprendre avec du temps et des efforts, mais qu'en est-il du reste ? L'élément qui compte réellement, d'où vient-il ? Descend-il du ciel, apporté par des angelots rondouillets qui le dispersent entre quelques heureux élus, tel l'or danaéen ? Je n'y crois guère. Une disposition naturelle précoce est cruellement trompeuse. C'était comme si je m'étais élancé sans réfléchir à l'assaut d'une douce pente herbeuse quelque part dans les vieilles Alpes où j'aurais cueilli des fleurs d'edelweiss en me délectant du chant de l'alouette, puis que j'étais arrivé sur une crête et m'étais arrêté, bouche bée, devant le terrifiant panorama d'une chaîne de montagnes aux pics granitiques enneigés qui, tous plus majestueux les uns que les autres, se fondaient dans les brumes lointaines d'un ciel à la Caspar David Friedrich et exigeaient d'être gravis. Je suppose que je pourrais me vanter en déclarant que je devais être rudement mûr pour mon âge pour identifier les difficultés de si bonne heure. Un jour, j'ai vu le problème, comme ça, et plus rien ne devait jamais être pareil. Et quel était ce problème ? Le voici : là-bas il y a le monde, ici la représentation du monde et entre les deux une crevasse fatale, béante.

Mais attendez, attendez, je m'embrouille dans ma chronologie, je m'embrouille désespérément. Cette clairvoyance ne m'est venue que beaucoup plus tard et, là, elle m'a aveuglé. Il se peut donc qu'autrefois, il y a très, très longtemps, je n'ai finalement pas été ce petit génie si intuitif. C'est une pensée revigorante, même si je ne vois pas pourquoi elle devrait l'être.

Un peu plus tard. Je me suis obligé à aller marcher. Ce n'est pas un truc que je fais souvent, car ce n'est pas un truc que je fais bien. Ça paraît absurde, je sais – comment une promenade pourrait-elle être bien ou mal faite ? Marcher, c'est marcher, tout de même. La question cependant, ce n'est pas la marche, mais le fait d'aller marcher, ce qui est à mes yeux le passe-temps humain le plus futile et assurément le plus fumeux. Je suis aussi disposé que tout un chacun à savourer les bienfaits que Mère Nature nous offre avec tant d'indulgence et de générosité, plus disposé sans doute, mais uniquement en tant que plaisir fortuit lors des pauses du quotidien. Se mettre en route avec l'objectif précis d'être dehors pour profiter de l'air clément sous le beau ciel du Bon Dieu et tout le tintouin a pour moi des relents de kitsch. Je pense que le problème, c'est que je ne peux m'impliquer là-dedans avec naturel, sans gêne – voilà ce que je veux dire quand je parle de mal faire. Je regarde avec envie les promeneurs que je croise en chemin. Qu'ils trottent allègrement dans leurs knickers et leurs vestes imperméables, arborant sans peur ces longs bâtons de marche merveilleusement fins – lesquels ressemblent d'ailleurs beaucoup à des bâtons de

43

ski avec leurs lanières en cuir attachées aux poignées – et l'esprit apparemment libre de toute pensée, un sourire innocent plaqué sur leur visage offert à la bienheureuse lumière du jour. Pour ma part, je me traîne et transpire, essuie mon front ruisselant et tire sur un col de chemise qui m'allait à la perfection à la maison, mais semble désormais vouloir m'étrangler. C'est vrai, je pourrais l'ouvrir d'un coup sec, arracher ma cravate et m'en débarrasser, mais c'est toute la difficulté. Je n'ai jamais été du genre à me déboutonner. Je ressemble peut-être à Dylan Thomas dans sa décrépitude prématurée, sinon que je n'ai pas son style pompeux.

Ce qu'il y a, vous voyez, quant au fait d'être en balade – désolé de continuer à patasser sur le sujet – sans autre objectif que d'être en balade, c'est que je me sens observé. Pas par des yeux humains ni même par des yeux d'animaux. Pour moi, la nature est tout sauf inanimée. Aujourd'hui, pendant que je me promenais – je ne me promène pas – sur la route de derrière qui contourne le bois, j'ai senti la vie des choses me cerner de toutes parts, m'étouffer, me bousculer : en un mot, m'observer. Pourquoi cette abondance ? me suis-je demandé un brin gêné. Pourquoi cette herbe partout, recouvrant tout ? Pourquoi tant de feuilles ? Cela sans même prendre en compte ce qui se passe en sous-sol, les coléoptères fouisseurs, les vers aux tortillements infinis, l'effervescence des racines filandreuses qui s'enfoncent toujours plus profondément dans la terre en quête d'eau et de chaleur. Cette profusion m'a plongé dans la consternation ; j'ai eu la sensation d'être écrasé sous tout ce poids, de sorte que j'ai vite fait demi-tour pour regagner la maison à la hâte et me réfugier à l'intérieur, la main tremblante et pressée contre mon cœur affolé.

44

Pourtant, lorsque je peignais, c'était la nature que je peignais le mieux et avec le plus de plaisir. Il y a là un paradoxe. Notez, au bout du compte, qu'y a-t-il d'autre à peindre ? Lorsque je parle de nature, je fais bien entendu référence au monde visible, dans sa totalité, l'intérieur comme l'extérieur. Mais ce n'est pas la nature à strictement parler, n'est-ce pas ? Alors quoi ? C'est le tout, l'ensemble des choses auquel je pense ; tout le saint-frusquin, montagnes, souris et nous, coincés au milieu, mesure de toutes choses, béni soit le Seigneur, comme on dit par ici.

Il n'y a rien à manger à la maison. Que vais-je faire ? Je suppose que je pourrais aller au bois et farfouiller de-ci de-là à la recherche de fines herbes, ou bien tenter de dénicher des fruits de caryer des pourceaux, même si je n'ai pas idée de ce que c'est. L'automne est censé être la saison de la maturité, de la fertilité, pas vrai ? Je n'ai jamais très bien su me débrouiller tout seul. C'étaient des femmes qui s'en chargeaient, qui prenaient soin de moi. Voyez à présent ce que je suis devenu : un Orphée muet et privé de sa lyre qui perdrait assurément la tête si la folie le toquait de s'en retourner parmi les ménades. Ô Dieu qui nous a quittés ! *O deus mortuorum !* Je t'implore.

Mes pensées m'ont ramené encore une fois au fameux tube de blanc de zinc que j'avais chapardé dans le magasin de jouets de Geppetto. On croirait que je suis incapable de laisser tomber cette histoire. J'arrive, c'est sûr, à la conclusion qu'en réalité ça n'a pas été mon premier vol légitime. D'accord, ce tube de peinture est la première chose que j'ai volée, pour autant que je m'en souvienne, mais je l'ai volé sous le coup d'une convoitise enfantine ; par ailleurs, mon geste n'avait

45

rien d'artistique et il lui manquait l'élément véritablement érotique. Ces qualités essentielles n'ont fait leur apparition qu'avec la figurine à la robe verte de Miss Vandeleur. Ah oui. Je l'ai toujours, cette petite dame en porcelaine, après toutes ces années. Quel sentimental je fais. Mais non, ce n'est pas vrai, qu'est-ce que je raconte ? La sentimentalité n'a rien à voir là-dedans. Les choses que j'ai gardées, ça n'a pas été par attachement nostalgique ; autant suggérer au grand prêtre du temple que les saintes reliques sur lesquelles il veille jalousement ne sont que de simples souvenirs de mortels, hommes et femmes, leurs propriétaires d'origine, destinés à être un jour élevés au rang de saints. Attendez ! La revoilà, la note hiératique, la convocation du sacré alors qu'en fait le but véritable du vol est terre à terre – transcendant et en même temps prosaïque. Laissez-moi formuler cela clairement. Mon objectif dans l'art du vol, de même que dans l'art de peindre, c'est l'absorption du monde dans le moi. L'objet volé ne devient pas seulement mien, il devient moi et prend ainsi une vie nouvelle, celle que je lui donne. Trop grandiloquent, dites-vous, trop prétentieux ? Moquez-vous tant que vous voulez, ça m'est égal : je sais ce que je sais.

Miss Vandeleur, la Miss Vandeleur dont je parle, encore qu'il n'y en ait sûrement pas beaucoup qui répondent à ce nom-là, tenait une pension de famille dans un village du bord de mer. Elle était apparentée à ma famille d'une façon que je n'ai jamais pu clarifier. J'ai tendance à penser que cette parenté était théorique. Il y avait du côté de mon père une tante, une vieille dame distinguée, qui s'habillait dans de sobres teintes de mauve et de gris et qui portait – est-ce possible ? – des bottines à boutons délicatement craquelées en un lacis de plis cirés. Elle avait l'habitude de me donner

46

des pièces de six pence toutes chaudes qu'elle tirait de son porte-monnaie, mais ne se rappelait jamais mon nom, et voici que je lui retourne le compliment puisque aujourd'hui c'est moi qui ai oublié le sien. Il me semble que Miss Vandeleur avait été une compagne de longue date de cette vénérable vieille fille – quel type de compagne ? Je ne vais pas spéculer – et qu'à la mort de la vieille elle s'était attachée à nous, en remplacement, pour ainsi dire, de la disparue, devenant ainsi une sorte de tante honoraire. Quoi qu'il en soit, dans les périodes creuses de la fin de la saison, lorsqu'elle disposait de chambres vides, Miss V. nous accueillait généreusement dans sa pension moyennant un tarif très avantageux, seule façon dont nous pouvions nous offrir un tel luxe.

Miss Vandeleur était une grosse dame au teint clair dotée d'une masse de cheveux blonds artificiels qui lui tombaient librement dans le dos. Elle avait dû être une beauté dans sa jeunesse et, même encore à l'époque où nous la fréquentions, elle avait le physique d'une version ravagée de la Florence distributrice de fleurs à la gauche du personnage central du très admiré quoique mièvre *Printemps* de Sandro Botticelli. J'ai dans l'idée qu'elle avait conscience de cette ressemblance – quelqu'un, autrefois, un soupirant peut-être, avait dû attirer son attention là-dessus –, compte tenu du soin qu'elle prenait de sa stupéfiante masse de cheveux blonds comme les blés et de sa prédilection pour les robes diaphanes à taille haute. Pour ce qui était de son caractère, elle était lunatique. Elle affichait en général une bienveillance majestueuse dont elle était capable de se défaire à la moindre provocation pour laisser éclater sa fureur et cracher son venin, les yeux plissés. Il y avait eu une tragédie il y a longtemps – pour autant que je me souvienne, des jumeaux avaient délibérément noyé un camarade de jeu –, dans laquelle Miss Vandeleur avait été impliquée d'une manière totalement injuste, proclamait-elle, et des rappels fortuits ou même le souvenir spontané de cette injustice constituaient la cause sous-jacente de nombre de ses crises. Sa maison, d'une laideur démoralisante – baptisée Liban, allez savoir pourquoi –, était spacieuse et pleine de coins et de recoins, avec des tas d'extensions et d'annexes ajoutées après coup, de sorte qu'elle ne donnait pas l'impression d'avoir été construite mais plutôt montée de bric et de broc. Les quartiers privés de Miss Vandeleur étaient situés à l'arrière, dans ce qui était à peine plus qu'un appentis avec lattes de bois et feutres bitumés attaché à la cuisine de façon précaire et propice aux fuites. Au cœur de cette tanière, il y avait une petite pièce carrée, obscure et bourrée des trésors de Miss Vandeleur, que cette dernière appelait son bureau. Partout s'accumulaient des *objets*, dorures, verreries, faïences, filigranes, encombrants buffets et petites tables, posés par terre, cloués aux murs, suspendus au plafond. C'était là son domaine secret, c'était là qu'elle s'adonnait à ses plaisirs mystérieux, solitaires, et elle nous avait fait comprendre, surtout à nous, les enfants, que toute violation de ce sanctuaire nous vaudrait un châtiment immédiat et terrifiant. Je n'ai guère besoin de vous dire combien je mourais d'envie de m'introduire dans ce lieu.

Je me demande s'il n'est pas arrivé quelque chose au temps, je veux dire au climat en général. Je ne prête pas tellement attention aux déclarations apocalyptiques quant aux effets catastrophiques des récentes et spectaculaires éruptions solaires sur l'oscillation ou autre mouvement de la Terre, pourtant il me semble que quelque chose a changé depuis les décennies où j'étais

48

gamin. J'ai bien conscience que l'éclat qui joue sur les souvenirs d'enfance peut être trompeur. N'empêche, je revois des après-midi de sérénité frappés de soleil que je ne me rappelle pas avoir jamais revus depuis, quand le ciel d'un turquoise infini retenait une sorte d'obscurité vibrante en son zénith et que la lumière baignant la terre dépouillée paraissait stupéfiée par son propre poids et son intensité. C'est par une journée pareille que j'ai finalement rassemblé le courage de pénétrer dans le sanctuaire engorgé de Miss Vandeleur, de m'introduire dans son bureau.

Je viens d'éprouver un brusque et doux mouvement de tendresse pour le petit garçon que j'étais alors, dans son short kaki et ses sandales ornées de losanges découpés au niveau des doigts de pied, debout, le cœur battant, à l'orée de la grande aventure que sa vie promettait d'être. Habité par une foule de compulsions brutes, de peurs mal définies, c'est à peine s'il savait qui il était, ce qu'il était. Avec quelle discrétion il a refermé la porte derrière lui, avec quelle prudence il a foulé ces planchers interdits. Dans le silence de l'été, les parois de bois craquaient autour de lui tandis que le toit, avec son manteau de goudron boursouflé, se dilatait doucement sous la chaleur. Tout lui paraissait vivant, tout lui paraissait le regarder avec une attention perçante. Il flottait dans l'air des odeurs de bois d'œuvre blanchi au soleil, de créosote et de poussière évocatrices des exhalaisons d'un passé déjà perdu.

Comme je l'ai déjà dit, Miss Vandeleur était une grande collectionneuse, mais elle avait une passion toute particulière pour les statuettes en porcelaine – bergères aux joues roses, ballerines effectuant une pirouette, chérubins bleus affublés de perruques poudrées, ce type de sujets. Mon œil est aussitôt tombé sur une paire d'ornements de ce style, qui se remarquaient du fait qu'ils étaient deux fois plus grands que le reste des objets et d'une conception plus récente. Ils représentaient deux mondaines, des beautés des années 20, d'une minceur héronnière, avec crans et ondulations Marcel, vêtues – court-vêtues de surcroît – de robes longues près du corps, l'une vert chlorophylle, l'autre d'un ravissant lapis-lazuli foncé, dont le décolleté plongeant n'offrait guère de perspective, leurs propriétaires étant, mode oblige, plates comme des limandes, au point même de friser l'androgynie. Avec leurs sourires mélancoliques, condescendants, et leurs gants dissimulant jusqu'à leurs coudes saillants, elles m'ont paru incarner le comble de l'élégance et de la sophistication blasée.

J'ai eu envie de les subtiliser toutes les deux, ce qui montre combien j'étais jeune et inexpérimenté dans l'art du chapardage, cet art dans lequel j'allais devenir un tel expert. Néanmoins, aussi novice que j'aie pu être alors, j'ai compris, obscurément mais incontestablement, que je devais résister à ma cupidité. Il y avait une raison, simple et évidente, bien qu'assurément perverse, pour laquelle je ne devais prendre qu'une seule de ces dames indolentes. Si elles disparaissaient toutes les deux, il était fort possible que Miss Vandeleur ne se rende compte de rien, alors que s'il en restait une seule à traîner mollement, elle s'apercevrait forcément tôt ou tard de la disparition de la première. Vous voyez combien, déjà à ce stade précoce, il était pour moi important que l'on remarque ce vol. Voilà pourquoi il ne faut pas que je comptabilise le chapardage de ce beau gros tube de blanc de zinc : ce qui m'avait tracassé alors, c'était l'idée que Geppetto découvre que je l'avais pris et non pas la possibilité autrement plus dérangeante qu'il ne s'aperçoive de rien. Et c'est là que le côté plus profond, plus sombre de ma passion s'éclaire. Ainsi que je l'ai sûrement déjà dit plus d'une fois, il faut que le propriétaire légitime sache qu'on lui a barboté quelque chose, même s'il ne doit certes pas savoir qui s'est chargé du barbotage.

Laquelle allais-je prendre ? La beauté en bleu ou sa compagne en vert ? Il n'y avait rien pour m'aider à choisir entre elles, sinon la couleur de leur robe, car elles avaient été coulées dans des moules identiques – identiques, sauf qu'il s'agissait d'une paire, l'une inclinée vers la gauche et l'autre, sa jumelle, vers la droite. Après bien des tergiversations, les paumes moites et un filet de sueur dégoulinant le long de ma colonne vertébrale, je me suis décidé pour celle qui s'inclinait vers la gauche. Le vert de sa robe avait la teinte du fin manteau de feuilles qu'exhibent les grands arbres aux premiers jours de mai, chacune de ses pommettes avait une délicate touche rose saumoné et son vernis, quand je l'ai l'examinée de près, présentait un réseau de minuscules craquelures, aussi nombreuses mais beaucoup plus fines que les craquelures des bottines à boutons de ma tante décédée. Quel âge avais-je alors ? Je n'étais sûrement pas encore pubère. Cependant, le spasme de plaisir qui a couru dans mes veines et poussé les follicules de mon cuir chevelu à s'agiter et à me picoter quand j'ai refermé les doigts sur cette petite statue lisse, puis que je l'ai glissée dans ma poche, était vieux comme Onan. Oui, c'est à cet instant que j'ai découvert la nature de la sensualité, dans toute son intensité irrésistible, écrasante, brûlante et turgescente.

Je l'ai toujours, ma garçonne verte, enfermée dans une odorante vieille boîte à cigares que j'ai rangée dans un coin du grenier ici, sous les avant-toits. J'aurais pu aller la rechercher quand j'ai grimpé sur le toit pour évaluer les dégâts de l'orage. C'est bien que je n'en aie rien fait : elle m'aurait jeté à genoux, le visage entre mes mains, à sangloter de tout mon cœur au milieu des chaises longues délabrées, des raquettes de tennis trouées et de l'odeur omniprésente des pommes d'automne que mon père stockait là et dont la plupart pourrissaient chaque année avant même que l'hiver se soit vraiment installé.

Cette fichue Miss Vandeleur n'a jamais noté la disparition de la statuette ou, du moins, elle n'en a jamais parlé, ce qui ne lui ressemble pas. Pourtant, comme j'avais agi prestement, bravement – non, pas bravement mais audacieusement, avec un courage atypique – en pénétrant dans le sanctuaire interdit. Enfin, il n'est pas d'œuvre d'art performatif qui soit parfaite, et personne n'obtient jamais la réaction qu'il estime lui être due.

Il était joliment approprié que ce qui aujourd'hui me semble avoir été mon premier larcin créatif ait eu lieu au bord de la mer, ce site de jeunesse éternelle où la vase primordiale est encore humide. Je me rappelle avec une clarté hallucinante la chaleur pétrifiée de cette journée et la texture cotonneuse de l'air dans la pièce secrète de Miss Vandeleur. Je me rappelle le silence aussi. Il n'est pas de silence comparable à celui qui accompagne un vol. Lorsque mes doigts, agissant apparemment de leur propre chef et sans avoir du tout besoin de moi ou de mon entremise, se tendent vers une babiole convoitée, tout se fige un bref instant, comme si le monde retenait son souffle, choqué et émerveillé par la pure effronterie du geste. Puis survient cette vague de joie muette, déferlant en moi pareille à de la bile. C'est une sensation qui remonte à l'enfance et à la transgression infantile. Une large part du désir de voler découle de la possibilité d'être pris. Ou non, non, c'est plus que cela : c'est précisément le désir d'être pris. Je ne veux pas dire que j'ai envie qu'un mastard en bleu m'alpague par la peau du cou et me traîne devant un juge qui me punira sévèrement et me collera trois mois ferme. Et alors quoi ? Oh, je ne sais pas. Un enfant mouille-t-il son lit en partie dans l'espoir de recevoir une bonne fessée de la part de sa maman ? Ce sont là de sombres profondeurs qu'il vaut sans doute mieux ne pas totalement sonder.

En parlant de profondeurs et d'éventuels coups de sonde, je me repenche, plein de questionnements et de plus en plus perplexe, sur mon histoire d'amour, si l'on peut dire, avec Polly Pettit. Si l'on peut dire ! Pourquoi cette remarque ? Ça me semblait sérieux sur le coup – à un moment, ça m'a paru primer tout ou presque. Or, cette affaire a toujours été invraisemblable, ce qui la rendait d'autant plus troublante. On est tombés dans les bras l'un de l'autre, hors d'haleine et stupéfaits, et cet ébahissement mutuel ne nous a jamais vraiment lâchés. Polly me disait régulièrement qu'une des choses qui l'avaient attirée chez moi était l'odeur de peinture que je dégageais. C'était curieux, puisque j'avais déjà rangé mes pinceaux. D'après elle, c'était une bonne odeur de terre qui lui rappelait l'époque où elle était enfant et faisait des pâtés de sable. Personnellement, je ne savais qu'en penser, s'il fallait m'en réjouir ou m'en offusquer un peu.

En général, on se retrouvait dans mon atelier, ou ce qui était mon atelier quand je peignais encore. Je m'y cramponne, je ne sais pas trop pourquoi – peut-être dans l'espoir vain que la muse reviendra se jucher sur son vieux perchoir. Je sais ce que vous allez dire, avant même que vous n'ouvriez la bouche, mais je ne me suis pas lié avec Polly dans l'idée que la chaleur que nous dégagions ensemble attise les braises de l'inspiration et ressuscite de brûlantes flammes. Ah non ! À ce moment-là, ces braises s'étaient muées en cendres, en cendres froides qui plus est. Non, cet atelier qui ne faisait plus office d'atelier n'était jamais qu'une garçonnière isolée et commode ; ce qu'il représente désormais, je n'en ai vraiment pas idée, mais il est là, inutile, et il m'est néanmoins impossible de m'en débarrasser.

C'était une grande pièce glaciale et biscornue au-dessus de ce qui était autrefois l'imprimerie de mon père. En m'y installant, je n'ai pas eu du tout conscience de marcher dans ses traces. Lorsqu'il est parti à la retraite, c'est un blanchisseur qui a repris les lieux, si bien que, quand j'ai cessé de peindre, les exhalaisons de peinture, d'huile de lin et de térébenthine ont vite été remplacées par les lourds miasmes de l'eau savonneuse, l'odeur de renfermé de la laine humide et chaude et les âcres émanations d'eau de Javel qui me faisaient monter les larmes aux yeux et me provoquaient de terribles maux de tête. Peut-être cette puanteur avait-elle imprégné ma peau, de sorte que Polly la confondait avec les pigments. Il est certain que, pour moi du moins, cette odeur, l'odeur du linge sale qu'on lave, évoque l'enfance et ses barbouillages cochonnés.

Elle est venue pour la première fois à l'atelier par une journée glaciale de la fin de l'année – c'est de l'an dernier que je parle, il y a plus de neuf mois, car on est en septembre maintenant, tâchez de ne pas perdre le fil. Le ciel dans la grande fenêtre exposée au nord semblait avoir été dessiné à la mine de graphite et la lumière qui entrait dans la pièce avait un grain que j'associe dans mon souvenir à la chair de poule de Polly, laquelle avait une excitante texture de papier émeri. Tandis que nous étions allongés sur le vieux canapé vert, en une étreinte langoureuse – qu'elles étaient tendres et hésitantes, ces premières heures d'exploration passées ensemble –, je nous ai vus comme une scène de genre, un dessin d'étude de Daumier par exemple, ou même un croquis

54

à l'huile de Courbet, illustration des splendeurs et misères de la *Vie de bohème*. La minuscule main de Polly était gelée, totalement, ainsi que pouvaient en attester certaines parties de mon anatomie, lesquelles se dérobaient d'instinct devant ses doigts, tel un escargot piqué par une épine. Polly a voulu savoir pourquoi j'avais abandonné la peinture. C'est une question que je redoute, vu que je n'en connais pas la réponse. Bien sûr, j'en connais plus ou moins les raisons, je suppose, mais il m'est impossible de les formuler en des termes raisonnables. Je pourrais dire qu'un jour je me suis réveillé coupé du monde, mais comment cela sonnerait-il ? De toute façon, n'avais-je pas toujours dépeint le monde tel que mon esprit l'appréhendait et non tel qu'il était ? Un critique m'a un jour qualifié de chef de file de l'école des cérébralistes, comme il disait avec délectation – s'il existait une école de ce type, elle n'aurait qu'un seul élève –, mais même aux moments où j'étais le plus replié sur moi-même, j'avais néanmoins besoin de tout ce qui se trouvait à l'extérieur, le ciel, ses nuages, la Terre elle-même et les petites silhouettes qui arpentaient son écorce. Motifs et rythme, tels étaient les principes organisateurs devant lesquels tout devait se soumettre, les deux lois d'airain qui géraient le ramassis d'effets du monde. Puis est arrivé ce matin, ce matin fatidique – il y a combien de temps ? – où j'ai ouvert les yeux et me suis aperçu qu'il avait disparu, que tout avait disparu à jamais pour moi, que tous mes principes directeurs étaient pulvérisés. Pensez au destin cruel d'un homme doté du sens de la vue mais incapable de voir.

J'ai dit que j'avais volé Polly, mais ai-je vraiment fait ça ? Emploierait-on des termes aussi brutaux pour m'accuser devant un tribunal ? C'est vrai, on évoque toujours les amours clandestines en termes de vol. Bon, le détournement, par exemple, ou même la captation, dans son usage le plus rare – oui, j'ai encore été feuilleter le dictionnaire –, sont des termes que je pourrais peut-être accepter, mais « vol » me paraît trop cru. Le plaisir, non, pas le plaisir, la gratification que j'ai connue en raflant la femme de Marcus n'avait rien à voir avec la sombre joie que me procurent mes chapardages les plus secrets. En fait, ça n'avait rien de sombre, ça baignait dans une lumière apaisante.

Nous étions heureux ensemble, elle et moi, simplement heureux, en tout cas au début. Une sorte d'innocence, de naturel s'attache à l'amour caché, en dépit des flammes de culpabilité et de terreur qui lèchent le postérieur rebondi et nu de l'amant. Il y avait chez Polly, à ce que j'imaginais, quelque chose d'enfantin auquel elle s'accrochait depuis son enfance, une vulnérabilité et un empressement naïfs que je trouvais incroyablement irrésistibles. Et, en sa présence, j'avais l'impression, moi aussi, de renouer avec mes tout premiers jours. On accorde trop peu de crédit aux aspects ludiques de l'amour : on aurait pu nous prendre pour deux toutpetits, Polly et moi, jouant à la bagarre. Et qu'elle était ouverte et généreuse, non seulement lorsqu'elle me laissait poser mon front angoissé sur son sein pâle et rond, mais aussi d'une façon plus profonde et même plus intime. L'aimer, c'était comme être accueilli en un lieu où elle serait restée seule jusqu'à présent, un lieu où personne d'autre n'aurait jamais eu le droit d'entrer, pas même son mari – attention, tout cela au passé, irrémédiablement. Ce qui est fait est fait, ce qui est perdu est perdu. Mais, ah, si elle devait apparaître devant moi maintenant, en chair et en os – en chair et en os ! –, suis-je certain que mon cœur ne céderait pas une fois encore ?

Il y avait certaines réticences entre nous. Par exemple, lorsque nous étions ensemble, Polly ne mentionnait jamais Gloria, pas une fois elle ne l'a fait durant toute notre histoire. Moi, en revanche, je parlais de Marcus au moindre prétexte, comme si la simple évocation de son nom, répété suffisamment souvent, allait avoir un effet magique neutralisant. La culpabilité dont je souffrais face au mari de Polly pesait au-dessus de moi à l'image d'un nuage d'orage miniature qui, poussé là pour ma seule personne, m'aurait suivi pas à pas. Je pense que le tort que je causais à mon ami me procurait une peine presque plus vive que l'injustice non moins grave que je commettais envers ma femme et, je suppose, envers la sienne aussi. Et Polly, quels sentiments son infidélité lui valait-elle ? Comme moi, elle avait sûrement des remords. Chaque fois que je commençais à jacasser sur Marcus, elle se renfrognait d'une manière boudeuse, désapprobatrice, fronçait les sourcils, et sa bouche d'ordinaire rose se transformait en une fine ligne livide. Elle avait raison, bien sûr : c'était indélicat de ma part d'évoquer nos conjoints à l'instant même où nous étions occupés à les trahir. Quant à Gloria, Polly et elle étaient dans les meilleurs termes, comme toujours, et quand nous nous retrouvions tous les quatre, ce qui ne nous arrivait pas moins fréquemment qu'auparavant, le surcroît d'attentions dont Polly entourait Gloria aurait dû aider cette femme à qui rien n'échappait à deviner que quelque chose clochait.

Mais revenons-en maintenant à Polly et moi dans l'atelier, ce jour proche de la fin de l'année glaciale où nous avions travaillé si fort à nous réchauffer. Nous étions allongés côte à côte sur le canapé, recouverts de nos manteaux, et la sueur de nos récents efforts se muait en un film de condensation glacée sur notre peau. Les bras noués autour de moi et la tête, sa tête à la chevelure brillante, nichée au creux de mon épaule, elle évoquait avec de tendres détails ce qu'elle prétendait être notre première rencontre, longtemps auparavant. Je m'étais présenté avec une montre dont je voulais confier la réparation à Marcus. Ça ne faisait pas plus d'une semaine ou deux que j'étais revenu, m'a-t-elle assuré. Assise à son bureau dans la partie arrière obscure de l'atelier, elle s'occupait des comptes. Moi, j'avais jeté un coup d'œil dans sa direction et souri. Je portais, elle s'en souvenait, ou affirmait s'en souvenir, une chemise blanche au col lâche et ouvert, un vieux pantalon en velours et des chaussures sans lacets ni chaussettes. Elle avait remarqué mes cous-de-pied très bronzés et avait aussitôt visualisé le Sud resplendissant, une baie semblable à une coupe d'améthyste brisée piquetée de mouchetures d'argent fondu avec une voile blanche en travers de l'horizon et un volet bleu lavande ouvert sur le tout – oui, oui, vous avez raison, j'ai ajouté quelques touches de couleur sur son croquis largement monochrome et probablement plus juste. C'était l'été, a-t-elle ajouté, un matin de juin, et le soleil coulant par la fenêtre donnait à ma chemise une blancheur aveuglante – jamais elle n'oublierait, a-t-elle déclaré, cette radiance miraculeuse. Vous le comprenez, je ne fais que rapporter ses paroles, pour l'essentiel, en tout cas. J'avais expliqué à Marcus que cette montre, une Elgin, avait appartenu à mon père décédé et que j'espérais qu'elle pourrait remarcher. Marcus avait froncé les sourcils et hoché la tête en la tournant dans tous les sens entre ses longs doigts minces aux allures de spatule et en émettant du fond de la gorge des bruits illustrant sa réticence à se prononcer. Par timidité, il faisait mine de ne pas savoir qui j'étais – c'est quelqu'un de très timide, comme moi, à ma façon –, ce qui était vraiment stupide, a poursuivi Polly, puisque tout le monde en ville avait entendu parler du couple qui avait emménagé dans la grande maison de Fairmount Hill, Olly, le fils d'Oscar

Orme, un artiste désormais célèbre, pas moins, et sa jeune femme à l'accent traînant et au regard languide. « Je vais voir ce que je pourrais faire », avait dit Marcus en me prévenant qu'il était difficile de se procurer les pièces détachées de ce modèle. Pendant qu'il me préparait le reçu, j'avais jeté un nouveau coup d'œil vers Polly par-dessus la tête penchée de son mari et de nouveau je lui avais souri ; je lui avais même adressé un clin d'œil. Tout cela, selon elle. Inutile de dire que je ne me rappelais rien de tout ça. Disons que je me rappelais avoir donné la montre de mon père à réparer, mais quant à avoir souri à Polly, et encore plus lui avoir adressé un clin d'œil, ça, je n'en avais aucun souvenir. De même que je ne pouvais me reconnaître dans le portrait qu'elle avait brossé de moi, dans ma flamboyance débraillée. Débraillé, je le suis, c'est un état incurable, mais je suis sûr de n'avoir jamais renvoyé le genre de flamme pure et vive qu'elle avait vue ce jour-là.

« Je suis tombée amoureuse de toi sur-le-champ », m'a-t-elle dit avec un sourire heureux, son souffle pareil à des doigts chauds courant à travers la fourrure cuivrée de mon torse nu.

À propos, pourquoi est-ce que je continue à dire qu'elle est petite ? Elle est plus grande que moi, encore que ça ne la rende pas grande pour autant, ses épaules sont aussi larges que les miennes et elle pourrait probablement me coller par terre d'un ramponneau de ses petits – voilà, je recommence – poings durs en cas de provocation poussée, comme elle en a sûrement subi à plusieurs reprises.

La nuit dernière, j'ai fait un rêve bizarre, bizarre et fascinant, qui refuse de se dissiper et dont les bribes s'attardent encore dans les recoins de mon esprit, telles des ombres brisées. J'étais ici, à la maison, sauf que la maison n'était pas à sa place mais quelque part en bord de mer, au-dessus d'une vaste plage. Un orage se préparait et, de la fenêtre du rez-de-chaussée, j'ai vu déferler une marée incroyablement forte, dont les vagues énormes, ralenties par le poids du sable brassé et pressées de gagner la grève pour s'exploser contre la digue basse, s'écrasaient les unes sur les autres. Une écume blanc sale ourlait le sommet des vagues dont les creux lisses et profonds affichaient un éclat vitreux et pernicieux. On aurait cru des meutes de chiens déchaînés et frénétiques fonçant, mâchoires ouvertes, vers la terre où ils étaient violemment repoussés. D'ailleurs il y avait un chien, un berger allemand noir et feu, muselé, l'arrière-train presque au ras du sol, avec lequel l'aîné de mes trois frères, redevenu jeune, se préparait à faire une balade. J'ai tenté d'attirer son attention, malgré la fenêtre, car j'étais inquiet de le voir sortir par un temps pareil, sans même un manteau, mais soit il ne m'a pas vu, soit il a choisi de ne pas remarquer mes signaux pressants. Je me demande ce que tout ça signifie, ou pourquoi ce rêve continue de me poursuivre depuis que je me suis réveillé en sursaut, effrayé, à l'aube. Je n'aime pas ce genre de rêve, tumultueux, comminatoire, lourd de signification inexplicable. Qu'ai-je à voir avec la mer, avec des chiens et eux avec moi ? En plus, à Noël, cela fera dix ans que mon frère Oswald, pauvre Ossie, est mort.

Polly rêvait beaucoup, et sans doute rêve-t-elle encore beaucoup, en tout cas elle parlait beaucoup de ses rêves.

« N'est-ce pas bizarre, répétait-elle souvent, tout ce qui nous passe par la tête quand on dort ? »

Je repense à un autre jour, dans les premières semaines de la nouvelle année, où nous étions encore une fois allongés ensemble, langoureusement inertes sur le canapé défoncé de l'atelier avec la grande fenêtre remplie de ciel penchée sur nous, et où elle m'a parlé d'un rêve récurrent qu'elle faisait sur Frederick Hyland. Même si ça m'a démoralisé, ça ne m'a pas surpris. On dirait que toutes les femmes – à l'exception de Gloria, encore que je n'aie aucune certitude à son sujet – ayant ne serait-ce qu'entrevu Freddie rêvent du Prince, comme le surnomme la ville avec ironie : nous nous moquons beaucoup des gens, en particulier des propriétaires terriens qui récemment encore étaient nos seigneurs et maîtres par ici. Freddie est le seul et dernier, c'est apparemment inévitable, représentant mâle de la maison Hyland. Neurasthénique et infiniment hésitant, ce personnage d'une insondable mélancolie se montre rarement et vit confiné dans Hyland Heights, ainsi que s'appelle pompeusement sa maison – il s'agit en fait d'une petite résidence de campagne, banale et plutôt miteuse, construite sur une colline et dotée d'armoiries presque effacées gravées sur un vieil écusson de pierre au-dessus de la porte d'entrée et d'une cour intérieure où, il y a longtemps, Otto Hohengrung-cum-Hyland, papa de la dynastie pour lequel l'endroit a été bâti, faisait travailler les lipizzans qu'il avait importés. Les deux sœurs célibataires de Freddie tiennent la maison pour lui. Elles aussi sont rarement visibles. Un homme veille sur les lieux, un certain Matty Myler qui, en début de mois, va au ravitaillement au volant de la grosse Daimler noire de la famille et récupère discrètement, par la porte de service du Harker's Hotel, deux caisses de bière noire, de la stout, et une caisse de gin Cork Dry. Ce doit être les deux vieilles frangines qui picolent, car Freddie est connu pour être quelqu'un de sobre. C'est peut-être pour son apathie même que les femmes l'adorent.

Je l'ai rencontré à plusieurs reprises, ce vieux Freddie, mais il ne se souvient jamais de moi. Un jour, après mon retour et mon installation dans ma belle maison de Fairmount Hill – bien plus belle, si je puis me permettre, que Hyland Heights –, nous avons eu une rencontre curieuse et franchement déconcertante. C'était la fête annuelle et une grande tente avait été dressée dans un champ que Freddie en personne avait prêté pour la circonstance. Il devait y avoir une tombola au bénéfice des escadrons de salariés du secteur technologique qui avaient été licenciés au cours des dernières années – que la vie est agréable quand on est coupé du vacarme incessant, lequel n'est pas sans rappeler un bruit de fausses dents, des petites machines de communication aujourd'hui obsolètes qui, pour leur fabrication par millions, avaient exigé tant de tâcherons – et, dans une crise de civisme, j'avais offert une série de croquis pour le premier prix de la loterie. Freddie avait consenti à inaugurer l'événement. Planté sur une estrade improvisée, une épaule relevée et la tête inclinée en un angle chagrin comme à son habitude, il avait débité, ou plutôt soupiré, quelques phrases à peine audibles dans un microphone qui couinait et émettait de stridents sifflements de chauve-souris. Sa prestation terminée, il avait considéré la foule d'un regard tendu, hésitant, puis était redescendu accompagné par quelques maigres applaudissements manifestement sarcastiques. Peu après, alors que je me rendais aux chiottes provisoires installées derrière la tente – j'avais bu trois verres de piquette –, je suis tombé sur lui qui émergeait d'une des cabines en se reboutonnant. Il portait un costume trois pièces en tweed, avec une chaîne de montre en travers du ventre et des richelieus marron dont le bout affichait un éclat de châtaigne fraîchement décortiquée – c'est un grand admirateur du style vestimentaire de nos cousins gentlemen de l'autre côté de la mer ; dans sa jeunesse, il arborait un monocle et même, pendant un temps, une moustache en guidon de vélo, jusqu'à ce que sa mère, laquelle avait l'allure d'un général prussien et qu'on surnommait la Maggie de fer, l'oblige à se raser. Autour du cou, il avait un machin mou en soie bleu foncé, hybride de foulard et de cravate dont on aurait dit qu'il l'avait réalisé pour son propre usage et que les jeunes hommes les plus efféminés de la ville ont, je le remarque, discrètement adopté pour badge de leur confédération. Nous nous sommes arrêtés, tous les deux, en un face-à-face désemparé. Un échange de paroles paraissait s'imposer. Freddie s'est éclairci la gorge et a tripoté sa chaîne de montre d'un geste vague et agité. De loin il paraît beaucoup plus jeune qu'il ne l'est, mais de près on note la pâleur sèche et grisâtre de sa peau et le fin éventail de ridules à la commissure externe de chaque œil. J'ai fait mine de passer devant lui, mais me suis aperçu qu'une lueur de reconnaissance se lisait sur son long visage ascétique taillé en cercueil et qu'il me regardait plus attentivement.

« C'est vous le gars qui fait de la peinture, non ? » m'a-t-il lancé.

Ça m'a stoppé net. Il a une voix grêle, qui évoque un coup de vent bruissant dans les cimes des pins bleus d'une forêt couverte de neige et il bégaie légèrement, ce devant quoi, bien entendu, Polly se pâme à moitié. Il m'a dit qu'il avait jeté un coup d'œil à mes dessins en attendant qu'on finisse de tout installer pour son discours. J'ai répondu poliment, en pensant avec une pointe de culpabilité à mon pauvre père décédé, me fusillant du regard depuis une des salles de moindre importance du Valhalla, que j'étais heureux qu'il les ait remarqués.

« Oui, oui, a poursuivi Freddie, comme si j'étais resté muet. Je les ai trouvés très intéressants, très intéressants vraiment. »

Il s'est ensuivi une pause crispée pendant qu'il cherchait une formulation plus pertinente, puis il a souri – d'un grand sourire même –, a levé l'index et haussé un sourcil.

« Très introspectifs même, je dirais, a-t-il ajouté avec, dans l'œil, une étincelle presque malicieuse. Vous avez un regard très introspectif – non ? »

Surpris, j'ai marmonné une réponse, cependant une fois de plus il ne m'écoutait pas et, sur un petit signe de tête brusque mais pas inamical, il est passé devant moi et s'est éloigné, l'air content de lui, en sifflotant doucement et faux.

Plus que surpris, j'étais secoué. En une poignée de mots et sur un ton de vague raillerie amusée, il avait frappé au cœur de la crise artistique dans les filets de laquelle je me débattais, déjà à ce moment-là, ce qui était

Pris ! Par le Seigneur ! Ou en tout cas par Gloria, ce qui, vu l'état de terreur coupable dans lequel je suis à l'heure actuelle, équivaut à peu près à la même chose. Elle a deviné où je m'étais réfugié. Il y a une minute, le téléphone du vestibule a sonné, cet appareil vieillot sur le mur là-bas dont je n'avais pas entendu la sonnerie grelottante depuis des années et que je croyais mort. En l'entendant, sommation fantomatique du passé, j'ai sursauté de peur au milieu de la cuisine – j'ai pris pour bureau la vieille table en bois sous la fenêtre. Je me suis précipité et j'ai décroché brutalement l'écouteur de son support. Elle a prononcé mon nom et pouffé de rire devant mon mutisme.

« Je t'entends respirer », a-t-elle dit.

Mon cœur, accroché à son propre support, battait follement. Je suis sûr que même si je l'avais voulu, j'aurais été incapable de parler. Moi qui m'étais tellement imaginé que personne ne me retrouverait !

« Que tu es lâche ! a poursuivi Gloria, toujours amusée. Courir te réfugier chez maman ! »

Ma mère, aurais-je pu lui lancer froidement, était morte depuis près de trente ans et je te serais reconnaissant de ne pas te moquer d'elle, fût-ce de manière détournée. Mais je n'ai pas pipé mot. Je n'avais franchement rien à dire. J'avais été dépisté ; épinglé ; pris.

« Ton patron a téléphoné. Il se demandait si tu étais mort. Je lui ai dit que je ne pensais pas. »

Elle parlait de Perry Percival, Perry pour Peregrine. Quel nom, hein ? Ce n'est pas vraiment le sien, bien sûr, je l'ai inventé, comme tant d'autres choses. Dire que c'est mon patron, c'est l'idée que Gloria se fait d'une plaisanterie. Perry est... comment le décrire ? Il tient une galerie. On se rapportait beaucoup d'argent dans le temps. C'était la dernière personne que j'avais envie de voir en ce moment, la dernière personne dont j'avais envie d'entendre parler. Je n'ai fait aucun commentaire et j'ai attendu la suite, mais Gloria est restée silencieuse et lentement, dans un soupir muet, j'ai fini par raccrocher l'écouteur – quand j'étais petit, cet objet me faisait toujours penser à un gobelet du jeu de puces – à son crochet à côté du cornet en bakélite, le truc dans lequel on parle. Il avait l'air absurde, ce petit cornet, à pointer comme ça, telle une bouche projetée en avant en une moue de stupeur ou de peur. Vous voyez combien pour moi tout ressemble toujours à autre chose ? Je suis sûr que c'est en partie pour ça, à cause de cette versatilité que je perçois dans tous les objets, que je ne peux plus peindre. La dernière personne à avoir utilisé ce téléphone a été mon père, le jour où il m'a appelé pour me dire qu'il avait été voir le médecin et me raconter ce que les charcutiers lui avaient sorti. Sans doute le récepteur conserve-t-il encore une trace de lui, quelques particules Godley qu'il a soufflées dans l'appareil ce jour-là, via l'un des premiers de ses derniers souffles, qui y restent logées et s'attardent encore, plus tenaces que lui-même l'aura jamais été.

Va-t-elle venir ici, Gloria, et m'affronter dans ma tanière, moi dont le front a été si souvent écorché ces derniers temps ? Je tremble de trouille devant cette éventualité – quel lâche je suis – et pourtant, curieusement, j'éprouve aussi un peu d'excitation pétillante. Au fond, on a envie, je le répète, d'être pris et capturé.

Dans le rêve de Polly sur le Prince, rêve qu'elle fait, selon ses dires, trois ou quatre fois par an, il vient prendre le thé avec elle. En entendant ça, j'ai éclaté de rire, grossière erreur, bien entendu, de sorte qu'elle s'est braquée et a passé tout le reste de l'après-midi à bouder. D'après elle, le thé de rêve qu'elle offre à son illustre visiteur est en réalité un jeu pour enfants avec un service de poupée, des rectangles en carton découpé en guise de sandwichs et des boutons en lieu et place de gâteaux. Je lui ai demandé avec douceur à quel moment de la cérémonie Son Altesse royale lui sautait dessus ; elle a ri, a replié l'index, m'a frappé au sternum d'une jointure très dure et m'a expliqué que ce n'était pas ce genre de rêve – oui, et je suppose que ce n'est pas ce genre d'homme non plus, pas du tout, ai-je pensé sans le lui dire. J'ai préféré lui présenter des excuses et, au bout d'un moment, elle m'a pardonné à contrecœur. Après tout, elle et moi pareil, on jouait à faire comme si.

Lorsqu'elle me racontait ses rêves – et celui sur Freddie le Prince n'était absolument pas le seul qu'elle ait partagé avec force détails –, son visage affichait une

66

expression de concentration somnambulique qui avait pour effet d'accentuer son léger strabisme. En dépit de mes dénégations, peut-être me montré-je discourtois en revenant sans cesse sur ses imperfections, si tant est que j'y revienne. Mais là est l'élément essentiel : c'était précisément pour ses imperfections que je l'aimais. Et je l'aimais vraiment, honnêtement. C'est-à-dire, honnêtement, je l'aimais vraiment, et non pas je l'aimais vraiment honnêtement. Que le langage est traître, plus insaisissable que la peinture. Elle a des jambes plutôt courtes et des mollets qu'une personne moins bien disposée que moi pourrait peut-être qualifier de gros. Il y a également ces mains grassouillettes, ces doigts boudinés et ce léger tremblement de gelée de chair pâle à l'intérieur du haut de ses bras. Un peu d'indulgence à mon égard : je suis, j'étais peintre, je remarque ce genre de choses. Mais c'était, j'insiste, les choses mêmes que je chérissais chez elle, autant que son derrière et ses adorables seins dont l'un disait merde à l'autre, sa voix douce et ses yeux gris brillants, ses délicats petits pieds de geisha.

Je peux vous le dire, ça a été pour moi un grand choc quand Marcus a découvert la vérité sur nous – la moitié de ladite vérité en tout cas – mais, très bizarrement, c'était *le* truc auquel je ne m'attendais vraiment pas de sa part. Durant plusieurs mois, j'avais vécu dans la terreur que Gloria puisse avoir vent de ce qui se passait, mais Marcus était à mon sens bien trop rêveur et distrait, trop empêtré dans son monde miniaturisé de ressorts, de volants et de rubis gros comme des têtes d'épingle pour s'apercevoir que sa femme fricotait avec un type étrange qui, même s'il ne le savait pas, n'avait rien d'étrange et était loin de lui être étranger.

C'est moi que Marcus est venu trouver, bien sûr, un jour d'automne pluvieux horriblement mémorable, qui me paraît très lointain alors que ce n'est pas le cas. J'étais à l'atelier, à toupiner, à racler des palettes souillées de peinture sèche, à nettoyer des pinceaux déjà nettoyés, ce genre de truc. Dans l'état stérile et oisif qui était le mien depuis un moment, c'était tout ce que j'y faisais à présent, en guise de travail. Par chance, Polly n'était pas avec moi : j'aurais été obligé de la cacher sous le canapé. Marcus a monté lourdement l'escalier – l'atelier a une entrée séparée sur la rue à côté de la blanchisserie – et a cogné si fort à la porte que j'ai cru que c'était la police, sinon l'ange exterminateur en personne. Naturellement, je ne m'attendais pas à voir Marcus, qui en principe n'est pas du genre à taper des pieds ni à jouer des poings. Il pleuvait, or il ne portait pas de manteau, n'avait que son blouson de cuir de travail et était trempé, ses cheveux clairsemés noirs de pluie et collés au crâne. Au début, j'ai pensé qu'il était soûl et d'ailleurs, quand il m'est passé devant en entrant, sa première réaction a été de me réclamer un verre. J'ai ignoré sa requête et lui ai demandé quel était le problème. J'ai eu du mal à garder un ton égal, parce que je commençais à me douter de ce qui l'amenait.

« Le problème ? m'a-t-il lancé. Le problème ? Ha ! »

Des gouttes de pluie maculaient les verres de ses lunettes cerclées de métal. Il s'est dirigé à grands pas vers la fenêtre et s'est planté là pour contempler les toits, bras ballants et poings serrés, comme s'il venait juste de boxer quelqu'un. Même vu de dos, il paraissait angoissé. À présent convaincu qu'il avait découvert ce qu'il y avait entre Polly et moi – quel autre sujet aurait pu le plonger dans une telle détresse ? –, je me suis mis à chercher désespérément quelque chose à avancer pour ma défense quand il commencerait à m'accuser. Je me suis demandé s'il allait me frapper, et cette perspective m'a paru curieusement gratifiante. J'ai imaginé la scène, lui me collant un pain, moi l'attrapant et nous deux titubant de-ci de-là avec force grognements et gémissements, tel un duo de lutteurs à l'ancienne, puis basculant lentement dans les bras l'un de l'autre pour rouler à terre, d'abord de ce côté-ci, puis de l'autre, Marcus hurlant, sanglotant et essayant de refermer les mains autour de mon cou ou bien de m'arracher les yeux tandis que je protesterais de mon innocence en haletant.

Je me suis approché de lui, j'ai posé la main sur son épaule, qui s'est aussitôt affaissée, comme sous un poids immense. Il ne s'est pas dérobé furieusement à mon contact, et j'y ai vu un signe favorable. Je lui ai redemandé quel était le problème et il a baissé la tête, honteux, l'a remuée lentement d'un côté et de l'autre à la manière d'un taureau blessé et déconcerté. Derrière l'odeur de ses vêtements mouillés et de ses cheveux trempés, j'ai surpris une trace de quelque chose d'autre, à vif, brûlant, où j'ai reconnu l'odeur même du chagrin – une odeur, je peux vous dire, et un état qui ne me sont pas inconnus.

« Allez, mon vieux, ai-je murmuré, dis-moi ce qu'il y a. »

J'ai noté avec un vague frémissement de honte le calme avunculaire avec lequel je m'exprimais. Il n'a pas répondu, mais s'est écarté pour arpenter la pièce en écrasant son poing dans sa paume. C'est terrible à dire, mais il y a quelque chose de presque cocasse dans le spectacle de la peine de cœur et du chagrin d'autrui. Ça doit avoir un lien avec l'excès, les débordements lyriques, car c'est sûr que les vieux opéras de ce style m'ont toujours donné envie de rire. Pourtant, il incarnait l'archétype du désespéré, à naviguer d'un pas raide de la fenêtre à la porte avant de tourner sur un pivot serré pour repartir en sens inverse, puis tourner de nouveau et répéter dans le déchirement toute la manœuvre depuis le début. Il a fini par s'arrêter au beau milieu du parquet, a jeté des regards alentour comme s'il cherchait furieusement quelque chose.

« C'est Polly, m'a-t-il dit d'une voix étrécie par la douleur. Elle est amoureuse de quelqu'un d'autre. »

Il s'est interrompu pour froncer les sourcils, apparemment stupéfait par ce qu'il venait de s'entendre dire. Réalisant que j'avais retenu mon souffle, je me suis alors autorisé à le relâcher lentement et sans bruit.

Quelqu'un. Quelqu'un d'autre.

Marcus a examiné de nouveau la pièce d'un air impuissant, puis m'a fixé avec accablement, en une sorte de supplique muette, tel un enfant malade attendant de son parent qu'il le soulage de sa douleur. J'ai passé ma langue sur mes lèvres et dégluti.

« De qui, ai-je demandé (croassé plutôt), de qui est-elle amoureuse ? »

Il n'a pas répondu, s'est borné à remuer la tête sur le mode blessé et terne qu'il avait affiché quelques instants plus tôt. Pourvu qu'il ne se remette pas à arpenter la pièce, me suis-je pris à espérer. J'ai envisagé de sortir le cognac que je rangeais dans un placard derrière des bouteilles de térébenthine et des bidons d'huile de lin, mais je me suis ravisé : si on commençait à boire maintenant, allez savoir où ça nous mènerait, vers quelles révélations tourmentées, vers quelles confessions bégayées. S'il était un moment où il fallait garder l'esprit clair, c'était bien maintenant.

Les épaules voûtées de nouveau, comme s'il était laminé, physiquement autant qu'émotionnellement, Marcus a traversé la pièce jusqu'au canapé, a dégagé ses lunettes calées derrière ses oreilles et s'est assis.

70

J'ai tressailli intérieurement en songeant à toutes les fois où Polly et moi nous étions couchés sur ces coussins verts couverts de taches. Je transpirais et continuais à planter les ongles dans mes paumes de manière spasmodique. Un léger frisson, pareil à un courant électrique, ne cessait de me parcourir. Lorsqu'il est survolté ou bouleversé, Marcus a la manie d'entortiller ses longues jambes l'une autour de l'autre, de passer un de ses pieds derrière une de ses chevilles et de joindre les mains comme s'il priait pour ensuite les coincer entre ses genoux serrés, pose qui me fait toujours penser à l'enseigne des pharmacies avec le bâton d'Asclépios et son serpent enroulé autour. Ainsi contorsionné, il s'est mis à parler lentement d'une voix monocorde en fixant le vide devant lui. On aurait cru que, bien que s'étant sorti indemne d'une calamité naturelle, il était assommé par le choc, ce qui était le cas, si l'on y réfléchit. Pour ma part, j'étais heureux d'avoir la fenêtre dans le dos, étant donné que de sa place il ne pouvait pas voir ma tête distinctement : ça aurait été un sacré tableau, j'en suis sûr. Il m'a dit que depuis longtemps à présent, depuis plusieurs mois – ça remontait à Noël dernier en fait –, il avait l'impression que quelque chose clochait chez Polly. Elle se comportait de manière bizarre. Rien de précis qu'il aurait pu définir, de sorte qu'il s'était dit qu'il se racontait des histoires, pourtant le doute n'avait cessé de le tourmenter. Sa voix se fondait en un murmure au milieu d'une phrase et elle restait figée, inconsciente de l'objet qu'elle serrait dans sa main, perdue dans un sourire secret. Elle se montrait de plus en plus impatiente avec la petite Pip. Un jour, a-t-il ajouté, pressée de sortir, elle avait hurlé après la gamine qui refusait de faire la sieste, puis lui avait collé la mioche dans les bras en lui disant qu'il pouvait s'en occuper parce qu'elle en avait marre de la voir. Quant à son attitude envers lui, elle oscillait entre l'irritation tout juste contenue et une sollicitude exagérée, presque écœurante. Par ailleurs, elle ne dormait pas et, la nuit, allongée à côté de lui dans l'obscurité, elle tournait et soupirait pendant des heures jusqu'à s'emmêler dans les draps, après quoi le lit se mettait à dégager des vapeurs de sueur. Il avait voulu lui parler, mais n'avait pas osé de peur de ce qu'elle risquait de lui répondre.

Au-dessus de moi, la pluie susurrait contre les carreaux avec une grivoiserie lascive et furtive.

Mais qu'est-ce qu'il y avait eu, ai-je insisté, en me passant de nouveau, compulsivement, la langue sur mes lèvres à présent desséchées et craquelées, qu'est-ce qu'il y avait eu exactement pour le convaincre de la trahison de Polly ? Il a haussé les épaules en un mouvement désespéré, s'est entortillé encore plus étroitement autour de lui-même, puis, le visage encadré par des mèches de cheveux humides et mous, il s'est mis à se balancer d'avant en arrière en fredonnant une sorte de douce chansonnette. Il y avait eu une dispute, a-t-il répondu, il ne se rappelait pas comment ni pourquoi ça avait commencé. Polly avait hurlé après lui sans s'arrêter, comme si elle était folle, alors il l'avait – là, il a hésité, horrifié d'y repenser –, il l'avait giflée, lui entaillant en plus la joue avec son alliance. Il a levé le doigt et m'a montré son étroit anneau d'or. J'ai essayé d'imaginer la scène, en vain ; il parlait de gens que je ne connaissais pas, d'inconnus violents animés par des passions ingouvernables, de personnages d'un drame, oui, d'un drame lyrique particulièrement ampoulé. Moi, j'étais tout bonnement incapable d'imaginer Polly, ma timide et docile Polly, hurlant sous l'emprise d'une fureur telle qu'il avait été poussé à la frapper. Après la gifle, elle avait porté la main à son visage et l'avait regardé sans mot dire pendant un laps de temps qui lui avait paru incroyablement long, d'une façon effrayante, m'a confié Marcus, les yeux plissés et les lèvres étirées en une ligne fine. Il ne lui avait jamais connu une telle expression avant, ne l'avait jamais vue enfermée dans pareil silence. Puis ils avaient entendu un gémissement au-dessus de leurs têtes – la dispute avait eu lieu dans l'atelier de Marcus – et Polly, blême à l'exception de l'empreinte de la main de Marcus sur sa joue et la trace de sang à l'endroit où son alliance l'avait entaillée, était montée s'occuper de l'enfant.

J'ai eu la sensation qu'un trou s'était ouvert dans l'air devant moi et que je basculais dedans, lentement, la tête la première ; ce n'était pas totalement désagréable, j'étais juste étourdi et impuissant, comme lorsqu'on vole en rêve. J'avais déjà éprouvé ce sentiment auparavant : il se manifeste, ce sauvetage illusoire, dans les moments les plus terribles.

« Qu'est-ce que je vais faire ? » m'a demandé Marcus d'un ton implorant en levant vers moi des yeux brûlants de souffrance.

Eh bien, mon vieux, me suis-je dit, sous le coup d'une lassitude subite et intense, qu'allons-nous faire, tous autant que nous sommes ? Je suis allé ouvrir le placard. Au diable la prudence – il était grand temps de sortir le cognac.

On s'est assis côte à côte sur le canapé et, à nous deux, on a descendu la bouteille – à moitié pleine au départ – en l'espace d'une heure, en buvant tour à tour au goulot. J'étais plongé dans le silence tandis que Marcus parlait, revenait sur les temps forts de l'histoire – la légende ! – de sa vie avec Polly. Il a évoqué les jours où ils se faisaient la cour, quand son père à elle ne l'appréciait pas, sans que le vieux dise jamais pourquoi ; snobisme, présumait Marcus. Ça ne faisait pas longtemps que Polly avait quitté l'école et elle aidait à la ferme, s'occupait des poulets et, l'été, elle vendait des fraises sur un étal installé près des grilles, car la valeur de la terre avait chuté, ou quelque chose du même ordre, de sorte que la famille vivait dans un état de digne dénuement. Marcus avait terminé son apprentissage et travaillait pour un oncle, dont il finirait par hériter le magasin de réparation de montres. Polly, m'a-t-il dit, la voix tremblante d'émotion, représentait tout ce qu'il espérait d'une épouse. Lorsqu'il a abordé leur lune de miel, j'ai serré les dents, mais je n'aurais pas dû m'inquiéter : ce n'est pas un homme à partager le genre de confidences que je redoutais, même avec l'ami qu'il voyait en moi. Il n'aurait pas pu être plus heureux qu'il l'avait été dans ces premiers temps avec Polly, a-t-il ajouté, et quand la petite Pip est arrivée, il a eu l'impression, dans son immense bonheur, que son cœur allait éclater. Là, il s'est interrompu, a bataillé pour se redresser, des larmes lui sont montées aux yeux, il a lâché un grand sanglot hoquetant et s'est essuyé le nez du revers de la main. Son chagrin était du chagrin, c'était sûr, consistant et débridé, pourtant je n'ai pu m'empêcher de noter avec intérêt qu'il aurait pu passer pour une forme d'euphorie : il se manifestait de manière identique.

« Qu'est-ce que je vais faire, Olly ? » a-t-il crié encore, plus désespéré que jamais.

J'avais toujours cette sensation de joyeuse dégringolade qui s'intensifiait à cause des effets inévitables du cognac et se muait en une désinvolture grandissante et totalement déplacée. Comment pouvait-il être aussi certain, lui ai-je redemandé, que ce dont il soupçonnait Polly était vrai ? N'était-il pas possible qu'il ait imaginé toute cette affaire ? L'esprit, quand il commence à douter, ai-je poursuivi, n'a pas de limites et validera les fantasmes les plus tordus. J'aurais dû me la fermer, bien sûr, au lieu de quoi j'ai continué à tirer sur la corde. C'était comme si j'avais voulu que tout se défasse, que Marcus s'interrompe, réfléchisse, se tourne et me dévisage, les yeux écarquillés de stupeur, puis noirs de fureur à mesure que la terrible vérité s'imposait à lui. Une partie de moi, désespérée, voulait qu'il sache ! Mais quelle perversité que de redouter son destin tout en tendant la main avec empressement pour qu'il se rapproche.

Là, Marcus s'est bel et bien interrompu, s'est bel et bien tourné vers moi et, dans un autre hoquet pathétique, il a posé la main sur mon bras et m'a demandé d'une voix lourde d'émotion si j'avais conscience de ce que mon amitié représentait pour lui, quel privilège c'était et quel réconfort. J'ai marmonné que, bien sûr, à mon tour, j'étais heureux de l'avoir pour ami, très heureux, très très très heureux. J'avais maintenant le sentiment que quelque chose en moi se recroquevillait lentement. Encouragé, Marcus s'est embarqué dans un long soliloque pour louer le fidèle compagnon et l'âme forte que j'étais, et incidemment l'un des meilleurs peintres au monde, tout du long planté devant mon visage avec une sincérité enfiévrée. Quant à moi, tel un invité qui s'est fait harponner à un mariage, j'avais envie, oh très envie d'échapper à cet œil étincelant, mais il ne me lâchait pas. Oui, a-t-il déclaré, avec une ferveur redoublée, j'étais le meilleur ami qu'un homme pût espérer. Pendant qu'il parlait, son visage donnait l'impression d'enfler, d'enfler, à croire qu'on le gonflait de l'intérieur. Enfin, dans un puissant effort, j'ai réussi à m'arracher à son regard humide et émouvant. Il avait toujours la main posée sur mon bras – je percevais sa chaleur à travers la manche de mon manteau et c'est tout juste si je n'ai pas frissonné. Puis il a interrompu sa péroraison, a rejeté sa tête largement en arrière et a lapé une dernière goutte à la bouteille. Il était clair qu'il avait encore beaucoup d'autres choses à dire et qu'il les dirait avec une passion et une sincérité toujours plus grandes, si je ne trouvais pas le moyen de faire diversion.

« Tu me parlais, lui ai-je lancé, les yeux sagement baissés en tripotant un des boutons du sofa, tu me parlais de ta dispute avec Polly. »

Sacrée diversion !

« Ah oui ? a-t-il bredouillé en poussant un soupir agité. Oui. La dispute. »

Eh bien, a-t-il marmonné en remettant ses lunettes – les chichis qu'il fait pour placer les branches de ses lunettes autour de ses oreilles me fascinent toujours –, après qu'il eut giflé Polly et qu'elle fut montée, il avait tournicoté un moment dans l'atelier en débattant tout seul, en flanquant des coups de pied dans divers trucs, puis, plus furieux que jamais, il avait suivi sa femme à l'étage et une fois dans leur chambre il était passé à l'attaque. Elle était assise sur le bord du lit, l'enfant dans ses bras. Il y a quelqu'un d'autre ? lui avait-il demandé. Pas une seconde il n'avait imaginé cette éventualité, il avait seulement sorti ça pour la provoquer et présumait qu'elle allait lui rire au nez et lui répondre qu'il était fou. Mais, à sa grande consternation, elle n'avait pas nié, s'était bornée à lever les yeux vers lui sans dire un mot.

« Elle avait la même expression, a-t-il ajouté, tandis qu'un nouveau flot de larmes lui montait aux yeux, la même expression, en pire, que quand je l'ai giflée ! »

Il ne l'aurait pas crue capable d'un détachement aussi impavide, d'une indifférence aussi calme et glaciale.

Puis il s'est repris : non, il lui avait déjà vu cette expression une fois déjà, ou une expression assez semblable, aux premiers temps de sa grossesse, quand le bébé avait commencé à bouger et à avoir une véritable présence. C'était aussi une situation, a-t-il poursuivi, où quelqu'un s'était immiscé dans sa vie, une tierce personne – ce sont les mots qu'il a prononcés, une tierce personne – entrée en elle – encore une fois, ses mots – et absorbant toute son attention, toute son affection ; en bref, tout son amour. À l'époque, il s'était senti exclu, exclu, oui, mais pas rejeté, pas comme aujourd'hui où, assise sur le lit, elle l'avait fixé de son regard froid et effrayant ; il s'était alors fait la réflexion qu'il l'avait perdue.

« Perdue ? me suis-je écrié en tentant un rire réprobateur alors qu'une main aux doigts glacés se refermait sur mon cœur. Oh, arrête maintenant. »

Il a hoché la tête, sûr de son fait, s'est entortillé les jambes encore davantage et s'est collé les mains entre les genoux en émettant ce petit miaulement d'animal qui souffre.

La pluie avait cessé et les dernières grosses gouttes roulaient sur les carreaux où elles décrivaient d'étincelantes rigoles en zigzag. Les nuages se déchiraient et, en tendant un peu le cou en avant et en levant haut la tête, j'ai pu voir une tache de bleu pur automnal, ce bleu vibrant et délicat que Poussin adorait, alors, en dépit de tout, une bouffée de joie m'a saisi, comme chaque fois que le monde ouvre grand son innocent regard bleu. Je pense que la perte de mon aptitude à peindre – appelons cela ainsi – a en grande partie découlé d'une attention bourgeonnante, irrésistible et finalement fatale pour ce monde-là, je veux dire le monde quotidien, objectif, des choses simples. Avant, j'ignorais toujours les choses afin d'essayer d'accéder à leur essence, que je savais être là, profondément cachée mais pas inaccessible à la personne suffisamment déterminée et clairvoyante pour la pénétrer. J'étais comme un homme qui vient accueillir sa bien-aimée à la gare et fend précipitamment la foule de passagers se dirigeant vers la sortie, en esquivant les gens et en refusant de voir un quelconque visage autre que celui qu'il meurt d'envie de revoir. Ne vous méprenez pas, ce n'était pas l'esprit que je traquais, les formes idéales, les droites euclidiennes, non, rien de tout ça. L'essence est solide, autant que les choses dont elle est l'essence. Mais c'est l'essence. Quand la crise s'est accentuée, il ne m'a pas fallu longtemps pour reconnaître et accepter ce qui m'était apparu comme une vérité simple et évidente, à savoir qu'il n'existait pas une chose qui soit la chose elle-même, mais seulement des projections de choses, un tourbillon générateur de causalité. Vous n'êtes pas d'accord ? ai-je lancé, la main sur la hanche en une attitude provocante, à une foule de critiques imaginaires. Eh bien, essayez d'isoler la célèbre chose en elle-même et voyez ce que vous décrocherez. Allez-y, collez un coup de pied dans cette pierre : tout ce que vous gagnerez, c'est un orteil douloureux. J'ai refusé de changer d'avis. Il n'y avait pas de choses en elles-mêmes, rien que leurs projections ! Telle était ma devise, mon manifeste, mon – pardonnez-moi – esthétique. Mais dans quel pétrin ça m'a fourré, en effet, qu'y avait-il d'autre à peindre sinon la chose, telle qu'elle se dressait devant moi, impassible, impénétrable, a-contournable ? L'abstraction ne pouvait pas résoudre le problème. J'ai essayé d'y recourir et me suis aperçu que ce n'était qu'un simple tour de prestidigitation, un simple tour de mentalpulation. Ainsi elle a continué à s'affirmer, cette chose ineffable, à progresser jusqu'au moment où elle a empli ma vision et est devenue pratiquement réelle. Là, je me suis rendu compte qu'en cherchant à crever des surfaces pour parvenir au noyau, à l'essence, j'avais négligé le fait que c'est dans la surface que réside l'essence : et me voilà de retour à la case départ. Donc, c'était au monde, au monde dans sa globalité qu'il fallait que je m'attaque. Mais le monde résiste et se détourne de nous pour vivre dans une joyeuse communion avec lui-même. Le monde refuse de nous laisser entrer.

Ne vous méprenez pas, l'effort que je déployais ne visait pas à reproduire le monde ni même à le représenter. Les tableaux que je peignais étaient pensés pour être autonomes, assortis aux choses du monde, dont la présence distante exigeait d'être gérée d'une manière ou d'une autre. C'est ce que voulait dire Freddie Hyland, sans forcément en avoir conscience, quand il m'a parlé ce fameux jour du côté introspectif qu'il avait repéré dans mes dessins bâclés. Moi, je m'efforçais d'absorber le monde, de le refaçonner à ma guise pour en faire quelque chose de neuf, quelque chose de coloré et de vital, et au diable l'essence. Un boa constrictor, c'était moi, énorme gueule grande ouverte avalant lentement, lentement, essayant d'avaler, s'étouffant sur cette énormité. Peindre, comme voler, était un effort qui n'en finissait pas en vue de posséder et je n'en finissais pas d'échouer. À voler les biens d'autrui, à pondre des croûtes, à aimer Polly : les trois, en définitive.

Mais existe-t-il, ce monde, ce qu'ici j'appelle le monde ? Peut-être que l'homme sur le quai de gare court vers quelqu'un qui n'arrivera jamais et demeurera toujours la lointaine bien-aimée, image qu'il s'est forgée pour lui, qu'il garde ancrée en lui et à laquelle il essaie perpétuellement de donner une existence, perpétuellement et vainement, image de la personne qui, pour commencer, n'est jamais montée dans ce fameux train.

Vous voyez mon problème ? Je le redis simplement : le monde extérieur, le monde intérieur et entre eux l'infranchissable, l'impassable gouffre. Et donc j'ai renoncé. Le grand péché dont je suis coupable, le plus grand péché, c'est d'avoir désespéré.

La douleur, la douleur du barbouilleur, plonge sa lame dans mon cœur sec.

Marcus s'est endormi à côté de moi. Sonné par l'alcool et épuisé par son malheur, il a calé sa nuque contre le canapé, les yeux fermés, et à présent il ronfle doucement, la bouteille de cognac vide ballottant sur ses genoux. Je me suis assis pour réfléchir. J'aime réfléchir quand je suis un peu soûl. Encore que réfléchir ne soit peut-être pas le mot, peut-être n'est-ce pas vraiment ce que je fais. On dirait que le cognac m'a dilaté la tête, qu'elle a maintenant la taille d'une pièce, pas de celle-ci, mais d'une de ces vastes salles de réception que les peintres de cour devaient reproduire à la pointe sèche, poutres, fenêtres ou carreaux sertis de plomb et groupes de courtisans ici et là, les gentils-hommes en cuissardes et beaux chapeaux à plumes, les dames en vertugadins et au milieu le margrave ou l'électeur palatin, voire l'empereur en personne, pas plus grand ni habillé de façon plus notable que le reste de l'assistance et néanmoins, grâce au talent du peintre, immanquable centre de toutes ces nobles discussions inaudibles, de toute cette agitation figée.

Que mon esprit divague à essayer de s'éviter, tout ça pour, dans un sursaut horrible, se heurter de nouveau à lui-même surgissant du côté opposé. Un cercle fermé – existe-t-il autre chose ? –, voilà mon cercle de vie.

Marcus allait forcément se réveiller tôt ou tard et entre-temps j'ai encore une fois désespérément cherché quelque chose à lui dire, quelque chose de neutre, de

80

plausible et d'apaisant. Il faut bien dire quelque chose, même si ce n'est rien. Garder le silence aurait été mon meilleur recours, le plus sûr, mais la culpabilité s'accompagne d'un irrésistible besoin de jacasser, surtout au début quand elle vous brûle. Je savais que tout était fichu. Polly, bénie soit sa franchise, ne dissimulerait pas longtemps l'identité de son amant – elle n'aurait pas la ténacité nécessaire, finirait par flancher et lâcherait mon nom. Et moi alors ? Toute ma vie, j'avais menti, nagé dans un océan de petites duperies – le vol vous transforme un homme en maître dissimulateur –, mais pouvais-je me croire capable de surnager dans ces détroits troubles et toujours plus profonds ? Si je tressaillais, si j'esquissais l'ombre d'un mouvement, je me trahirais sur-le-champ. Peut-être Marcus était-il égocentrique et en général absent, mais une fois que la jalousie planterait vraiment ses griffes en lui, elle lui ferait le regard fixe et prismatique d'un rapace et, là, il verrait sûrement ce qui était somme toute très clair.

Je me suis levé tranquillement, quoique de façon pas tout à fait stable, et me suis approché de la fenêtre. Il soufflait un grand vent décapant et à présent on avait partout un ciel à la Poussin, d'un bleu intense, avec de majestueuses nébuleuses blanc de glace, gris meurtri, cuivre doré. Pour ma part, j'aurais utilisé un léger badigeon cobalt et, pour les nuages, d'épais glacis de blanc de zinc – oui, ma vieille spécialité ! –, de gris cendré et, pour les contours cuivrés et lumineux, un peu d'ocre jaune rehaussé, disons, d'une pointe de rouge indien. On peut toujours s'autoriser un ciel, même quand on est dans l'introspection la plus déterminée. À une altitude considérable, un dirigeable passait, son flanc bleu de cuirassé frappé de soleil et son hélice géante à l'arrière circonscrite à un flou argent diaphane. L'aurais-je inclus dans mon ciel, si j'avais dû en peindre un ? Ils sont d'un grotesque, ces dirigeables, ils me rappellent des éléphants, ou plutôt des cadavres d'éléphants, distendus par les gaz, mais ils ont aussi quelque chose d'attachant. Matisse a placé une de ces machines volantes aujourd'hui démodées – qu'est-ce qu'ils me manquent, ces zeppelins si élégants, si rapides et si splendidement casse-gueule ! – dans une petite étude à l'huile, *Fenêtre ouverte sur la mer*, qu'il a réalisée en France après son retour de Londres en 1919 avec Olga, qu'il vient d'épouser et adore – vous voyez toutes les choses que je connais sur le bout des doigts ?

L'instant d'après, je me suis mis à fourgonner dans les tripotées de vieilles toiles entassées dans un coin contre le mur. Cela faisait longtemps que je ne les avais pas regardées – ça m'était insupportable –, de sorte qu'elles étaient empoussiérées et tendues de soies d'araignée. Je travaillais à cette nature morte quand j'avais été frappé par ce que j'aime appeler ma catastrophe conceptuelle – quelle pauvreté ils recouvrent, ces grands mots –, si bien que ma détermination avait cédé et que je n'avais plus pu continuer à peindre, à essayer de peindre. J'ai dû réaliser une douzaine de versions de ce tableau, chacune plus mauvaise que la précédente, à mon œil de plus en plus désespéré. Mais je n'en ai trouvé que trois, deux d'entre elles n'étant que des études préparatoires, montrant plus de toile que de peinture. J'ai sorti la troisième et l'ai embarquée vers la fenêtre en soufflant dessus pour enlever la poussière. C'était un assez grand rectangle, d'environ un mètre vingt de large pour quatre-vingt-dix centimètres de haut. Après l'avoir placé à la lumière et m'être reculé, j'ai compris que ce devait être la vue du ballon dans le ciel qui m'avait ramené cette œuvre à l'esprit. Le centre de la composition montre une forme bleu-gris, une sorte de grand rein, avec un trou plus ou moins au milieu et une sorte de chicot qui pointe sur le côté gauche en haut. Un jour, en voyant le tableau – c'était avant que je finisse par le retourner, écœuré, contre le mur –, Polly m'avait demandé si le truc bleu, comme elle avait dit, était censé être une baleine – elle avait pris le trou pour un œil peut-être et le chicot pour une nageoire caudale –, mais là-dessus elle avait éclaté d'un rire gêné et s'était écriée que non, en regardant plus attentivement, elle voyait bien qu'il s'agissait d'un dirigeable, bien sûr. Je m'étais demandé comment elle pouvait envisager que je veuille peindre un truc pareil, mais ensuite j'avais pensé pourquoi pas. Quand il s'agit d'un sujet, quelle différence y a-t-il entre un dirigeable et une guitare ? N'importe quel objet fait l'affaire et plus il est informe, plus l'imagination est obligée de s'en débrouiller.

L'imagination ! Imaginez donc que vous entendez un rire jaune.

Derrière moi, Marcus a remué et marmonné, puis s'est redressé en toussant. La lumière de la fenêtre a transformé ses verres de lunettes en deux pâles disques opaques. La bouteille de cognac a roulé par terre et décrit un demi-cercle tremblotant.

« Merde, a-t-il marmonné d'une voix pâteuse, on l'a séchée ? »

Il paraissait tellement désarmé, tellement paumé que j'en ai été touché subitement et que, pour un peu, je l'aurais pris dans mes bras, assis là, soûl, malheureux, dévasté. Après tout, il était, ou avait été, mon ami, quoi que cela puisse signifier. Mais comment oser lui proposer du réconfort ? J'avais l'impression d'être face à un immeuble en flammes, de sentir la chaleur intense du brasier sur mon visage et d'entendre, sortant de chaque fenêtre, les hurlements des gens piégés à l'intérieur, tout en sachant que c'était l'allumette que j'avais négligemment balancée qui avait déclenché l'incendie.

Je lui ai suggéré de sortir et de nous chercher quelque chose à manger en vertu du principe, inventé par mes soins à ce moment précis, que le chagrin exige toujours d'être nourri. Il a acquiescé en bâillant.

Alors qu'on partait, il s'est arrêté devant la table en chêne couverte de taches et de marques où avant je laissais traîner mon matériel – tubes de pigment, pots remplis de pinceaux à l'envers, et cetera. Mes outils sont toujours là, ainsi que pas mal de fourbi, le tout en bazar, mais ils ne sont plus ce qu'ils étaient. L'énergie, le potentiel les ont désertés. Ils sont devenus trop lourds, presque monumentaux. Ainsi disposés, ils ressemblent aujourd'hui aux sujets d'une nature morte, attendant d'être peints dans toute leur innocence et dénués de leur caractère pratique. Marcus, peu pressé de sortir, s'est saisi d'une bricole qu'il a regardée de près. C'était une souris en verre, grandeur nature, avec des oreilles pointues et de petites griffes acérées, qui n'avait pas vraiment de valeur.

« Marrant, a-t-il grommelé, on en avait une exactement pareille – il lui manquait le même petit bout de queue. »

J'ai laissé mon regard se perdre dans le vide et déclaré que c'était une coïncidence. J'avais oublié que je l'avais laissée là. Il a hoché la tête en fronçant les sourcils et a continué à tripoter la souris entre ses doigts. Je te la cède bien volontiers, me suis-je hâté de lui proposer avec beaucoup trop d'empressement. Oh non, a-t-il répondu, si elle t'appartient, il ne me viendrait pas à l'idée de la prendre. Là-dessus, il l'a reposée sur la table et on est sortis.

Si elle m'appartient ? Si ?

À certains moments de danger, où tout peut basculer de manière effrayante, un frisson singulier vous descend le long de la colonne vertébrale. Je le connais bien.

Dehors, de folles bourrasques balayaient les rues, poussaient des rafales de pluie argent devant elles, et d'énormes feuilles de sycomore aux allures de griffes, tombées mais encore vertes pour certaines, voletaient en éraflant les trottoirs dans des raclements. Je me suis senti perversement revigoré et le cœur plus léger que jamais – j'étais en train de me métamorphoser en ballon d'air chaud ! –, alors que tout ce à quoi je tenais ou aurais dû tenir était menacé de voler en éclats. J'ai déjà remarqué combien, dans un état d'extrême terreur, et peut-être à cause de ça – n'oubliez pas que c'est un voleur qui parle –, je peux être étonnamment conscient des nuances les plus délicates du temps et de la lumière. Moi, c'est l'automne que je préfère, j'adore musarder par des jours venteux de septembre pareils à celui-ci, où le vent cogne contre les carreaux des fenêtres et où de grands bouillonnements de nuages lumineux grimpent à l'assaut d'un ciel rincé, immaculé. Quand on parle du monde et de ses choses ! – pas étonnant que je ne puisse plus peindre. À côté de moi, le pauvre Marcus se traînait de la démarche d'un vieillard fatigué. Il produisait un nouveau son à présent, un léger sifflement rauque et perçant. On aurait cru l'expression même de sa douleur, la note précise de cette dernière exprimée à travers ses soupirs et ses gémissements étouffés de cornemuse. Et qui, me suis-je demandé, qui était la cause secrète de toute cette douleur ? Qui en effet.

On est allés au Fisher King, un petit restaurant décrépit avec des tables en métal et des chaises en acier inoxydable, menu du jour écrit à la craie sur un tableau noir. Quand j'étais enfant, c'était la poissonnerie de Maggie Mallon. Pour une raison depuis longtemps oubliée, la ville tournait alors en ridicule Maggie, la poissonnière d'origine. Postés sur le seuil de l'établissement, des gamins chantonnaient une chanson pour se moquer d'elle – « Maggie Mallon vend du poisson, trois pence et demi le poêlon ! » – et balançaient des pierres sur les clients à l'intérieur. Ce n'est pas vrai, ce que dit Gloria, je ne me suis pas réfugié ici par peur du monde. En fait, je ne suis pas vraiment ici, ou bien l'ici où je suis ici n'est pas vraiment ici. Peut-être suis-je une créature originaire d'un de ces multiples univers qu'on nous dit exister, dont chacun est imbriqué dans un autre, telles les peaux d'un oignon infiniment grand, créature qui, suite à un accident cosmique, a fait un faux pas, déboulé dans ce monde où j'avais autrefois vécu et est redevenue ce que je suis. C'est-à-dire ? Un étranger connu, distant et en même temps bizarrement satisfait. Je devais savoir que mon don, ainsi que je l'appelle, allait me lâcher. Quelles sont les créatures qui retournent mourir à l'endroit où elles sont nées ? Les éléphants encore une fois ? Peut-être, j'oublie. Je suis anéanti, confit dans le chagrin, les regrets, la culpabilité. Pourtant, souvent aussi, je nourris l'idée fantasque que quelque part dans cette infinité de créations imbriquées, il existe un moi totalement autre, un gars fringant, insolent, je-m'en-foutiste et d'une séduction satanique, que tous les hommes exècrent et au cou duquel toutes les femmes se jettent, qui vit de bric et de broc, se débrouillant Dieu sait comment et qui détesterait jouer avec des boîtes de couleurs et autres babioles enfantines. Oui, oui, je le vois, cet Autre Oliver, homme d'action écartant de son chemin cette lavette dans le style de son lointain sosie, sincèrement vôtre, grossièrement vôtre, jalousement vôtre ; vôtre, oh, oh, oh, avec tant de regrets. N'empêche, est-ce que je repartirais pour essayer d'être lui ou quelque chose à son image, ailleurs ? Non : ici, c'est un bon endroit pour un raté.

Penché sur son assiette, Marcus travaillait à engloutir une plâtrée de poisson frit et de purée de pommes de terre ; de temps à autre, il s'interrompait et, d'un coup de phalange, essuyait son nez qui n'arrêtait pas de couler. J'ai remarqué que son mal de tête et son désarroi ne semblaient pas lui avoir coupé l'appétit et l'ai observé, fasciné malgré moi et la sensation d'horreur retentissante qui grondait en mon for intérieur. J'étais comme un enfant à une veillée mortuaire étudiant en douce le premier endeuillé et se demandant comment on peut souffrir autant et connaître néanmoins tous les désirs, convoitises et agacements du quotidien. Puis mon regard s'est égaré négligemment et j'ai noté en douce les tables incroyablement tachées et rayées, les chaises cabossées et salies, les dalles de caoutchouc autrefois bien lisses et à présent éraflées. Tout en revient à ce qu'il était au départ, ou à peu près, nous assurent les savants qui s'y connaissent dans ces domaines. Ils appellent cela le développement rétrograde – ce serait lié aux tempêtes solaires. D'ici peu, nous renouerons avec les banquettes en bois à dossier droit, les jonchées sur le sol, les peaux de bêtes aux murs et la moitié de bœuf rôtissant à la broche au-dessus d'un feu de fagots et de bouse de vache séchée. En d'autres termes, vu que le temps tourne sur son axe en un autre cycle de récurrence éternelle, l'avenir sera le passé.

Le passé, le passé. C'est le passé qui m'a ramené ici, car ici, dans cette petite cité de quelque dix mille âmes, qui aurait pu avoir été inventée par les frères Grimm, ici c'est le passé à jamais ; ici je suis coincé, bloqué, cocooné ; je n'aurai plus jamais à lever le pied jusqu'à l'heure du grand déménagement final. Oui, je resterai ici, intégré à ce petit univers, intégrant ce petit univers. Par moments, cette évidence me coupe le souffle. La situation dans laquelle je me retrouve me choque et me plaît également, cette situation dont je suis seul responsable. Je l'appelle vie-dans-la-mort et mort-dans-la-vie. C'est de moi, ça ?

Ayant terminé son assiette, Marcus l'a poussée de côté, s'est penché en avant, les coudes sur la table et les doigts entrecroisés – ses longs doigts fins –, et m'a demandé, d'un ton brusque et très terre à terre cette fois, que, malgré moi, j'ai trouvé irritant – comment avais-je le culot d'être irrité par un homme que j'avais si gravement trahi ? –, de lui dire ce qu'il devait faire à propos de Polly et de son amant anonyme. J'ai haussé les sourcils et soufflé à m'en creuser les joues pour lui montrer à quel point ses exigences m'intimidaient et combien mon aide ne pourrait être que limitée. Il m'a regardé fixement un moment, d'un air pensif, m'a-t-il semblé, en mordillant un petit truc dur entre ses dents de devant. J'avais le sentiment d'être une statue en plein tremblement de terre, oscillant sur ma base tandis que le sol se soulevait et s'ouvrait. La vérité allait quand même s'imposer à lui, il n'allait quand même pas continuer à ignorer ce qui lui crevait les yeux. Là-dessus, il s'est aperçu que j'avais à peine touché à mon plat. Il a tendu la main pour récupérer dans mon assiette une lamelle de maquereau qu'il s'est fourrée dans la bouche.

« C'est froid maintenant », a-t-il constaté en fronçant le nez sans cesser de mâcher.

Quel spectacle singulier que le fait de manger ! Je suis surpris que ce ne soit pas interdit autrement qu'en privé, derrière des portes fermées. Nous étions l'un comme l'autre encore un peu soûls.

Un jour que nous étions en vacances chez Miss Vandeleur, j'étais en train de lanterner sur le terrain de golf sablonneux qui s'étendait sur deux à trois kilomètres entre le bord de mer et les dunes quand je suis tombé sur une balle de golf coquettement posée sur le gazon impeccablement taillé du fairway, offerte à la vue de tous et n'appartenant semblait-il à personne. Je l'ai ramassée et l'ai glissée dans la poche arrière de mon short. Je me redressais lorsque deux golfeurs sont apparus, têtes émergeant en premier d'une cuvette du fairway, telle une paire d'hommes sirènes surgissant d'entre la houle verte de l'océan. L'un d'eux, un blond au visage rougeaud vêtu d'un pantalon en velours mille-raies jaune et d'un pull sans manches Fair Isle – comment puis-je me souvenir de lui avec autant de netteté ? –, m'a fixé d'un œil accusateur et demandé si je n'avais pas vu sa balle. Je lui ai répondu que non. À l'évidence, il ne m'a pas cru. Il a déclaré que j'avais dû la voir, qu'elle était partie de ce côté-ci, qu'il l'avait suivie des yeux jusqu'au moment où elle avait disparu derrière le bord de la cuvette d'où il l'avait frappée. J'ai hoché la tête. Son visage s'est congestionné encore davantage. Planté devant moi, il m'a fusillé du regard tout en soupesant d'un geste menaçant le driver en bois qu'il tenait dans sa main droite gantée ; je l'ai regardé à mon tour, d'un œil de pure innocence mais tremblant intérieurement sous le coup d'une inquiétude métissée d'une coupable jubilation. Son compagnon, saisi d'impatience, l'a pressé de laisser tomber et allons-y, mais il s'est quand même attardé en me dévisageant d'un air féroce, la mâchoire agitée. Étant donné qu'il n'allait pas bouger, c'était à moi de prendre l'initiative. J'ai lentement reculé, afin qu'il ne puisse remarquer ma poche arrière renflée. J'avais la conviction qu'il allait me fondre dessus, me retourner et me secouer comme un chien un rat. Par chance, à ce moment précis, l'autre, qui avait collé des coups agacés dans les herbes hautes bordant le fairway, a poussé un cri de triomphe – il avait trouvé la balle perdue d'un tiers –, de sorte que pendant que mon accusateur allait l'examiner de plus près, j'ai saisi ma chance, tourné les talons et détalé vers le sanctuaire que représentait la maison délabrée de Miss Vandeleur. C'est ainsi que je me sentais à présent avec Marcus, suant de peur et tremblant comme au jour du terrain de golf, bien assis en face de lui sans oser lui tourner le dos de crainte qu'il ne remarque un renflement révélateur et comprenne que c'était moi qui avais effrontément empoché sa dynamique et pâlotte petite femme à la chair de poule.

À propos, je ne compte pas cette balle de golf comme un vol en tant que tel. Quand j'ai vu cette balle, j'ai présumé qu'elle avait été oubliée, laissée là par erreur et que par conséquent elle revenait de droit à la personne qui aurait l'idée de la ramasser. Le fait que je ne l'ai pas rendue à son propriétaire, quand il s'était matérialisé, était plus un accident qu'un geste délibéré. J'avais eu peur de lui avec son visage rougeaud et son pantalon ridicule, j'avais eu peur, si je lui avais rendu la balle, qu'il ne m'accuse de l'avoir volée sciemment et ne recoure, allez savoir, à la violence, me frotte les oreilles ou me frappe avec son driver. C'est vrai, il y a une distinction subtile entre saisir l'occasion de voler quelque chose et laisser les circonstances vous pousser à rafler ladite chose, n'empêche qu'il ne faut pas négliger les distinctions, subtiles ou pas.

Là-dessus, Marcus a décidé d'égrener une nouvelle série de souvenirs, sur un ton de passion attristée, en se tournant de côté pour regarder par la fenêtre. Moi, je me suis éclairci la gorge, j'ai baissé les yeux et tripoté les couverts sur la table en raclant le sol avec mes pieds et en me tortillant, tel un martyr contraint de s'asseoir sur un tabouret de métal chauffé à blanc. Il a évoqué ses premiers temps avec Polly, juste après leur mariage. Il adorait se mettre en retrait et la regarder s'affairer dans la maison, m'a-t-il confié, quand elle faisait le ménage, cuisinait ou allez savoir. Très souvent, elle avait la manie de partir au galop, a-t-il ajouté, brièvement, elle filait sans but un bref instant ou sprintait de-ci de-là, le pied leste, comme si elle dansait. Pendant qu'il me racontait cela, je me la suis représentée mentalement sous les traits d'une de ces vierges de la Grèce antique, en sandales et tunique ceinturée, se précipitant pour fêter dans l'allégresse le retour d'une divinité guerrière ou d'un divin guerrier. J'ai essayé de me rappeler si je l'avais jamais vue telle qu'il la décrivait, évoluant d'un pas léger dans mon atelier sous la fenêtre emplie de ciel. Non, jamais. Avec moi, elle n'avait pas dansé.

Dehors, une volute de fumée bleu cendré sortant d'une haute cheminée se déployait dans la rue.

J'ai jeté un coup d'œil sur la salle glacée et déprimante. À une douzaine de tables, j'ai vaguement aperçu des clients en manteau lourdement penchés sur leurs assiettes, on aurait cru des sacs de viande abandonnés là plus ou moins droit, par groupe de deux ou trois. Sur une petite étagère triangulaire dans un coin, un faucon empaillé trônait sous une cloche en verre. Je pense que c'était un faucon, un oiseau de proie en tout cas, les ailes repliées, la tête noble et hardiment tournée de côté, le bec recourbé. Viens, oiseau terrible, l'ai-je imploré en silence, viens te poser sur moi, cruel vengeur, et dévore-moi le foie. Et pourtant, ai-je songé, et pourtant, qu'il était féroce – oh, sa crête, ses plumes, sa férocité ! – le feu que j'avais volé.

J'ai cillé, saisi d'une sorte de frisson. Je n'avais pas remarqué que Marcus s'était tu. Il était assis là, le regard accablé, toujours tourné vers la fenêtre et la vive effervescence de la journée dehors. J'ai porté mon regard vers nos assiettes, haruspiçant les restes de notre déjeuner. Ils n'auguraient rien de bon, comment auraient-ils pu ?

« Je ne connais plus Polly », a lâché Marcus dans un soupir proche d'un sanglot.

Il m'a fixé de ses pauvres yeux pâles, encore brouillés par le cognac et usés par des années de travaux de précision.

« Je ne sais plus qui elle est. »

Certains péchés, peut-être pas les plus graves en soi, sont aggravés par les circonstances. La nuit où elle est morte, notre fille à Gloria et moi, j'étais au lit, non pas avec Gloria, mais avec une autre femme. Je dis femme alors que c'était à peine plus qu'une jeune fille. Anneliese, son nom, très agréable, le nom comme la fille. Je l'avais rencontrée – où ça ? Je n'arrive pas à me rappeler. Mais si, elle faisait partie de la bande à Buster Hogan, c'est avec lui que je l'avais rencontrée. Comment se fait-il qu'un Tartuffe comme Hogan décroche toujours des nanas ? C'est sûr qu'il incarnait l'artiste à la perfection, extrêmement beau avec ses yeux bleus joyeusement glacés, ses doigts fins toujours soigneusement tachés de peinture, sa main un brin tremblotante, son sourire d'une séduction satanique. Anneliese n'avait couché avec moi que parce qu'elle espérait le rendre jaloux. Quel espoir. Je peux me définir comme un goujat, mais Hogan n'avait pas son pareil, et ça doit rester vrai aujourd'hui. C'était l'époque de Cedar Street. Une époque idiote, irresponsable, que je regarde à présent avec un frisson écœuré. Inutile de me dire que j'étais jeune, ce n'est pas une excuse. J'aurais dû me consacrer au travail au lieu de perdre mon temps à cavaler après des filles dans le genre de celles de Buster Hogan. *Il faut travailler, toujours travailler.* Je me demande parfois si je ne manque pas d'un sérieux fondamental. Pourtant, je travaillais dur, si si. Avec une assiduité fantastique, quand ça me prenait. Pour apprendre mon métier, perfectionner ma technique. Mais que m'est-il arrivé, comment me suis-je perdu ? Ce n'est pas une question, pas même rhétorique, ce n'est qu'une part, un verset, un cantique de mes jérémiades perpétuelles. Si je ne me lamente pas sur mon sort, qui le fera ?

Le prénom de notre fille, c'était Olivia, en mon honneur évidemment. Un nom drôlement lourd pour un bébé, mais elle s'y serait faite, avec le temps. Son arrivée avait été un grand choc : je voulais un garçon et n'avais même pas envisagé la possibilité que ce soit une fille. En plus, la naissance avait été difficile – Gloria a réussi à survivre. L'enfant non, pas vraiment. Elle paraissait en bonne santé au départ, et après non. Brave petite chose quand même. Elle a vécu trois ans, sept mois, deux semaines et quatre jours à peu près. Et c'est à peu près ce qui s'est passé : elle nous a été donnée et, peu après, reprise.

Je ne savais pas qu'elle était mourante. Ou plutôt je savais qu'elle allait mourir, mais j'ignorais que ce serait cette nuit-là. Elle est partie vite à la fin, elle nous a tous surpris, nous a filé entre les doigts. Comment m'ont-ils trouvé ? Sans doute par le canal de Buster : ça a dû l'amuser de leur dire où j'étais et ce que je fabriquais. C'était le milieu de la nuit et je dormais dans le lit d'Anneliese, une de ses jambes étonnamment lourdes – de vraies bûches – en travers de mes cuisses. Le téléphone a dû sonner une douzaine de fois avant qu'elle ne se réveille en grognant et ne réponde. Je la revois encore, assise sur le bord du lit, le récepteur à la main sous la lumière de la lampe et repoussant une mèche de cheveux qui s'était prise dans un truc collant au coin de sa bouche. C'était une costaude avec un joli bourrelet de bébé autour de la taille. Ses épaules luisaient. Laissez-moi m'attarder là dans ce dernier moment avant la chute. Je peux compter, si je le souhaite, chacune des délicates apophyses de la colonne vertébrale d'Anneliese penchée en avant, de haut en bas, un, et deux, et trois, et...

Dans les couloirs apparemment interminables de l'hôpital, il y avait à intervalles réguliers des veilleuses intégrées au plafond et, en passant d'un rond de lumière chiche à un autre, je me faisais l'effet d'être moi-même une ampoule défectueuse qui n'arrête pas de clignoter avant de griller. L'aile des enfants était surpeuplée – il y avait une épidémie de rougeole à son paroxysme – et ils avaient installé notre petite fille dans un coin d'une salle pour adultes, dans un lit pour adultes. Là aussi, l'éclairage était chiche et, tout en traversant les lieux à la hâte, j'ai imaginé confusément que les patients allongés de part et d'autre étaient des cadavres. Une lampe avait été montée au-dessus de l'enfant, et Gloria et une personne en blouse blanche étaient penchées sur le lit alors que d'autres silhouettes indistinctes, des infirmières, je présume, et d'autres médecins se tenaient en retrait dans l'obscurité, de sorte que tout cela ressemblait à s'y méprendre à une scène de Nativité à laquelle il n'aurait manqué que le bœuf et l'âne. La petite était morte une minute ou deux avant mon arrivée, elle était juste partie dans un long soupir effiloché, ainsi que Gloria me l'a raconté ensuite. Ce qui signifiait, nous étions tous les deux bien décidés à le croire, qu'elle n'avait pas souffert à la fin. Je suis tombé à genoux à côté du lit – je n'étais pas totalement sobre, je dois le confesser aussi – et j'ai caressé le front moite, les lèvres légèrement écartées, les joues sur lesquelles se déployait déjà la corolle de la mort. Je n'avais jamais vu chair aussi composée, aussi figée, jamais

94

encore ni depuis. Debout à côté de moi, Gloria avait la main sur ma tête, comme si elle me bénissait, alors que je suppose qu'elle ne faisait que me soutenir, car je suis sûr que je tanguais vilainement. Aucun de nous n'a pleuré, pas à ce moment-là. Des larmes nous auraient paru, je ne sais pas, triviales, disons-le, ou excessives, de mauvais goût, en un sens. Je me sentais tellement bizarre ; c'était comme si j'étais soudain redevenu un adolescent, gêné, maladroit et paumé à un point handicapant. Je me suis relevé et Gloria et moi nous sommes pris dans les bras mais ce n'était qu'un geste de pure forme, une empoignade plutôt qu'une étreinte, qui ne nous a apporté aucun réconfort. J'ai baissé les yeux vers l'enfant dans ce grand lit ; seule sa tête était visible, on aurait pu la prendre pour un tout petit voyageur défunt, enfoncé jusqu'au cou dans une congère. De cet instant, tout ne serait que répercussions.

Gloria m'a demandé où j'avais été toute la nuit, pas pour m'accuser ni se plaindre, mais presque distraitement. Je ne sais plus quel mensonge je lui ai raconté. Peut-être lui ai-je dit la vérité. Quelle importance si je l'ai fait, de toute façon elle ne m'a sans doute pas entendu.

Ce que je veux savoir et ne saurai jamais, c'est si notre petit fille avait conscience qu'elle allait mourir. Cette question me taraude. Je me dis que c'est impossible – à cet âge, un enfant n'a pas une idée claire de ce que c'est que mourir, non ? Pourtant, elle avait parfois une expression distante, préoccupée, gentiment dédaigneuse de tout ce qui l'entourait, l'expression des gens sur le point d'embarquer pour un long et difficile voyage et dont l'esprit est déjà parti dans ce lointain ailleurs. Elle avait certaines absences aussi, certaines intermittences où elle se figeait à l'extrême et paraissait essayer d'écouter quelque chose, de saisir quelque chose d'extrêmement loin et ténu. Quand elle était dans cet état, il n'y avait pas moyen de lui parler : son visage se relâchait et devenait vide ou bien elle se tournait avec brusquerie, incapable de nous supporter davantage, nous et notre vacarme, notre fausse allégresse, notre douce et inutile tyrannie. Est-ce que j'exagère ? Suis-je en train de donner à tout ça un poids faussement solennel ? Je l'espère. J'aimerais qu'elle soit partie vers ces ténèbres portée par une joyeuse inconscience.

Là, dans cet horrible endroit qui avait été la poissonnerie de Maggie Mallon, j'aurais pu parler à Marcus, j'aurais pu lui parler de l'enfant, de la nuit où elle est morte. J'aurais pu lui parler d'Anneliese aussi. Ça aurait été une forme de confession et peut-être que l'idée de me savoir au lit avec une fille l'aurait suffisamment secoué pour lui permettre de voir ce qui lui crevait pourtant les yeux, la vérité que j'aurais dû lui confesser. Ça m'aurait soulagé, je pense, qu'il devine ce que je lui cachais, et encore seulement en ce qui concernait le fardeau brûlant que je portais – je veux dire, ça ne m'aurait pas permis de me sentir mieux, j'aurais juste été moins écrasé. Je n'aurais pas escompté une catharsis et encore moins une exonération, c'est sûr. Catharsis, tu parles. Quoi qu'il en soit, je n'ai rien dit. Quand nous avons quitté le Fisher King, mon inconsolable ami a marmonné un bref au revoir et s'est éloigné, les mains plongées dans ses poches, les épaules voûtées, vivante image de la tristesse. Je suis resté une minute à le regarder s'éloigner, puis à mon tour j'ai tourné les talons. Le temps avait encore changé, la journée était claire et dégagée à présent et il soufflait un vent très vif. Saison de l'automne, saison du souvenir. Je ne savais où aller. Il était hors de question que je rentre chez moi – comment aurais-je pu regarder Gloria dans les yeux après tout ce qui s'était passé entre Marcus et moi ? Une des choses que j'ai apprises sur les amours illicites, c'est qu'elles ne paraissent jamais aussi réelles, aussi sérieuses et aussi précieuses que dans ces moments de péril haletant où elles semblent tout près d'être découvertes. Si Marcus devait dire à Gloria ce qu'il m'avait confié et si Gloria additionnait deux plus deux – ou un plus un, pour être plus précis –, si elle en arrivait à une conclusion et m'interrogeait, je m'effondrerais sur-le-champ et confesserais tout. Je ne pouvais mentir à Gloria que par omission.

Il y avait quelque chose dans ma poche, je l'ai sorti et regardé. J'avais barboté la salière de la table du restaurant sans m'en apercevoir. Sans même m'en apercevoir ! C'est dire dans quel état j'étais.

N'ayant nulle part où aller, j'ai pris le chemin de l'atelier. Le vent faisait frissonner les flaques d'eau et les transformait en disques d'acier grêlé.

Quelqu'un, avait dit Marcus, *quelqu'un* : pour le moment, j'étais donc tranquille, protégé par mon anonymat. J'avais le sentiment d'avoir roulé sous un train, de m'être retrouvé entre les rails et d'avoir pu, grâce à mon immobilité, me relever une fois le dernier wagon passé et grimper sur le quai sans rien d'autre pour témoigner de ma mésaventure qu'une tache sur le front et un bourdonnement persistant dans les oreilles.

La première fois que j'avais quitté la ville, il y a bien longtemps, pour aller chercher fortune – imaginez-moi en aventurier classique, mes possessions terrestres serrées dans un mouchoir noué à un bâton en appui sur l'épaule –, j'avais emporté, stockées dans ma tête, certaines choses de choix afin de pouvoir les revisiter des années après sur les ailes du souvenir – les ailes de l'imagination plutôt –, ce que j'ai souvent fait, en particulier pour lutter contre le mal du pays quand

Gloria et moi nous sommes installés dans le Sud lointain, blanchi de soleil. Parmi ces éléments précieux, il y avait un cliché mental d'un lieu qui depuis toujours constituait pour moi un totem, un talisman. Il n'avait absolument rien de remarquable, ce n'était qu'un virage sur une route de montagne en béton, sur le flanc d'une colline menant à une petite place. Ce n'était pas vraiment un point de cheminement, plutôt un simple passage. Personne n'aurait songé à s'arrêter là pour admirer la vue, étant donné qu'il n'y en avait pas, à moins de compter le coup d'œil sur la rivière Ox, laquelle était plus un filet d'eau qu'une rivière, au pied de la colline, et qui suivait en serpentant un canal protégé par une clôture. Il y avait un grand mur en pierre, un vieux puits, un arbre incliné. La route, qui présentait une inclinaison, s'élargissait à mesure qu'elle montait. Dans mon souvenir, ce n'est jamais tout à fait le crépuscule, et l'air est empreint d'une luminosité grisâtre. Sur cette image, je ne vois personne, aucune silhouette en mouvement, rien que l'endroit lui-même, silencieux, gardé, mystérieux. On a la sensation qu'il est distant, d'une certaine façon, qu'il se détourne et que son aspect véritable regarde ailleurs, comme si on avait affaire à l'envers d'un décor de théâtre. L'eau dans le puits clapote entre des pierres moussues et un oiseau caché dans les branches de l'arbre languide risque une note ou deux, puis s'enferme dans le silence. Une brise s'élève, elle murmure entre ses dents, discrète et agitée. On dirait que quelque chose est sur le point de se produire, pourtant rien ne se passe. Vous voyez ? C'est le matériau de la mémoire, son renfort même. Était-ce ce que j'avais cherché en Polly : la route de montagne, le puits, la brise, le chant hésitant de l'oiseau ? Se peut-il que ça ait été le sens de tout ça ? Bon sang. Polly dans le rôle de la servante de Mnémosyne – cette idée ne m'avait encore jamais effleuré.

Laissez-moi essayer de tirer ça gentiment au clair.

Ou non, je vous en prie, non, ne me laissez pas faire.

Quoi qu'il en soit, c'est vers ce lieu que j'ai battu en retraite après avoir quitté Marcus, que je me suis attardé un temps en écoutant le vent dans les feuilles et les clapotis de l'eau du puits. Je me suis pris à souhaiter qu'un dieu vienne me transformer en laurier, en liquide, en air même. J'étais secoué ; j'étais apeuré. La fin de mon monde était proche.

Je me suis rendu à l'atelier, mon dernier refuge intérieur. Pas terrible comme refuge néanmoins, vu que Polly m'attendait en haut de l'escalier escarpé. Elle n'avait pas de clé – prudent, je ne la lui avais pas laissée, malgré ses sous-entendus répétés et, à mesure que le temps passait, ses revendications de plus en plus aigries –, mais la femme du blanchisseur lui avait ouvert la porte au rez-de-chaussée. Assise de biais sur la dernière marche, une épaule calée contre la porte, elle serrait ses genoux repliés contre son torse. Quand j'ai eu gravi l'escalier – j'ai failli écrire l'échafaudage –, elle a sauté sur ses pieds et m'a enlacé. C'est en général une femme au sang chaud, mais là elle était quasiment en feu, tremblait de la tête aux pieds et haletait plus qu'elle ne respirait ; on aurait dit qu'une pouliche emballée s'était jetée dans mes bras. Elle diffusait aussi une odeur brûlante, charnelle et humide, qui rappelait presque l'odeur de détresse larmoyante que j'avais surprise sur Marcus un peu plus tôt.

« Oh, Oliver, s'est-elle écriée dans un gémissement sourd, la bouche écrasée contre mon cou, où étais-tu ? »

Les tripes nouées, je lui ai dit d'un ton grave et tonnant de croque-mort que j'avais été déjeuner avec

– attendez la suite – Marcus ! Elle a bondi en arrière et, me tenant à bout de bras, m'a regardé, frappée d'horreur. J'ai remarqué la marque que l'alliance de Marcus avait laissée sur sa pommette ; si l'entaille n'était pas méchante, la peau autour était violacée.

« Il sait ! s'est-elle exclamée. Il sait pour nous… il te l'a dit ? »

J'ai évité son regard et hoché la tête.

« Il m'a dit pour toi, ai-je répondu. Pour ce qui me concerne, il n'a pas l'air d'être au courant. »

Aussi épouvantable qu'ait été ce moment, j'ai honte d'avouer que je me sentais assez émoustillé – que de fausses pudeurs nous avons tous – à cause de l'odeur sensuelle qu'elle dégageait et de la pression de ses hanches contre les miennes. La première fois que j'avais serré une fille dans mes bras et que je m'étais frotté contre elle – peu importe qui c'était, épargnons-nous ça –, ce qui m'avait surpris et profondément excité, même si ça paraît paradoxal, c'était l'absence au sommet de ses jambes de quoi que ce soit, à l'exception d'un renflement osseux plus ou moins lisse. Je ne vois pas ce que je croyais y trouver. Après tout, je n'étais pas si innocent que ça. D'une certaine façon cependant, ce manque même ressemblait à une promesse d'explorations délicieuses, de transports désincarnés que je n'avais pas imaginés jusque-là. Qu'ils étaient fantastiques, mes rêves et mes désirs. Il en va forcément de même pour tout le monde. Ou peut-être que non. Pour ce que j'en sais, il se peut que ce qui se passe chez autrui n'ait rien à voir avec ce qui se passe chez moi. C'est là une perspective vertigineuse et me voici perché là-haut, seul face à cela.

« Bien sûr qu'il ne sait pas que c'est toi ! a protesté Polly. Tu crois que j'aurais pu le lui dire ? »

100

Elle m'a décoché un reniflement chagrin, en espérant un merci, m'a-t-il semblé. Je n'ai rien dit, me suis contenté de sortir la clé de ma poche, de passer le bras autour d'elle et d'ouvrir la porte avant de la précéder d'un pas lourd dans la pièce. J'étais semblable à un homme de pierre, ou non, de craie, impassible et raide et pourtant à deux doigts de m'effriter.

Après la pénombre de l'escalier, l'atelier resplendissait d'un éclat blanc presque phosphorescent et la luminosité de la fenêtre était telle que c'est à peine si je pouvais la regarder. Il flottait toujours dans l'air une vague exhalaison de cognac mélangée à la sempiternelle odeur de lessive montant du rez-de-chaussée. La pièce était glaciale – je n'ai jamais trouvé moyen de chauffer cet endroit correctement –, de sorte que Polly a rentré les épaules et croisé étroitement les bras autour de son torse. Elle ne portait pas de maquillage, même pas de rouge à lèvres, et ses traits paraissaient brouillés, presque anonymes. Elle avait un duffle-coat beigeasse et ces fameuses chaussures plates, du genre ballerines, qu'elle met, me semble-t-il, ou mettait par respect pour ma petite taille – je le redis, si je ne l'ai pas déjà fait, Polly est vraiment toujours pleine d'égards et de bienveillance et n'a certes pas mérité le chagrin et l'embarras que je lui ai causés et lui cause encore. J'ai lâché une remarque sur ses chaussures en disant qu'elle n'aurait pas dû sortir si légèrement chaussée par un jour pareil. Elle m'a jeté un regard noir de reproche, comme pour me demander comment je pouvais aborder des sujets tels que le temps et la façon de se chausser vu les circonstances. Elle a raison, bien sûr : je suis vraiment mauvais dans ces moments de grande crise et deviens alors soit muet, soit d'une volubilité incontrôlable. C'est toujours difficile lorsqu'une personne qu'on connaît intimement prend une soudaine initiative, dans un sens ou un autre, laquelle l'amène à un niveau radicalement différent. J'avais du mal à reconnaître ma Polly chérie, mon adorable Polly dans cette créature au teint cireux, angoissée, perdue avec son manteau informe et ses chaussures pitoyables. Particulièrement bouleversante était l'expression de son regard, mélange de peur, de doute, de défiance et d'impuissance totale. Mais pourquoi m'avait-elle laissé me frayer un chemin jusqu'à son cœur ? Quelle échappatoire, quel accomplissement avait-elle entrevus quand j'avais commencé à la peloter verbalement à cette soirée des Clockers, il y a longtemps, cette soirée qui nous avait conduits avec une inévitabilité huilée à cet instant où, plantés l'un en face de l'autre dans la lumière glaciale de cette journée, nous ne savions que faire ni de nous-mêmes ni l'un de l'autre ?

Il ne s'était pas écoulé plus de deux heures depuis le moment que j'avais passé avec Marcus, le cœur tout aussi plein de pressentiments, l'esprit tout aussi perdu. Il ne manquait plus que Gloria déboule et la grotesque comédie de boulevard serait parfaite.

Tout à coup, sans raison aucune, je me suis surpris à repenser à la dernière fois où mon père s'était rendu à l'imprimerie, alors qu'il l'avait déjà vendue, mais que le blanchisseur ne s'était pas encore installé. Pourquoi étais-je présent ce jour-là ? Papa était atteint d'une maladie mortelle, il allait s'éteindre quelques semaines plus tard, je suppose donc qu'il avait besoin que quelqu'un l'accompagne à l'occasion de cette sortie des adieux. Mais pourquoi moi ? J'étais le benjamin de la famille. Pourquoi un de mes frères ou ma sœur n'étaient-ils pas venus avec lui ? J'avais quinze ans et la rage au ventre. J'étais jeune, dur et la mort me barbait – la mort telle qu'elle est pour les autres, disons, la mienne et sa

102

perspective étant un sujet de réflexion et de spéculation des plus fascinants et redoutés. J'avais déjà perdu ma mère et ça me révoltait de devoir bientôt accompagner mon père dans cette même lugubre descente aux enfers. Il restait encore beaucoup de choses à l'imprimerie. Mon père avait essayé de s'en débarrasser, mais la ville savait désormais qu'il n'en avait plus pour longtemps, qu'il avait donc la poisse et, le jour du TOUT DOIT DISPARAÎTRE, peu de clients s'étaient présentés. Voûté et cadavérique, il avait farfouillé dans des cartons de gravures en cherchant Dieu sait quoi, feuilleté des livres de comptes écornés, scruté la caisse enregistreuse vide en poussant des soupirs contrariés quand il ne toussait pas. C'était un samedi après-midi d'été et des volutes de particules de poussière dorée ondoyaient dans l'air où flottait une odeur de pourriture sèche et de papier racorni. Planté sur le seuil, les mains dans les poches, je fixais furieusement la rue baignée de soleil.

« Qu'est-ce que tu as ? m'avait lancé mon père avec humeur. J'aurai fini dans une minute et après tu pourras t'en aller. »

J'avais continué à lui tourner le dos sans rien répondre. Les gens qui passaient baissaient la tête, ne voulant pas jeter un coup d'œil à l'intérieur. L'idée m'avait effleuré que d'une certaine façon mon père était déjà mort et que tout le monde, moi compris, était impatient qu'il en prenne conscience, s'en aille loin et se soustraie à notre vue incommodée. Là-dessus, un formidable fracas a retenti derrière moi, si sonore que d'instinct j'ai cherché à esquiver. Mon père avait renversé un lourd présentoir en bois qui gisait à présent face contre terre, à ses pieds, dans un nuage de poussière. Le meuble s'était fendu sur un côté et je me souviens d'avoir été émerveillé par la blancheur frappante et choquante de cette blessure qui révélait le bois à nu dans ses fibres profondes. Mon père, à croupetons, genoux et coudes pliés, contemplait ce qu'il avait fait en tremblant de la tête aux pieds, le visage tordu, les dents découvertes en un grognement furieux qui m'a poussé à me demander un instant s'il n'avait pas fini par céder à une folie totale et violente, s'il n'avait pas craqué sous le stress lié à sa mort prochaine. Je l'ai dévisagé bouche bée, effrayé mais fasciné aussi. Affreux, n'est-ce pas, de voir comment la calamité la plus abominable prendra l'allure d'une ponctuation bienvenue dans l'ennui général de la vie. L'ennui, la peur de l'ennui, voilà l'aiguillon le plus subtil et le plus efficace du diable. Après quelques minutes, mon père s'est effondré, comme si tous ses os avaient fondu, il a fermé les yeux et porté une main tremblante à son front.

« Désolé, a-t-il marmonné, c'est tombé. J'ai dû le bousculer. »

Nous savions l'un et l'autre que c'était un mensonge et étions gênés. Mon père avait une chemise blanche et une cravate noire, comme toujours à l'imprimerie, un cardigan couleur biscuit avec ces fameux boutons de cuir tressé, ainsi que la paire de chaussures noires craquelées qui, lorsque je les ai retrouvées sous son lit le lendemain de sa mort, ont enfin appuyé sur un levier secret et m'ont fait craquer ; tandis que, assis par terre dans la mare de mon moi en deuil, je les tenais, une dans chaque main, de grosses larmes brûlantes et extravagantes roulaient le long de mes joues et s'écrasaient sur la pointe de mon menton en me chatouillant. Est-ce que les autres, quand ils repensent à leurs parents, éprouvent comme moi le sentiment d'avoir commis par inadvertance un petit tort néanmoins significatif et irréversible ? Je songe aux chaussures usées de mon père, à son cardigan aux poches bâillantes, à son long cou

104

tremblotant dans un col de chemise devenu sur le tard trois à quatre tailles trop grand pour lui, et c'est comme si je venais de me réveiller et découvrais que j'avais mis à mort pendant mon sommeil une petite créature sans défense, la dernière, la toute dernière de sa merveilleuse espèce. Pas de pardon ? Aucun. Lui m'aurait fait grâce, hein le père, s'il avait été là, mais il n'est pas là et il ne m'est pas permis de m'absoudre. Pas de crime, pas d'inculpation, oui, et pas d'acquittement non plus.

J'ai conduit Polly au canapé, comme si souvent auparavant, mais avec une intention bien différente cette fois-ci, et on s'est assis côte à côte, telle une paire de mécréants coupables s'installant avec résignation au banc des accusés. Elle n'avait pas ôté son manteau, ce qui la faisait paraître plus malheureuse encore, toute boutonnée dans ce machin informe.

« Qu'est-ce que je vais faire ? » a-t-elle balbutié dans un vague cri étranglé.

Je lui ai confié que c'était ce que Marcus m'avait demandé quand il était venu ici et que je n'avais pas su quoi lui répondre non plus.

« Il est venu ici ? » s'est-elle écriée en me regardant avec de grands yeux.

Je lui ai raconté que nous avions fini la bouteille de cognac.

« Je pensais bien que tu étais soûl », a-t-elle dit.

Après quoi elle est restée silencieuse un moment, à réfléchir. Puis elle s'est mise à parler de sa vie avec Marcus, de la même façon que Marcus, quelques instants plus tôt, avait parlé de sa vie avec elle. Son récit – leurs premiers temps ensemble, le bébé, leur bonheur, tout ça – était étonnamment similaire à celui de Marcus. Ça m'a irrité. En fait, j'étais à présent dans un état d'irritation générale. La vie, qui m'avait paru si bigarrée avant, grandiose déploiement d'aventures et d'incidents, s'était tout à coup réduite à un seul élément, le lien de ce petit trio : Polly, son mari, moi. J'ai entrevu avec tristesse les jours et les semaines à venir, à mesure que notre drame se dévoilerait dans toute son horreur prévisible. Polly allait confesser le nom de son amant secret et Marcus viendrait m'engueuler et me menacer de violence – peut-être ferait-il plus que me menacer –, puis Gloria apprendrait la vérité et il faudrait en plus que je me débrouille d'elle. Cette perspective m'a démoralisé. Polly continuait à dévider son histoire, plus pour elle-même, m'a-t-il semblé, que pour moi, d'une voix rêveuse, chantante. Pour ma part, je continuais à regarder par la fenêtre le ciel bleu délavé avec ses nuages perle et cuivre qui évoluaient paisiblement. Nuages, nuages, je ne m'en lasse jamais. Pourquoi faut-il qu'ils soient si baroques et d'une beauté si tapageuse et si ingénue ?

« On prenait notre bain ensemble », a ajouté Polly.

Sa remarque a piqué mon attention. Aussitôt, une image d'une vivacité brûlante m'est venue et je les ai vus, chacun à un bout de la baignoire et s'éclaboussant, les jambes pleines de mousse et entremêlées, Marcus gloussant et Polly, hilare, poussant des cris perçants. C'était curieux, mais jamais encore je n'avais pensé à eux dans l'intimité de leur vie commune. Merveilleux comme l'esprit peut ainsi soigneusement multiplier le cloisonnement des choses. Je savais bien sûr qu'ils partageaient leur lit – il n'y avait qu'un seul lit chez eux, double, Polly me l'avait dit elle-même –, mais j'avais refusé de visualiser les conséquences de ce fait simple quoique marquant. Je n'aurais pas davantage pu les imaginer en train de faire l'amour que s'il s'était agi de mes parents, de leur vivant, agrippés l'un à l'autre dans les affres de la passion. Tout ça avait changé désormais. Je sentais un début de transpiration sur mes omoplates. Y a-t-il quelque chose de plus dévastateur que la brusque apparition de la jalousie ? Elle vous passe dessus inexorablement, telle de la lave bouillante et fumante.

« Je suppose que je vais devoir le quitter, a-t-elle déclaré d'un ton curieusement anodin, neutre, en se remettant droite et en redressant les épaules comme si elle s'y préparait déjà. Enfin, s'il ne me quitte pas en premier. »

Je n'ai fait aucun commentaire. C'est à peine si j'écoutais. Il m'était venu à l'esprit, ou disons plutôt que m'avait effleuré une bribe de souvenir remontant à mes premiers temps avec Polly. Un après-midi, nous étions dans cet atelier, elle et moi, à manger des crackers et à partager une bouteille de piquette. Elle n'avait pas l'habitude de boire, pas dans la journée en tout cas, mais un verre ou deux avaient toujours un effet apaisant sur elle et sa conscience – elle était encore stupéfaite d'elle-même et de ce qu'elle osait faire avec moi. Après le second verre, elle s'était pudiquement faufilée vers le cabinet exigu et chaulé dans le coin, tandis que je me bouchais résolument les oreilles – pourquoi dit-on, confesse-t-on si peu de choses sur les embarras mineurs, les pruderies de chochottes, mais aussi sur les courtoises réserves qui rythment la vie érotique des hommes et des femmes ?

Juste à l'entrée des toilettes, sur le mur de droite, il y a un grand miroir rectangulaire, ancien, avec un cadre en or moulu écaillé sur les bords, dans lequel je testais la composition des tableaux sur lesquels je travaillais – une image reflétée dans un miroir offre une perspective totalement neuve et dénonce toujours la faiblesse d'un trait.

Au bout d'une minute ou deux, j'ai vu s'ouvrir la porte et me suis empressé de retirer mes mains de mes oreilles.

Oh là là, que les miroirs me déconcertent. On entend de nos jours tant de choses sur la multiplicité des univers dans lesquels nous évoluons à notre insu, mais qui remarque le monde totalement autre qui existe dans les profondeurs d'une glace ? Elle paraît tellement plausible, n'est-ce pas, cette version parfaite, cristalline, de ce royaume clinquant où nous sommes condamnés à vivre jusqu'au bout notre vie unidimensionnelle. Que tout est figé et calme là-dedans, et avec quelle vigilance cet univers inversé veille sur nous et toutes nos actions en ne nous laissant rien passer, ni le moindre geste ni le moindre coup d'œil furtif.

En sortant des toilettes, Polly a été un instant masquée par la porte encore ouverte qui la dérobait à ma vue, mais dans le miroir vers lequel elle s'était tournée – qui parmi nous peut résister à l'envie de consulter son reflet dans la glace ? –, elle me faisait face, de sorte que nos regards se sont croisés, nos regards réfléchis plus exactement. Peut-être était-ce l'intervention du miroir, ou son interpolation, devrais-je dire, pour le léger soupçon de traîtrise que le terme insinue, qui nous a donné l'impression une seconde de ne pas nous reconnaître et même de ne pas nous connaître du tout. À cet instant-là, c'était comme si on était des inconnus – non, plus que des inconnus, pire que des inconnus : des créatures venues d'univers radicalement différents. Et peut-être l'étions-nous grâce à la sournoise magie transformatrice des miroirs ? La nouvelle science ne dit-elle pas de la symétrie en miroir que certaines particules qui paraissent trouver leur reflet précis ne sont en fait que l'interaction de deux réalités distinctes et ne seraient pas des particules, mais des trous d'aiguille dans la fabrique d'univers se recoupant de manière invisible ? Je n'y comprends rien non plus, mais ça semble convaincant, pas vrai ?

Bien entendu, je pense maintenant à Marcus, la dernière fois que je l'ai vu, dans l'ancienne boutique de Maggie Mallon, me disant qu'il ne connaissait plus sa femme. Lui aussi avait vécu ce moment d'aliénation avec elle quand, assise sur le bord de leur lit, ce fameux matin, et murée dans son silence furieux et impitoyable, elle avait levé les yeux vers lui.

Quoi qu'il en soit, cette phase de non-reconnaissance nous a secoués, Polly et moi. Nous n'en avons pas parlé – qu'en aurions-nous dit ? – et avons continué ensemble comme s'il ne s'était rien produit. Bien que perturbant, et ce profondément, le temps que ça a duré, ça n'a guère été un événement unique : ces aperçus sur le mystère insondable de notre présence ici-bas, où nous sommes tous ensemble et irréconciliablement seuls, ponctuent la vie, la vie vue par le trou de la serrure. Pourtant, je ne peux m'empêcher de me demander à présent si Polly et moi sommes vraiment revenus de cette autre réalité, de cet autre monde reflété dans lequel nous nous sommes égarés, même brièvement, en cet instant-là. Bien que ça ait eu lieu très tôt dans notre liaison, est-ce à ce moment-là que, sans le savoir, nous avons commencé à nous éloigner l'un de l'autre ? J'ai l'impression, et j'y crois, que dans certains cas une union n'est pas sitôt nouée que germent déjà les graines de la séparation.

Après le départ de Polly, en pleurs, angoissée et débordante de tendre sollicitude pour moi, pour elle et pour nous deux, j'ai pris mes jambes à mon cou et me suis enfui. Je ne me suis même pas embarrassé d'un bagage, je suis parti et c'est tout. C'était une soirée tumultueuse sur les routes, les arbres fouettaient l'air de leurs branches et par moments la pleine lune étincelait entre des bancs de nuages, pareille à un œil énorme qui m'aurait adressé de sévères reproches. Mais pourquoi me préoccuper des éléments ? J'avais mon pardessus, mes bottes, mon fidèle jonc de Malacca. Fermement j'ai refermé la main sur mon chapeau et offert mon visage en une sorte d'extase larmoyante, à l'image de la *Sainte Thérèse* en pâmoison du Bernin, au vent et à la pluie, comme en d'autres temps je l'offrais à la lumière chargée de sel du Sud. Je me suis vu en héros vagabond de quelque vieille saga, le cœur endolori, rendu fou par la perte et le désir, doutant de moi à en être malade. C'est à peine si je savais ce que je faisais, où j'allais. Des chevaux blancs se cabraient sur les eaux noires de l'estuaire. Crépuscule et tempête, autant dans le monde qu'en moi. Sur le vieux pont métallique de Ferry Point, un fermier au volant d'un camion s'est arrêté et m'a proposé de m'emmener. C'était un vrai vieux de la vieille, bouche édentée et béante, barbe de trois jours et pipe coincée entre des gencives luisantes. Il sentait le foin, les cochons et le méchant tabac, et je suis prêt à parier qu'il avait une ficelle en guise de ceinture de pantalon. Le camion vibrait et haletait, façon bête de somme à l'article de la mort. Le vieux McDonald conduisait à toute vitesse et avec un laisser-aller dingue, tirant sur le levier de commande et faisant tourner le volant comme s'il comptait le dévisser. Tout en roulant, il m'a parlé avec délice d'un suicide qui avait eu lieu dans le coin des années auparavant.

« Il s'a noyé, noyé, quand sa belle l'a plaqué. »

Il a pouffé de rire. Moi, j'ai abaissé mon chapeau sur mes yeux. Devant nous, le jaune des phares fouillait l'obscurité dense. N'être personne, n'être rien, perdu dans cette nuit tempétueuse !

« Ils l'ont retrouvé là-dessous, sous le pont, a poursuivi le vieillard d'une voix sifflante, les deux bras

raides noués autour d'une des piles en bois sous l'eau
– vous croiriez ça, vous ? »
Polly Polly Polly Polly Polly
Quand j'arrivai, la maison était

Je crois que j'entends s'arrêter la voiture de Gloria
dehors. Pauvre de moi.

II

C'est d'abord le silence qui m'a frappé. Il s'est abattu sur la maison à la manière d'une forte gelée et dessous tout s'est pétrifié et figé. J'ai repensé aux soirées d'hiver de mon enfance – oui, le revoilà, le passé, une fois de plus –, quand les fils de nos voisins campagnards, les filles aussi, de vrais garçons manqués tapageurs, se rassemblaient sur la colline devant la maison de gardien et déversaient de pleins seaux d'eau sur la route pour la transformer en patinoire. J'imaginais voir le gel tomber avec la nuit, brume grise et scintillante se répandant lentement du dôme du ciel au miroitement bleu sombre. Je croyais également l'entendre, sourd tintement métallique qui m'enveloppait de partout dans l'atmosphère piquante. Et après, quand la patinoire avait une dureté de pierre polie, quels reflets noirs, aussi attirants qu'effrayants, la glace n'affichait-elle pas à la lumière des étoiles, m'exhortant à me lancer à mon tour, à dévaler la pente comme les autres, les genoux arc-boutés et tremblants, les poumons brûlés par l'air glacé ! Malheureusement, j'étais timide et n'osais pas, demeurant en retrait dans les ombres protectrices de notre logement à les observer avec envie. Les voix des patineurs carillonnaient dans l'obscurité chatoyante, les arbres immobiles avaient des mines de spectateurs muets devant cette folle partie et les innombrables étoiles, avec leur éclat dur et mauvais, donnaient, elles aussi, l'impression de suivre la scène. Quand une automobile approchait, les enfants s'égaillaient dans de grands éclats de rire et le chauffeur baissait sa vitre pour les injurier et les menacer d'appeler la police.

Le lieu silencieux dont je parle, celui où je me trouve à présent, c'est Fairmount, ma niche à la noble façade sur la Colline du bourreau, que je connais aussi, secrètement et avec un humour accablant, sous le nom de Château Désespoir. Je dois dire que c'est étrange de se retrouver de nouveau à la maison, malgré le peu de temps que je suis parti – se peut-il réellement que je n'ai été absent que quelques jours ? Comme je l'ai dit, il y a le silence, mais aussi le calme glacial de ma femme, encore que celui-ci soit largement la conséquence de celui-là. De mon départ précipité et de mon retour penaud, elle ne fait pas mention. Elle ne paraît pas fâchée que je me sois enfui et ne dit pas un mot de Polly et tout ça. Que sait-elle au juste ? A-t-elle parlé à Marcus – lui a-t-il parlé ? J'aimerais bien le savoir, mais n'ose pas poser de questions. Je suis donc sur des charbons ardents. Elle a une attitude distraite, rêveusement lointaine ; dans cette nouvelle version d'elle-même, elle me rappelle étonnamment ma mère et sa bizarre insensibilité. Pendant que nous vaquons à nos activités quotidiennes ici dans la maison, c'est à peine si elle me regarde et, quand ça lui arrive, il se forme un léger creusement entre ses sourcils, pas vraiment un froncement, mais une sorte de ride perplexe, comme si elle avait du mal à se rappeler qui je suis – écho de ce qui s'est produit entre Polly et moi dans le miroir de l'atelier ce fameux jour, en fait. Je dirais bien que ce comportement distant est un reproche tacite, mais je ne le pense pas. Peut-être a-t-elle fait une croix sur moi, peut-être m'a-t-elle totalement banni du centre de ses préoccupations ? Elle semble se concentrer sur l'avenir. Elle parle de repartir vers le sud, en Camargue, ancien domaine des cathares impies, belliqueux et triomphants, où nous avons vécu plus ou moins paisiblement durant quelque temps. Elle affirme que les marais salants lui manquent, les cieux immenses et les perspectives infinies, éclaboussées de soleil. Il y a une maison à louer à Aigues-Mortes sur laquelle elle se penche – c'est ce qu'elle dit, sur laquelle elle se penche. Je ne sais pas s'il faut prendre ça au sérieux. Est-ce que cela signifie qu'elle est résolue à me quitter ou n'est-ce qu'une raillerie destinée, comme son silence, à me blesser et à m'inquiéter ? C'est à Aigues-Mortes il y a longtemps que nous avons échangé nos vœux, assis à la terrasse d'un café, par un après-midi ensoleillé d'automne. Il soufflait un vent chaud décapant qui donnait au ciel une sèche couleur bleu blanchâtre et faisait claquer comme des fouets les auvents de la petite place. J'ai tendu ma paume ouverte par-dessus la table, Gloria m'a confié sa grande main forte et fraîche et nous avons ainsi scellé nos fiançailles.

Je connais Fairmount House depuis mon enfance, encore qu'à l'époque je ne connaissais les lieux que de l'extérieur. Un médecin fortuné et sa famille y habitaient alors, peut-être était-ce un dentiste, je ne me rappelle pas. Fairmount a été construite au milieu du XVIIIe siècle sur la colline où un siècle plus tôt mon homonyme, Oliver Cromwell, avait mené ses troupes dans leur tristement célèbre – et vain – assaut contre la ville. Après la déroute de la New Model Army et la levée du siège, la garnison catholique victorieuse y a pendu une demi-douzaine de capitaines en tunique brun-roux sur un gibet de fortune dressé là pour la circonstance, à l'endroit même, paraît-il, où le lord-protecteur avait planté sa tente avant de prendre ses jambes à son cou pour regagner l'Angleterre où l'attendait une fin ignominieuse. La maison est carrée et solide, et ses grandes fenêtres sur le devant regardent la ville avec un mépris digne d'Old Ironsides en personne. Autrefois, j'imaginais que la vie entre ces murs devait être à la mesure de cette apparence grandiose, que ses habitants se percevaient comme tout aussi nobles et imposants. Fantasme enfantin, je sais, mais je m'y cramponnais. J'ai acheté la demeure trois décennies plus tard un peu par revanche, sans trop savoir pourquoi – peut-être pour toutes les fois où, passant devant, je levais la tête avec envie et désir vers ces fenêtres aveugles, rêvant d'être moi-même posté derrière ces carreaux en veste d'intérieur en velours et cravate de soie, buvant dans un gobelet en verre taillé un bourgogne aussi lourd et corsé que le sang de mes ancêtres et suivant d'un œil sardonique la progression du petit garçon qui, son cartable sur le dos, voûté et pareil à un escargot dans sa blouse grise d'écolier, traversait laborieusement le bas de la colline.

Je dors à peine ces jours-ci, ces nuits-ci. Ou plutôt je m'écroule sur mon lit, sonné par des bocks d'alcool et de pleines poignées d'énormes pilules à vous assommer un bœuf. Puis, à trois ou quatre heures du matin, mes paupières s'ouvrent d'un coup, tels des stores défectueux, et j'émerge dans un état d'alerte lucidité auquel je n'ai apparemment jamais accès dans la journée. La pénombre de ces heures-là est spéciale aussi : plus qu'une simple absence de lumière, elle ressemble à un médium, à une sorte de glaire noire figée dans laquelle je suis englué, animal terrassé et traqué par les chacals du doute, de l'inquiétude et d'une terreur folle. Au-dessus de moi, pas de plafond, uniquement un vide complaisant, infini, dans lequel je risque à tout moment d'être précipité, tête la première. J'écoute les efforts poussifs et assourdis de mon cœur et j'essaie en vain de ne pas songer à la mort, à l'échec, à la perte de tout ce qui nous est cher, au monde avec ses choses et ses créatures. La fenêtre aux rideaux se dresse à côté du lit à la manière d'un sombre géant mal discernable et me surveille avec une attention démente, figée. Par moments, j'ai l'impression que l'immobilité dans laquelle je gis tient de la paralysie et me sens obligé de me lever pour parcourir dans un état de panique fébrile les pièces vides de l'étage et du rez-de-chaussée sans même prendre la peine d'allumer les lumières. La maison autour de moi bourdonne légèrement, de sorte qu'il me semble être à l'intérieur d'une large machinerie, d'un générateur par exemple, en sommeil, ou encore de la locomotive d'un train à vapeur stoppée pour la nuit sur une voie de garage et encore toute tremblante au souvenir du feu, de la vitesse et du tintamarre de la journée. Je m'arrête à la fenêtre du palier, presse le front contre le carreau, porte mon regard vers la ville endormie et me dis que je dois camper une vraie silhouette à la Byron, sur mon perchoir, solitaire, la mine tragique et condamné à ne plus jamais aller me promener. C'est comme ça avec moi, jamais ni dehors ni dedans, séparé d'un monde distant et convoité par un panneau de verre glacé.

J'ai dans l'idée que Gloria déteste cette maison, j'ai dans l'idée qu'elle l'a toujours détestée. Elle a consenti à venir s'installer dans cette ville uniquement pour me faire plaisir et satisfaire mon envie de retrouver mon univers d'antan.

« Tu veux vivre parmi les morts, c'est ça ? m'a-t-elle lancé. Attention à ne pas y laisser ta peau. »

Ce que j'ai fait, en un sens, du moins en tant que peintre, donc autant pour moi. *Rigor artis.*

J'aimerais comprendre ma femme un peu mieux, je veux dire, j'aimerais la connaître mieux. En dépit du temps que nous avons passé ensemble, j'ai encore l'impression d'être un jeune marié à l'ancienne mode durant sa nuit de noces, qui attend avec une brûlante impatience et pas mal d'anxiété que sa toute nouvelle épousée tombe la chemise, desserre son corset et se dévoile enfin dans sa nudité rougissante. Se peut-il que la différence d'âge entre nous explique ces zones de mystère ? Notez, peut-être n'est-elle pas en fin de compte l'énigme que je la crois être ? Peut-être, derrière sa façade lisse, n'y a-t-il pas de passions dévorantes, de tempêtes du cœur, de violents bouillonnements du sang, en tout cas rien qui lui soit spécifique ? Je n'arrive pas à y croire. Je pense juste que le chagrin d'avoir perdu notre enfant s'est durci en elle et l'a dotée d'une carapace aussi impénétrable que la porcelaine. Parfois, la nuit en particulier, quand dans l'obscurité nous gisons côte à côte sans pouvoir dormir – elle aussi souffre d'insomnie –, il me semble percevoir, entendre presque, très très loin en elle, une sorte de sanglot muet, sec.

Elle me reproche la mort de notre fille. Comment est-ce que je le sais ? Parce qu'elle me l'a dit. Non, attendez, attendez : ce qu'elle a dit, c'est qu'elle ne pouvait me pardonner sa mort, ce qui est tout à fait différent. Je m'empresse de préciser que la petite est morte d'une rare et catastrophique maladie du foie – ils m'ont donné le nom de cette affection, mais je me suis dépêché de l'oublier –, personne n'aurait pu la sauver. Difficile de penser qu'une si petite chose ait eu un foie, vraiment. C'est des années plus tard que Gloria s'est tournée vers moi et, après un blanc – pourquoi un blanc ? Un noir plutôt –, m'a balancé tout à trac :

« Tu sais que je ne peux pas te pardonner, hein ? »

Elle s'exprimait sur le ton de la conversation, avec douceur, sans rancœur manifeste et vraiment sans aucune émotion que j'ai pu noter ; c'était simplement un fait qu'elle énonçait, une situation dont elle m'informait. Quand j'ai voulu protester, elle m'a coupé gentiment mais fermement.

« Je sais, a-t-elle déclaré, je sais ce que tu vas dire, mais il me faut quelqu'un à qui je ne peux pardonner, et c'est toi. Ça t'ennuie ? »

Après avoir réfléchi, j'ai simplement répondu que ce n'était pas vraiment la question. Elle aussi a cogité un moment, puis a hoché sèchement la tête et s'est tue. Nous avons poursuivi notre marche. Très curieux, songerez-vous, très curieux échange, et c'est vrai ; à l'époque, pourtant, ça ne m'a pas frappé. Le deuil a des effets vraiment singuliers, c'est moi qui vous le dis ; la culpabilité aussi, mais c'est un autre problème, bouclé dans une autre chambre du cœur archiplein et malheureux.

J'ai oublié tant de choses sur notre enfant, notre petite Olivia – très commodes, ces dolines que j'ai ménagées dans le fond marin de la mémoire. Elle est maintenant momifiée pour moi. Elle demeure en moi à l'instar d'un de ces cadavres de saints miraculeusement préservés qu'on garde derrière un coffret de verre sous les autels des églises italiennes ; là, elle repose, minuscule figure de cire, d'une immobilité irréelle, elle-même et néanmoins autre, immuable malgré la mue des années.

Nous l'avons eue à l'époque où nous vivions en ville, dans une maison de location sur Cedar Street, un logement exigu avec de toutes petites fenêtres et des planchers mal ajustés qui couinaient de peur quand on leur marchait dessus. Son charme pour moi résidait dans un grenier doté d'une lucarne exposée au nord sous laquelle j'avais planté mon chevalet. Je travaillais d'arrache-pied à l'époque, émerveillé par mon talent la moitié du temps et taraudé l'autre moitié par une terreur bleue de n'arriver nulle part, tout en me racontant sottement qu'il n'en serait rien. Le pire à Cedar Street, c'était que notre propriétaire était la mère de Gloria, la veuve Palmer. Elle porte mal son nom, car elle n'a rien qui évoque le raffinement et le maintien languide du palmier. C'est au contraire une vieille pie guindée à l'allure de rapace – aujourd'hui encore elle est vissée sur son juchoir – avec des boucles de fer, une bouche crispée et exsangue et un nez – on dit *retroussé*, mais c'est un terme beaucoup trop joli pour ce qu'il décrit – offrant une vue peu ragoûtante sur ses narines, même quand on regarde la dame de face. Je suis dur. Elle n'a pas eu la vie facile, pas seulement dans son veuvage, mais plus encore quand son mari était vivant et la tourmentait. Cette canaille d'Ulick Palmer des Palmer de Palmerstown, ainsi qu'il avait l'habitude de se présenter sans rire, était un bon à rien qui l'a méprisée de son vivant et qui, à sa mort, l'a laissée quasiment dans la misère, à part quelques propriétés éparpillées à travers la ville, dont la maison de Cedar Street pour laquelle j'étais obligé de payer un loyer exagérément élevé, ce qui suscitait chez moi un brûlant ressentiment et mettait Gloria sur la défensive. Soit dit en passant, je ne sais trop comment deux coincés comme Ma et Pa Palmer ont pu réussir à concevoir une créature aussi splendide que ma Gloria. Peut-être était-ce une enfant trouvée et ne le lui ont-ils jamais avoué ; ça ne me surprendrait pas.

C'est le chagrin qui nous a conduits vers le sud hébété de soleil. Le chagrin encourage le déplacement, pousse à la fuite, cette quête agitée d'horizons nouveaux. Après la mort de l'enfant, nous nous sommes faits insaisissables, Gloria et moi, afin d'éviter, d'essayer d'éviter les flèches enflammées que le dieu du malheur vous décoche avec son arc incandescent. Car le deuil et l'amour ont plus de points communs qu'il n'y paraît, du moins pour ce qui est des sentiments. Je suppose qu'il était inévitable que nous nous précipitions vers le décor de nos débuts amoureux, comme pour annuler les années, rembobiner le temps et faire en sorte que ce qui s'était passé n'ait pas lieu. Gloria a vécu notre tragédie plus mal que moi, ça aussi, c'était inévitable : c'était une partie d'elle, après tout, la chair de sa chair, qui était morte. Mon rôle n'avait guère dépassé le fait d'affranchir, trois trimestres plus tôt, la minuscule larve déchaînée dont l'unique objectif avait été de se libérer de moi et de filer en têtard vers sa cible difficile et finalement ô combien réceptive. Autre déchirement parmi les déchirements. Que tout ça semble bien s'articuler, cette vie, ces vies.

Je n'aurais pas cru que l'enfant ait vécu suffisamment de temps avec nous pour que nous soyons aussi affectés par sa présence ou plutôt par son absence. Elle était si jeune, elle est partie si tôt. Dans l'ensemble, sa mort a eu un effet abrutissant sur nos vies, celle de Gloria et la mienne. Une part de nous est morte avec elle. Ça n'a rien de surprenant, je le sais, et cela ne nous est en rien réservé : des enfants ne cessent de mourir et d'emporter avec eux une part de leurs parents. Nous – et dans le cas qui nous occupe je crois pouvoir parler au nom de Gloria autant qu'en mon nom propre –, nous avons eu l'impression de nous retrouver sans clé devant chez nous et de frapper frapper frapper à la porte sans rien entendre à l'intérieur, pas même un écho, comme si, du sol au plafond, la maison était remplie de sable, d'argile, de cendres. Il y avait aussi des effets plus subtils, comme lorsque je passais l'ongle sur des objets extrêmement légers et des plus susceptibles de produire un son musical, le bord d'un verre de vin par exemple ou le couvercle de la petite boîte Louis XIV en bois de rose que j'ai chipée il y a des années sur le bureau d'un marchand d'art de la rue Bonaparte, sans que me revienne la moindre résonance. Tout semblait vide, vide et immatériel, telles les fragiles enveloppes que laissent les guêpes mortes sur les rebords de fenêtre dans la grisaille de la fin de l'été. Le chagrin était apathique, en d'autres termes, c'était une douleur terne, morne, creuse. Je présume que c'est pour ça, lorsque des enfants meurent dans des zones désertiques étouffantes où on libère ses sentiments plus facilement, que les parents, accompagnés des frères, sœurs, tantes, oncles, cousins à divers degrés, s'enroulent tous la tête d'un tissu noir et déchirent l'air de leurs hululements et de leurs trilles rauques : ils tiennent à ce que leur deuil reçoive la terrible part de bruit qui lui est dû. Personnellement, quelques cris et un peu de vacarme ne m'auraient pas gêné du tout ; ça aurait été préférable aux pleurnicheries et aux reniflements rentrés, seules émotions, pensions-nous, que les règles de bienséance nous autorisaient, du moins en public. Nous avions l'impression qu'il devait y avoir une limite au deuil que nous pouvions porter pour une vie non vécue. C'était justement ça, le problème. Ce que nous pleurions, c'était tout ce qui ne serait pas et, croyez-moi, ce genre de vide engloutit toutes les larmes que vous avez à verser.

Le deuil, comme la souffrance, n'a de réalité que lorsqu'on le vit. Jusqu'alors, je ne m'y étais guère frotté. Ma mère venait juste d'entrer dans l'âge mûr quand elle était tombée malade et elle avait simplement disparu, de sorte que sa mort m'avait paru être à peine

124

plus qu'une intensification ou un ultime perfectionnement de la distraction générale dans laquelle elle avait passé sa vie d'une brièveté pitoyable. Mon père aussi s'en était allé discrètement après l'épisode de violente protestation qui avait marqué sa dernière visite à l'imprimerie, quand il avait renversé d'un coup de pied le présentoir à gravures. Il avait semblé plus préoccupé par le désarroi et les tracas qu'il causait à son entourage que par sa propre souffrance. Dans ses derniers instants sur son lit de mort, il m'avait pressé la main et avait essayé de me rassurer d'un sourire, comme si ce n'était pas lui mais moi qui m'élançais vers des territoires inconnus sans espoir de retour.

Gloria et moi nous sommes disputés un jour, il n'y a pas très longtemps. C'est bizarre, car il est rare que nous ayons ne serait-ce qu'une altercation. Notre désagrément, appelons-le ainsi, portait sur un arbre d'ornement en pot qu'elle a installé près de la fenêtre de la cuisine. Je ne sais pas trop ce que c'est. Un myrte peut-être ? Disons que c'est un myrte. Je n'avais pas réalisé à quel point elle y tenait ni à quel point elle s'y accrocherait jusqu'à ce qu'il se mette à dépérir, apparemment sans raison. Les feuilles tournaient au gris, pendouillaient de manière consternante et refusaient de revivre en dépit de l'amour avec lequel elle arrosait la terre ou des nutriments qu'elle apportait aux racines. Elle a fini par découvrir l'origine du problème. L'arbre était envahi de parasites, de minuscules bestioles du genre araignée qui prospéraient sur le dessous des feuilles et les tuaient à petit feu. Cette horde d'une opiniâtre voracité me fascinait, j'ai même acheté une puissante loupe pour mieux étudier ces petites bêtes si industrieuses, si laborieuses, si indifférentes à tout ce qui les entourait, moi inclus. Particulièrement impressionnante était la complexe toile en filigrane, arrimée aux angles de la jonction feuilles-tiges, dans laquelle s'accrochaient les juvéniles, pas plus gros que des particules de poussière. Cependant, Gloria, les lèvres blêmes et les yeux plissés, s'est aussitôt et impitoyablement attelée à leur éradication : elle a arrosé l'arbuste avec une puissante bombe insecticide, puis l'a embarqué dans le jardin de derrière où elle lui a jeté des brocs d'eau savonneuse afin d'éliminer d'éventuels survivants. J'ai eu l'imprudence de protester. N'avait-elle pas songé qu'elle pouvait s'être trompée dans ses priorités ? lui ai-je demandé. Certes, le myrte était vivant, mais les parasites l'étaient encore plus. Pourquoi n'auraient-ils pas le droit de continuer à vivre aussi longtemps que leur hôte pourrait les nourrir ? Le joli spectacle que l'arbuste nous fournissait était-il plus important que les myriades de vie qu'elle détruisait afin de le protéger, de le préserver ? Durant une longue minute, Gloria m'a regardé en silence sous ses sourcils baissés, puis elle m'a jeté le vaporisateur à la tête – elle m'a raté – et elle est sortie de la pièce d'un pas raide. Un peu plus tard, je l'ai trouvée assise sur la première marche de l'escalier, la tête basse et les mains plongées dans ses cheveux, exactement comme ma mère, en train de pleurer. J'ai songé à lui présenter des excuses, sans trop savoir pourquoi, mais à la place je me suis éloigné sans bruit et l'ai laissée à ses larmes. Qu'est-ce que ça signifiait ? Je n'en ai pas idée, pourtant ça devait avoir un sens – un grand nombre des choses réelles que j'ai rencontrées dans ma vie éveillée sont pour moi aussi déroutantes que les apparitions fantastiques qui me viennent en rêve. J'ai essayé de revenir sur cet incident avec elle, une fois sa mauvaise humeur dissipée, mais elle m'a coupé du tranchant de la main, s'est levée de l'endroit où elle était tapie et s'est éloignée. J'ai eu

126

l'impression qu'elle pensait à notre Olivia perdue. L'arbre s'est remis, mais refuse de fleurir.

Puisqu'on parle de la mort – et on dirait que je ne parle guère que de ça ces temps-ci, alors même que mon sujet concerne en principe les vivants –, j'ai envie de raconter l'accident mortel dont j'ai été témoin, plus que témoin, dans ma jeunesse, et qui me hante encore aujourd'hui. Ça s'est passé à Paris. J'étais étudiant et travaillais dans l'atelier d'un peintre de troisième ordre, membre d'une académie quelconque, qui m'avait accepté à contrecœur pour l'été grâce aux bons offices d'un peintre francophile plus âgé que ma mère connaissait et qu'elle avait su convaincre de me donner une lettre d'introduction auprès de maître Mouton. J'habitais un petit hôtel de la rue Molière, dans une chambre de bonne au cinquième étage, juste sous les toits. Il y faisait une chaleur étouffante et le plafond était si bas que je ne pouvais me tenir debout. Sans compter l'escalier dont les marches, d'une largeur normale en bas, se rétrécissaient de plus en plus à mesure qu'on montait, si bien que la nuit, en rentrant, quand la minuterie du deuxième s'éteignait, j'étais obligé de négocier les derniers degrés à quatre pattes dans le noir, comme si j'escaladais l'intérieur d'une cheminée. Je n'avais pas un sou, j'avais faim et j'étais la plupart du temps déprimé, subissant mes journées dans un état – propre aux jeunes, je crois – d'ennui léthargique métissé d'un désespoir écrasant. Un après-midi nuageux où il n'y avait pas un souffle d'air, j'attendais à un carrefour sur les quais que le feu passe au rouge. Un jeune Français d'à peu près mon âge se tenait à côté de moi, vêtu d'un costume de lin blanc splendidement chiffonné. Je me rappelle combien ce costume rayonnait, il émettait une sorte d'aura en dépit ou peut-être à cause de la grisaille humide de la journée et, envieux, j'imaginais en ce garçon un fils de riche planteur gâté pourri envoyé au pays pour faire semblant de terminer ses études dans quelque *grande école* incroyablement chic. Il avait tourné la tête en arrière et parlait par-dessus son épaule avec volubilité et gaîté à quelqu'un juste derrière lui, une jeune fille, je suppose, même si je ne me souviens pas d'elle. Comme toujours sur ces larges artères, les voitures passaient dans des cliquetis et des bruits de ferraille de sorte qu'on aurait cru une immense et pitoyable machine constituée d'innombrables éléments mal ajustés et soudés ensemble, un poids lourd fumant et se perpétuant à l'infini plutôt qu'une série de véhicules individuels. Le jeune homme en blanc, riant à présent, s'était de nouveau tourné pour regarder devant lui, et avait, allez savoir comment, perdu l'équilibre – quand, sombrant dans le sommeil, j'ai la sensation de faire un faux pas et me réveille en sursaut, c'est lui que je revois aussitôt dans son ensemble incroyablement éblouissant, là, sur le quai des Grands-Augustins, en face du Pont-Neuf –, trébuchant à l'instant précis où s'approchait, en rasant le caniveau, un camion de l'armée vert olive qui roulait à tombeau ouvert, mot juste s'il en est. Il était haut et carré avec, tendue sur l'arrière de sa structure, une grosse toile qui frissonnait à un rythme terrible. Un grand miroir dépassait largement du côté conducteur, maintenu par deux ou trois supports d'acier. C'est ce miroir qui avait frappé en pleine face le jeune homme vacillant alors qu'il tentait de recouvrer son équilibre sur le bord du trottoir. Je me suis longtemps demandé s'il avait eu le temps, au dernier moment, d'apercevoir son reflet, surpris et incrédule, son moi et son reflet s'annihilant dans la glace, jusqu'au jour où je me suis rendu compte que le miroir était forcément tourné de l'autre côté et que c'était l'envers métallique qui l'avait heurté. Et ai-je réellement vu une parfaite couronne de sang exploser autour de sa tête à l'instant de l'impact ? J'en doute, étant donné que c'est plutôt le genre de choses que l'esprit, toujours avide de détails sanglants, aime à imaginer, outre que c'était aussi un écho suspect du halo de lumière que j'avais noté autour de son costume. Quoi qu'il en soit, quand il a basculé en arrière, c'est dans mes bras instinctivement offerts qu'il s'est effondré. Je me rappelle la moiteur de ses aisselles et le bref et rapide jeu de claquettes de ses talons sur le trottoir. Il était frêle et mince, mais je n'ai pas eu la force de le soutenir – c'était déjà un poids mort – et, quand il m'a échappé et s'est affaissé sur le sol, sa tête en charpie s'est écrasée entre mes pieds écartés et a heurté le trottoir avec un bruit sourd et mouillé. Une jambe de son pantalon, la droite, avait été coupée nettement au-dessus du genou, ne me demandez pas comment, et la partie inférieure tirebouchonnait autour de sa cheville. La jambe ainsi exposée était bronzée, lisse et imberbe ; à ce que j'ai vu, il ne portait pas de chaussettes, avec cette décontraction française que j'ai par la suite imitée, si l'on peut se fier au souvenir que Polly a de moi la première fois que j'ai poussé la porte de l'atelier de Marcus. Le visage du malheureux – ah, ce visage. Vous l'aurez vu à plusieurs reprises dans mes œuvres de jeunesse, en particulier dans l'horrible triptyque des bacchantes – la simple évocation de mes anciens travaux me nargue et me remplit de honte ! –, où il plane très bas au-dessus de la plaine jonchée de cadavres, en un disque quelconque, ignoble et criard, d'un rouge violacé digne d'un quartier de bœuf fraîchement écorché d'où dégouline un sang rose étincelant coagulé sous forme de boules de gomme. Je me suis tué à expliquer aux critiques obtus que ce barbouillage rougeâtre n'avait rien d'une distorsion délibérée, à la manière de Pontormo, par exemple, ou de Bosch, le diabolique illusionniste – et beaucoup l'ont dit –, mais que c'était au contraire une interprétation soigneuse et pertinente d'une scène que j'avais vue de mes propres yeux et me sentais forcé de commémorer encore et encore à travers ma peinture.

Jusqu'à la mort de ce jeune homme, tout était gravé dans mon souvenir avec une clarté piquante, mais ce qui a suivi a été balayé de mon esprit. Les gens ont dû se masser autour de nous, la police a dû débarquer, ainsi qu'une ambulance, tout le tintouin, mais, pour moi, la suite de l'accident se résume à un trou de mémoire béni. Néanmoins, je me rappelle bien que le camion de l'armée a poursuivi sa route quand même – pour lui, que représentait une mort supplémentaire parmi toutes celles dont il avait sans doute été témoin sur son parcours ? Mais qu'en a-t-il été de la jeune fille à laquelle le jeune homme parlait, s'il s'agissait bien d'une jeune fille ? S'est-elle accroupie à côté de lui et a-t-elle calé sa pauvre tête en bouillie sur ses genoux ? Et elle, a-t-elle rejeté sa tête en arrière en hurlant ? C'est incroyable les choses que, pour se protéger, l'esprit supprime. Certaines choses.

C'est à moi qu'il incomba de disposer des affaires de notre Olivia – une enfant de trois ans a-t-elle des affaires ? –, de ses tenues, de ses smocks et de ses petits chaussons roses. J'étais censé les porter à l'église à deux pas de la maison pour les distribuer aux pauvres, à la place j'en ai fait un gros baluchon que j'ai attaché avec une ficelle et jeté dans la rivière au beau milieu de la nuit dans un flou larmoyant. Le baluchon n'a pas coulé bien sûr, mais s'est éloigné en ballottant, emporté par la marée, en direction des quais et de la haute mer. Par la suite, j'ai passé des mois à me tracasser à l'idée qu'il ne s'échoue quelque part sur la berge, qu'un chiffonnier ne le récupère et qu'un jour dans la rue je – ou, pire, Gloria – repère, vision à vous briser le cœur, un gamin accoutré d'un vêtement connu.

Un des phénomènes de l'époque où je peignais encore qui me manque le plus cruellement, c'est le silence qui se générait de lui-même autour de moi lorsque je travaillais et dans lequel il m'était possible de m'échapper un temps de moi-même. Ce genre de paix et de calme, on ne l'obtient par aucun autre moyen, pour ce qui me concerne, en tout cas. Par exemple, il diffère totalement, en profondeur et en résonance, du silence furtif qui accompagne un larcin. Devant le chevalet, le silence qui s'abat sur toute chose ressemble au silence qui, j'imagine, se répandra sur le monde après ma mort. Oh, je ne cherche pas à me raconter que le monde arrêtera ses clameurs uniquement parce que j'aurai appliqué mon dernier coup de pinceau. Mais il se créera un petit coin de tranquillité bien spécial une fois que mes perturbations auront cessé. Visualisez une petite allée, dans une banlieue froide et humide, par un après-midi gris entre deux saisons ; le vent fouette la poussière en spirales, soulève des bouts de papier, bouscule un carré de chiffon sale de-ci de-là ; puis tout s'arrête, sans raison apparente, le calme s'installe et le silence prévaut. Pas de lumière céleste ni de voix angéliques, mais c'est là, dans cette sorte de néant, dans cette sorte de nulle part, que mon imagination opérait avec le plus grand bonheur et forgeait ses fantasmes les plus profonds.

Vous allez vouloir que je vous parle de la période que nous avons passée là-bas dans la chaleur du Sud, avec le mistral qui fouettait les auvents de la place du marché, de nos mains entrelacées sur la table entre coupelles d'olives et verres de pastis grisâtre, de nos délicieuses balades, des gens louches et pittoresques que nous avons rencontrés, du vin couleur paille que nous buvions dans ce petit endroit aux pieds des remparts où nous allions dîner tous les soirs, de la drôle de vieille maison que nous louions à l'excentrique dame aux chats, du torero qui s'était entiché de Gloria et de ma brève mais tempétueuse affaire avec cette Anglaise titrée et expatriée, l'adorable Lady O. – tout ça. Bon, vous avez le droit de rêver. Je vous accorde que c'est un paradis sur terre là-bas mais, pour nous, ça a été un paradis vicié où nombre de serpents rampaient au milieu des plantes grimpantes convolutées. Ne vous méprenez pas sur mon propos, ce n'était pas pire qu'ailleurs pour deux pauvres âmes prostrées, abîmées dans un deuil apathique, mais une fois dissipés l'éclat de la légendaire *douceur de vivre* et les bulles perlées qui pétillaient sur le bord, ce n'était pas beaucoup mieux non plus. Oubliez vos idées idylliques. Il me semble avoir passé la majeure partie de mon temps dans des parkings de supermarchés, à cuire sur le siège passager de notre petite 2CV grise en écoutant sangloter sur l'autoradio une chanteuse brisée de chagrin pendant que Gloria, à l'écart dans un coin ombragé, fumait une cigarette tout en cédant à une nouvelle crise de larmes silencieuse.

Flûte, encore une digression : il y a sûrement quelque chose, un quelque part où je ne veux pas aller, d'où tous ces vagabondages apparemment innocents au fil de routes secondaires empoussiérées. Un été quand j'étais petit et que nous étions en vacances chez Miss Vandeleur, un cirque a débarqué en ville. Du moins, c'était ainsi qu'il s'appelait, alors que c'était plutôt une sorte de théâtre ambulant. Les représentations avaient lieu sous une tente rectangulaire où le vent faisait claquer les parois de toile comme des voiles de grand mât. Le public s'asseyait sur des bancs de bois face à une scène de fortune, sous des ampoules multicolores attachées à des cordes tendues entre les piquets et oscillant en tous sens, ce qui créait un effet haut en couleur et d'une griserie excitante. Il n'y avait pas plus d'une demi-douzaine d'artistes, dont une contorsionniste au regard torride qui profitait des entractes pour s'installer sur une chaise devant la scène et chanter des chansonnettes sentimentales en s'accompagnant au piano à bretelles, instrument dont le lustre nacré a illuminé nombre de mes fantasmes nocturnes. Le cirque est resté là une semaine et, captivé par le clinquant et les paillettes de l'ensemble, j'ai assisté aux sept représentations en soirée ainsi qu'à la matinée du samedi, alors que c'était tous les jours la même chose, puisque les numéros ne changeaient jamais, sinon quand quelqu'un ratait sa réplique ou qu'un acrobate chutait accidentellement. Puis, le lendemain de la dernière représentation, j'ai commis l'erreur d'aller assister au démontage de la magie. La tente s'est affaissée avec un énorme soupir chiffonné, on a soulevé les bancs qu'on a collés tels des canards à l'arrière d'un camion, tandis que la contorsionniste, qui avait échangé ses sequins contre un pull à col roulé et un jean retroussé, se fumait une cigarette en se grattant le ventre, plantée, le regard vide, sur le seuil d'une des caravanes. Eh bien, ça a été pareil dans le Sud à la fin. L'éclat irisé s'est terni et finalement ça a été comme si tout avait été plié et enlevé. Et oui, c'est tout moi ça, gamin éternellement déçu, désenchanté.

Ma chronologie recommence à flotter. Voyons. Nous avons passé là-bas quoi, trois, quatre ans ? Il y a eu ce premier séjour, lorsque nous sommes partis en douce en vacances ensemble et où j'ai fait ma demande en mariage, que Gloria a acceptée, après quoi nous sommes rentrés et avons habité à Cedar Street. C'est à Cedar Street que mon louche beau-père, Ulick Palmer, venait frapper au beau milieu de la nuit, soûl et éploré, pour nous supplier de lui fournir un lit ; Gloria, malgré mes protestations étouffées, le laissait entrer et le couchait sur le canapé du salon où il polluait l'atmosphère par sa terrible puanteur de whisky et ses pets soufrés tout en vomissant sur le tapis la plupart du temps. Ma Palmer venait souvent nous voir, elle aussi, débarquait à l'improviste, dans son manteau noir corbeau et son chapeau à voilette, et restait vissée des heures durant sur le fameux canapé du salon, raide comme un I, les narines dilatées et l'air d'être toujours prête à cracher des jets de fumée et de flammes dignes d'un dragon. Puis la petite est arrivée, sans prévenir, et, sans prévenir non plus, elle est partie. Après, sous le coup du désespoir, nous n'avons eu d'autre choix que de tout abandonner et fuir vers le Sud, seul endroit où nous avions été heureux – ne serait-ce brièvement –, sans aucune équivoque. Sottise, direz-vous, aveuglement pathétique, et vous aurez raison. Mais le désespoir est le désespoir et réclame des mesures désespérées. Nous croyions que notre souffrance serait relativement soulagée là-bas ; nous croyions que même le chagrin ne pourrait sûrement pas durer face à toute cette joie et cette beauté provençales. Nous avions tort. Rien n'est plus cruel que le soleil et la douceur de l'air quand on souffre.

À dire vrai, je pense que ce séjour dans le Sud a été un des facteurs qui m'ont conduit à la ruine picturale. La lumière, les couleurs m'ont rendu fou. Ces bleus et ces ors vibrants, ces verts lancinants n'avaient pas de place sur ma palette. Je suis un fils du Nord : mes teintes, c'est l'or martelé de l'automne, le gris argent du dessous des feuilles par un printemps pluvieux, l'éclat kaki des plages glacées à l'été et les pourpres houleux de la mer en hiver, sa virescence acide. Néanmoins, quand nous avons abandonné les marais salants et les stridulations des cigales pour rentrer chez nous – nous disions toujours chez nous – et nous installer ici à Fairmount, sur la colline de Cromwell, le bacille de toute cette beauté imbibée de soleil que nous avions laissée derrière nous circulait toujours dans mon sang, de sorte que je n'ai pas été fichu de me débarrasser de cette fièvre. Est-ce la vérité ou suis-je encore en train de chercher laborieusement des explications, des excuses, des exonérations, tous les ex qu'on puisse imaginer ? Mais prenez ce dernier tableau sur lequel je travaillais, cette pièce inachevée qui m'a définitivement achevé : regardez la guitare couleur de dirigeable et la table recouverte de ce tissu à carreaux sur laquelle elle est posée ; regardez la fenêtre de claire-voie ouvrant sur la terrasse et l'à-plat bleu au-delà ; regardez ce joyeux voilier. Ce n'était pas le monde que je connaissais ; ce n'était pas mon vrai sujet.

Mais quel est mon vrai sujet alors ? Sommes-nous en train de parler d'authenticité ? Depuis le début, mon unique objectif a toujours été de mettre en forme cette tension informe qui flotte dans l'obscurité de mon crâne, telle la rémanence persistante d'un éclair. Et en quoi les fragments du délabrement général que je choisissais pour sujet avaient-ils de l'importance ? Guitare, terrasse, mer azur et voilier ou poissonnerie de Maggie Mallon – quelle importance ? Or, d'une certaine façon, ça en avait. D'une certaine façon, il y avait toujours le vieux dilemme, c'est-à-dire la tyrannie des choses, de leur incontournable réalité. Mais que savais-je somme toute des choses réelles, quand elles en venaient à m'affronter ? C'était précisément la réalité qui ne m'intéressait pas. Donc encore une fois je me demande si c'est vraiment ça qui m'a bloqué : le fait que le monde que j'avais choisi de peindre n'était pas le mien. C'est une question simple et la réponse paraît évidente. Mais il y a un hic. Dire que le Sud n'était pas mon univers, c'est suggérer qu'un autre lieu l'était et, dites-moi, où ce rare endroit pourrait-il bien être, pâle Ramon ?

Ce n'est pas la voiture de Gloria que j'ai entendue s'arrêter devant la maison de gardien l'autre jour – moins de quatre jours après ma fuite vers la liberté sous un orage tumultueux –, quand j'ai fini par être rattrapé et qu'on m'a saisi par l'oreille et extrait de ma tanière. Ma femme n'était pas la seule à avoir deviné où je me cachais. Je dois avouer que ça m'a contrarié d'avoir été trouvé si facilement. Je croyais que tout le monde aurait imaginé que je m'étais évaporé vers un ailleurs lointain et exotique, le genre d'univers cher aux légendaires artistes maudits, Harar dans les tréfonds de l'Éthiopie, par exemple, ou dans une île des mers du Sud peuplée de femmes basanées aux seins lourds et au visage plat, mais pas que j'étais reparti à la hâte vers le plus banal des refuges, ma maison natale. Ma première réaction, quand j'ai entendu la voiture approcher du portail, puis s'arrêter dans des crissements de pneus, a été de foncer vers la porte d'entrée, de tirer le verrou, puis de plonger sous une table pour m'y cacher. Mais je n'ai rien fait. À la vérité, je me sentais soulagé. Je n'avais pas vraiment voulu disparaître et mon départ avait été plus proche d'un jeu que d'une fuite, même si je m'étais cru désespérément désireux de fuir. Je m'étais enorgueilli d'être dehors, sur les routes par cette nuit de tempête et de pluie noire, quand le vieux fermier à la barbe de trois jours m'avait embarqué dans son camion et parlé de l'amant malheureux retrouvé noyé sous le pont. Pour moi, je ne fuyais pas, j'allais vers quelque

136

chose, et les éléments déchaînés répondaient à la tourmente qui faisait rage dans mon cœur. Seulement, ce qui m'avait paru relever de la bravade était en réalité de la trouille pure. J'avais été heureux de continuer avec Polly en secret mais, une fois ce secret découvert, j'avais mis les pans à ma ceinture sans avoir, même à ce moment-là, le courage de mes actes et j'avais attendu secrètement d'être pris et – quoi, ramené dans le droit chemin ou sauvé ? Oui : sauvé de moi-même.

Depuis le début, je m'étais donc à moitié préparé à voir Gloria débarquer sur le pas de la porte, même plus qu'à moitié, mais la vision d'une autre personne, Marcus par exemple, ou bien la mère de Gloria avec ses ailes, ses écailles et ses jets de feu, ou encore un représentant de l'ordre brandissant un mandat d'arrêt m'accusant d'une grave turpitude morale, ne m'aurait pas plus surpris que je l'ai été lorsque j'ai prudemment ouvert la porte. Car elle était là, Polly en personne, mon adorable Polly, ma chérie – que mon cœur a chanté à sa vue ! –, avec la petite dans ses bras. J'en ai eu la mâchoire décrochée – si, si, les mâchoires se décrochent vraiment, ainsi que j'ai pu le vérifier à plusieurs reprises, même si je préfère ne pas m'en souvenir – et le cœur aussi, ce pauvre yo-yo qui me sert de cœur et qui s'est vu si souvent cogné et meurtri.

Mais pourquoi cette grande surprise ? Pourquoi n'aurait-il pas dû s'agir de Polly ? Je ne sais pas. Je n'avais pas imaginé que ce serait elle qui me dénicherait, c'est tout. Pourquoi n'était-ce pas Gloria ? Ça, j'aurais aimé le savoir. N'était-ce pas ma femme qui aurait dû venir me chercher ? C'est pour moi un mystère qu'elle ne l'ait pas fait. Elle m'avait téléphoné, elle savait où j'étais. Pourquoi n'a-t-elle pas sauté dans sa voiture et roulé jusqu'à la maison de gardien, ainsi que n'importe quelle épouse l'aurait sans doute fait ? Mais non. C'est bizarre. Se peut-il qu'elle n'ait pas eu envie de me voir revenir ? Voilà un point sur lequel je n'ai pas envie de m'interroger.

Lorsqu'elle est bouleversée et énervée, Polly a la manie de se mettre à esquisser des mouvements de pied inattendus et étonnamment rapides. Ces brusques interludes de vive effervescence, remarquables chez une jeune femme aussi solidement bâtie, sont sûrement liés à ces turbulents accès de danse qui, aux dires de Marcus, la topaient ici et là dans la maison, en des temps plus heureux, avant que la catastrophe ne frappe, quand les piliers du temple étaient encore debout. À présent, la porte n'a pas plus tôt été ouverte qu'elle s'est carrément jetée sur moi dans un bruit étouffé qui aurait pu traduire la joie, la colère, le soulagement, les récriminations, l'angoisse ou tout ça à la fois, et elle a écrasé sa bouche contre la mienne si passionnément que j'ai senti le chevauchement de ses dents de devant à travers la pulpe chaude de ses lèvres. Choqué et confus, je n'ai su que dire. Ce que j'ai ressenti était de l'ordre d'un agréable mal de mer, d'un flageolement dans les jambes et d'une trépidation qui m'a porté au cœur. Je n'avais pas réalisé à quel point elle m'avait manqué – je suis toujours stupéfait par tout ce qui se passe en moi à mon insu. Polly a dit un jour un truc similaire sur les rêves et l'esprit rêveur, non ? Là, la bouche toujours gluée sur la mienne et marmonnant des mots incompréhensibles, elle m'a repoussé dans le couloir, tandis que la petite, prise en sandwich entre nous deux, gigotait et lançait des coups de pied. On aurait juré que j'avais été attrapé par une mère poulpe brandissant un de ses petits devant elle. J'ai fini par me libérer de cette étreinte brouillonne et les ai tenues toutes les deux, la mère et l'enfant, à distance de moi – attention, je ne les ai pas bousculées. L'entaille que l'alliance de Marcus avait faite sur la joue de Polly s'était refermée, mais il y avait encore une minuscule marque livide. Comment, lui ai-je demandé, comment m'avait-elle retrouvé, comment avait-elle su où me chercher ? Elle a lâché un petit rire haut perché, teinté d'hystérie, à ce qu'il m'a semblé, et m'a répondu que c'était forcément là que j'avais fui, étant donné le nombre de fois où j'avais parlé de la maison de gardien, de ma vie ici avec mes parents et mes frères, il y a longtemps. Ça m'a fichu un coup. Je ne me rappelais pas avoir jamais mentionné devant elle l'existence lugubre que j'avais menée là dans mon enfance. Se peut-il qu'on dise des choses sans en avoir conscience, qu'on parle tout éveillé comme si l'on dormait, dans un état d'hypnogenèse bavarde ? De nouveau, elle a éclaté de rire et m'a raconté que j'avais tellement piqué sa curiosité qu'un après-midi, l'été dernier, elle avait pris sa voiture pour venir jeter un coup d'œil – je reprends ses termes – sur le décor de mon enfance. Je l'ai dévisagée avec une stupéfaction ahurie.

« Tu es venue ici, dans la maison de gardien ?

— Non, non, pas dedans, bien sûr que non, s'est-elle écriée avec un autre rire aux accents farouches. Je me suis juste arrêtée au portail, sans descendre de voiture. Je me serais bien approchée des fenêtres pour regarder à l'intérieur, mais je n'ai pas osé. Je voulais voir où tu étais né et où tu avais grandi. »

Mais pourquoi, ai-je demandé, ne comprenant toujours pas, pourquoi faire ça ? Pourquoi une telle curiosité pour ce genre de détails ? L'espace d'un moment, elle n'a pas répondu. Elle est restée devant moi, la petite calée sur la hanche, puis elle a penché la tête et m'a étudié avec un sourire tendrement compatissant. Elle portait un gros lainage sur une jupe en laine, et un grand peigne en écaille de tortue retenait ses cheveux indisciplinés sur la nuque.

« Parce que je t'aime, andouille. »

Ah. L'amour. Oui. L'ingrédient secret que j'oublie toujours et ne prends jamais en compte.

Dans la cuisine, elle a assis l'enfant sur la table – d'où, dois-je dire, j'avais déjà eu la présence d'esprit d'escamoter l'épais bloc-notes d'écolier qui renferme ces précieuses cogitations – et a jeté un regard sur la pièce en plissant le nez.

« Ça sent l'humidité, a-t-elle déclaré. Et il fait froid aussi. »

Elle avait raison – j'avais mon pardessus et mon écharpe –, n'empêche, je me suis aussitôt senti ridiculement sur la défensive. Je lui ai fait remarquer sèchement qu'il y avait très longtemps que personne n'avait habité le pavillon et qu'il n'y avait personne pour s'en occuper. Elle m'a répondu dans un grognement que oui, c'était clair. Sous la lumière dure qui tombait de la fenêtre, son visage paraissait à vif, rouge et, en la voyant ainsi dans son pull-over et ses chaussures plates d'infirmière, j'ai eu l'impression, alors qu'il n'y avait pas de miroir dans les parages, de la connaître à peine, elle aurait pu être quelqu'un avec qui je n'avais que de lointaines relations familiales, or j'avais très envie de la prendre dans mes bras, de la serrer tendrement contre moi et de frictionner ses joues froides pour leur redonner roseur et chaleur. Elle était après tout et malgré tout ma chérie, comment avais-je jamais pu penser le contraire ? Cependant, loin de me ragaillardir, cette prise ou reprise de conscience m'a valu une sensation de quasi-dégringolade, comme si en moi un fond quelconque avait lâché. En fin de compte, les collets dont j'avais cru me libérer m'entravaient toujours fermement aux chevilles. Et pourtant, j'étais tellement heureux qu'elle soit là. Heureuse tristesse, triste bonheur, histoire de ma vie et de mes amours.

Polly, lorgnant les étagères à nu et les placards apparemment tout aussi vides, m'a demandé de quoi je vivais. Je lui ai dit que j'allais chez Kearney's, le pub du carrefour, où on pouvait avoir de la soupe le midi et des sandwichs le soir, que la fille du patron, Maisie de son petit nom, laquelle semblait avoir un faible à mon endroit, préparait en catimini spécialement pour moi.

« Ah oui ? » s'est écriée Polly d'un ton dédaigneux.

J'ai manqué éclater de rire. Comment être jalouse de cette pauvre Maisie Kearney mal dégrossie, qui frise la cinquantaine, n'a jamais au grand jamais été courtisée et est aujourd'hui définitivement célibataire. Je n'ai rien dit : le comportement de Polly, sceptique et autoritaire à présent, m'irritait. N'est-ce pas remarquable de constater comment, après une ou deux minutes, les situations les plus abracadabrantes s'ajustent et rentrent dans la norme ? Voilà que je venais d'être surpris par une maîtresse cruellement abandonnée, dans mon ancienne maison de famille où je m'étais caché d'elle, ainsi que de son mari et de ma femme, et, sitôt après cette bouleversante intrusion initiale, nous en étions déjà revenus aux vieilles trivialités coutumières, aux chamailleries, aux ressentiments, aux récriminations mesquines. Oui, j'aurais pu en rire. Et pourtant j'étais dans un tel état de confusion, à la fois stressé, angoissé et éperdu de désir, que j'étais presque incapable de savoir quoi dire ou faire. De désir, oui, vous m'avez bien lu. Je brûlais de retrouver la chair de ma chérie dont je gardais un souvenir brûlant, cette chair si connue et néanmoins toujours nouvelle et inconnue. Quelle couillonne éhontée, cette libido !

La petite a commencé à s'agiter, mais ni Polly ni moi ne lui avons prêté attention. Elle était toujours assise au milieu de la table, ventrue et affichant une moue stupide, tel un austère bouddha miniature. Je me suis vaguement demandé, et ce n'était pas la première fois, si elle n'avait pas un problème – elle avait presque deux ans et ne montrait que peu de signes de développement, elle en était tout juste au stade de la marche et ne parlait toujours pas. Mais qu'est-ce que je connais des enfants ?

« Tu dois être bien seul ici, a déclaré Polly d'un ton boudeur et accusateur. Je ne t'ai pas manqué ? »

Si, me suis-je empressé de répondre, bien sûr que tu m'as manqué, bien sûr. Cela étant, ai-je ajouté en m'animant, il y a eu mon rat pour me tenir compagnie. Elle a baissé la tête, calé son menton dans ce creux au-dessus de sa clavicule où j'adorais plonger ma langue et m'a considéré en fronçant sévèrement les sourcils.

« Ton rat », a-t-elle répété d'une voix sans timbre qui n'augurait rien de bon.

Oui, ai-je insisté sans pouvoir m'arrêter, c'est un personnage sympathique qui sort souvent de sa tanière en dessous de la cuisinière pour voir ce que je fabrique. D'après mon estimation, il avait un certain âge et c'était un solitaire comme moi. Son attitude dénotait un égal mélange de curiosité, d'audace et de circonspection. Souvent le soir, je rapportais du pub les restes d'un des sandwichs amoureusement préparés par Maisie, un bout de croûte beurrée ou un morceau de cheddar, que je posais par terre devant la cuisinière et, bien entendu, il finissait par sortir lentement, se tordait le museau comme s'il esquissait de petites feintes ou cherchait à frapper les narines rose brillantes et frémissantes, et raclait le lino de ses griffes fines et délicates avec une discrétion et une légèreté telles que, pour l'entendre, il fallait que je m'abstienne de faire le moindre bruit et même que je bloque ma respiration sans bouger de ma chaise. Pendant qu'il mangeait, ce qu'il faisait avec la maniaquerie d'un vieux gourmet dyspeptique devant le énième plat d'un banquet impérial, il levait la tête

142

vers moi de temps à autre et me regardait d'un air interrogateur et, me semblait-il, pince-sans-rire. J'imagine
qu'il me considérait comme un simplet obligeant, un
peu bizarre mais sans plus, et manifestement inoffensif.
Sa queue, longue, sans poils et très effilée, n'était pas
agréable à voir ; en plus, pour consommer les bricoles
que je lui offrais, il se mettait en boule et arquait les
pattes arrière comme s'il allait vomir, même s'il ne l'a
jamais fait devant moi. Ces détails mis à part, je
l'aimais bien, ce vieux méfiant.

Polly a plissé les yeux.

« C'est une blague ?

— Oui, je suppose, ai-je marmonné en baissant la
tête.

— Eh bien, ce n'est pas drôle, a-t-elle répliqué sur
un ton une fois de plus dédaigneux. Donc, soit c'est
moi, soit c'est un rat, les deux se valent. »

J'ai voulu protester, mais elle n'était pas d'humeur
à m'écouter.

« J'imagine que tu lui as donné un nom ? Et
j'imagine que tu lui parles, que tu lui racontes des histoires ? Tu lui parles de moi, de nous ? Seigneur, tu
es lamentable. »

Elle s'est emparée de l'enfant et l'a calée presque
violemment contre son sein.

« Et les microbes dans toute la maison en plus, a-
t-elle poursuivi. Les rats, ça va partout, ça remonte les
pieds des chaises, ça va sur la table, surtout si tu les
nourris… ce que tu es assez fou pour faire, d'ailleurs. »

J'ai esquissé un sourire, alors que je craignais qu'elle
ne me frappe si je n'arrêtais pas. Même s'ils suscitaient
ma colère, j'adorais ces brefs moments de badinage
domestique dans lesquels Polly et moi nous lancions
régulièrement – ou dans lesquels elle se lançait tandis
que, planté à côté d'elle et bienveillant, je rayonnais

sous le coup d'une sorte d'affection de propriétaire, comme si je l'avais personnellement façonnée dans une argile primordiale, grossière mais précieuse. Je suis, vous le déduirez peut-être de tout ce que j'ai à dire sur le sujet *passim*, un ardent défenseur du banal. Prenez cet instant dans la cuisine, où Polly et moi étions au milieu des ombres vaporeuses de mon enfance. Le ciel à la fenêtre était nuageux, néanmoins tout à l'intérieur s'éclairait sous une lumière changeante qui soulignait les courbes polies et les angles aigus des choses et leur octroyait un doux éclat constant : la poignée d'un couteau sur la table, le bec de la théière, un bouton de porte en laiton joliment arrondi. L'air glacial de la pièce portait l'empreinte du parfum des choses tombées dans l'oubli, mais il y avait aussi une sensation d'urgence, d'immanence, le sentiment que des événements d'une importance capitale se préparaient. Je m'étais tenu ici, enfant, à côté de cette même table, devant cette même fenêtre, sous la même lumière métallique, à rêver de l'inimaginable, état sans limites qui allait venir, qui était l'avenir, l'avenir qui, pour moi, maintenant, était le présent et qui bientôt s'évanouirait et deviendrait le passé. Comment était-ce possible que j'aie été là-bas à l'époque et que je sois ici à présent ? Et pourtant c'était ainsi. Tel est le tour de magie banal et inexplicable qu'exécute le temps. Et Polly, ma Polly, au milieu de tout ça.

« J'ai envie de te peindre », ai-je dit ou plutôt lâché.

Elle m'a jeté un coup d'œil soupçonneux.

« Me peindre ? s'est-elle exclamée en ouvrant de grands yeux. Qu'est-ce que tu racontes ?

— Juste ça : j'ai envie de te peindre. »

Mon cœur cognait de manière très inquiétante, il cognait vraiment, à la façon d'une énorme grosse caisse.

144

« Ah oui ? Avec deux nez et un pied qui me sortirait de l'oreille ? »

J'ai ignoré ce sarcasme sur mon style.

« Non, j'ai envie de faire ton portrait – un portrait de toi telle que tu es. »

Elle me considérait toujours avec un amusement sceptique.

« Mais tu ne peins que des choses, a-t-elle rétorqué, pas des gens, et quand ça t'arrive, tu leur donnes l'air de choses. »

Ça aussi, je l'ai laissé passer, encore que ça ne manquait pas d'une certaine pertinence, d'une certaine pertinence acérée, qu'elle en ait totalement conscience ou pas, nouvelle illustration que la véritable clairvoyance provient des horizons les plus inattendus. À la vérité, ce que je voulais, ce que je cherchais, par le biais de cette pressante discussion sur la peinture et les portraits, c'était qu'elle se déshabille sur-le-champ, ici même, dans cette cuisine glaciale ou mieux encore qu'elle me laisse le faire, que je l'écale tel un œuf et que je puisse la regarder tout à loisir, nue, à la froide lumière – littéralement – du jour. Ne vous méprenez pas. Je ne cédais pas à la luxure, du moins pas dans son sens habituel, lequel, à mon avis, n'a rien à voir avec le désir. J'ai toujours trouvé les femmes plus intéressantes, plus fascinantes, plus, oui, désirables précisément quand les circonstances dans lesquelles je les rencontre sont les moins appropriées ou les moins prometteuses. C'est toujours pour moi une stupeur et un formidable émerveillement que, sous les vêtements les plus vilains – ce pull-over informe, cette jupe terne, ses chaussures ordinaires –, se cache quelque chose d'aussi complexe, d'aussi plantureux et d'aussi mystérieux que le corps d'une femme. C'est pour moi un des miracles séculiers – en existe-t-il d'autres ? – que les femmes

145

soient ce qu'elles sont. Je ne parle pas ici de leur esprit, de leur intellect, de leur sensibilité, ce qui m'attirera des huées, je le sais, mais ça m'est égal. C'est du fait visible, tactile, tangible de la chair féminine si étroitement drapée sur sa cage osseuse que je parle. Le corps pense, il a sa propre éloquence, et le corps d'une femme a plus à dire que celui de toute autre créature, infiniment plus, à mon oreille, en tout cas, ou à mon œil. Voilà pourquoi j'avais envie que Polly se débarrasse de ses vêtements, pour la regarder, non, l'écouter, ravi et en proie à un anéantissement ravi, je veux dire écouter son moi corporel, si tant est que ce soit possible. Pour quelqu'un comme moi, la façon la plus intense de toucher, de caresser, de posséder, c'est de regarder et d'écouter, d'écouter et de regarder.

Eh bien, me demanderez-vous avec ce sérieux qui vous caractérise, pourquoi n'ai-je pas invité Polly à gagner une des chambres, même la pièce humide et renfermée au fond de la maison que je partageais avec mes frères quand j'étais gamin, pour l'inciter à s'y déshabiller, comme elle l'aurait sans doute fait de bon cœur, si l'on peut se fier à notre récente histoire ensemble ? Voilà qui montre combien vous me comprenez peu, moi et ce que j'ai pu dire, non pas seulement ici, mais depuis le début. Ne voyez-vous pas ? Ce qui m'intéresse, ce ne sont pas les choses telles qu'elles sont, mais telles qu'elles se présentent pour être exprimées. L'expression est tout… et oh, quelle expression !

Polly, qui me dévisageait avec perplexité, a sursauté et s'est secouée, comme si elle émergeait d'une transe.

« De quoi parlons-nous ? m'a-t-elle lancé de cette voix flûtée et chevrotante qui était la sienne depuis son arrivée, d'un registre tellement aigu que j'avais constamment l'impression qu'elle allait basculer et tomber d'elle-même. Je suis ici pour comprendre pourquoi tu es parti et tu jacasses sur un éventuel portrait de moi. Tu dois être fou ou bien tu penses que c'est moi qui déraille. »

J'ai baissé les yeux en affichant un remords muet, mais elle n'était pas disposée à se laisser apaiser si facilement.

« Eh bien ? » a-t-elle insisté.

Elle a remonté la petite sur sa hanche – elle a une façon d'exhiber sa fille, on dirait une arme, ou un bouclier susceptible de se transformer en arme – et attendu, le regard farouche, que je m'explique. Si ses yeux gris avaient été d'une nuance plus soutenue, j'aurais dit qu'ils flamboyaient. J'ai continué à m'enfermer dans le silence. Elle avait de bonnes raisons d'être fâchée contre moi – elle avait de bonnes raisons d'être furieuse –, il n'empêche que je ne savais pas quoi lui dire, pas plus que je n'avais su quoi dire à son infortuné mari le jour où il avait lourdement monté l'escalier menant à l'atelier pour me déverser tous ses malheurs. Comment aurais-je pu démêler le complexe enchevêtrement des motifs de mon départ alors que j'étais désespérément imbriqué dedans ?

« Je sais que tu n'es plus amoureux de moi, a-t-elle poursuivi avec un chevrotement plus appuyé, peiné et accusateur à la fois, mais filer comme ça, sans un mot… je n'aurais pas cru qu'une telle cruauté soit possible, même venant de toi. »

Il y avait dans son regard une sorte de supplique blessée et, comme je persistais à ne rien dire, que je restais là, tête basse, elle s'est mordu la lèvre, a lâché un sanglot haletant, tronqué, puis s'est laissée choir sur une des chaises de la cuisine et a installé la petite sur ses genoux.

Dehors, en cette journée couverte et néanmoins étrangement radieuse, une douce pluie hésitante s'est mise à

147

tomber. À propos, je note que la pluie ponctue mon récit avec une régularité suspecte. Peut-être est-ce un substitut aux torrents de larmes que, en toute justice, je devrais verser devant la simple tristesse de tout ce qui transpirait entre nous, entre Polly et moi, entre Polly, moi et Marcus, entre Polly, moi, Marcus et Gloria et qui sait combien d'autres ? Jetez un caillou dans la mer, et vous verrez les ondes se disperser de tous côtés, porteuses de leurs pénibles nouvelles.

J'ai rempli la bouilloire cabossée, l'ai mise sur la cuisinière et j'ai disposé les tasses pour le thé, heureux d'avoir un prétexte pour m'affairer, tel un vrai être humain, meublant le temps sans avoir le loisir de dire quoi que ce soit, ou en tout cas quoi que ce soit dont Polly aurait pu se saisir et retourner contre moi. Dans le fond, je ne suis qu'une vieille taupe prudente. En effet, je pense souvent que ça me plairait bien d'être vraiment vieux et au bout du rouleau, traîne-savates en caleçon long et mitaines, une méchante écharpe autour de mon cou décharné, la goutte au nez, me plaignant perpétuellement du froid, rouspétant après les gens et téléphonant aux gardiens pour me plaindre des enfants et de leurs ballons de foot dans mon jardin. Allez savoir pourquoi, je suis convaincu que les choses seraient plus simples – qu'elles seront plus simples quand il n'y aura que la fin en vue. Assise, le poing écrasé contre sa joue, Polly regardait sombrement devant elle à la manière de l'ange étonnamment robuste de *La Melencolia* de Dürer. Une larme étincelante a roulé sur ses doigts, mais j'ai fait mine de ne rien voir. L'enfant la couvait avec des yeux morts d'amour, la lèvre inférieure humide et d'un rose brillant projetée en avant. J'ai déclaré – après m'être bruyamment raclé la gorge – que c'était une enfant très calme, très docile et sage en général ; bien sûr, ces compliments n'étaient qu'une veule tentative d'amadouer la mère. Mais, tout à ses réflexions, Polly ne m'écoutait pas. La bouilloire a commencé à siffler. J'ai préparé le thé et posé la théière sur la table ; du bec montait une délicate volute de vapeur pareille à un génie timide qui aurait vainement essayé de se matérialiser. Je me suis assis. La petite – je continue à avoir envie de dire la petite chose – a reporté son regard perplexe sur moi. J'ai fait de mon mieux pour sourire. Levant une menotte potelée, elle a inséré son index dans sa narine droite pour l'explorer consciencieusement. Ai-je déjà fait des commentaires sur le caractère inquiétant des enfants ? En tout cas, c'est ainsi que je les perçois. Ma petite à moi, mon Olivia disparue, m'apparaît parfois en rêve, pas telle qu'elle était, mais jeune femme, telle qu'elle serait aujourd'hui. Je la vois, la Olivia du rêve, très clairement. Elle ressemble à sa mère, c'est la même beauté blonde et pâle, en plus mince et d'une facture plus délicate. Délicate, oui, c'est ainsi qu'on décrivait les enfants comme elle, quand j'étais jeune. Cela voulait dire qu'ils ne vivraient pas longtemps ou, dans le cas contraire, qu'ils resteraient anémiés et incapables d'enfanter eux-mêmes. Dans mes rêves, elle porte une robe rose, très discrète, avec un corsage fleuri et plissé – vous vous rappelez le genre que j'évoque ? –, des socquettes blanches et des vernis. Elle ne fait rien, elle est juste debout, avec une expression solennelle et légèrement interrogatrice, les bras plaqués le long du corps, et sa silhouette lumineuse se détache au milieu d'une large place sombre. Bien qu'elle soit plus vieille qu'elle n'a jamais pu l'être, sa présence n'a rien de bizarre et n'appelle même aucune remarque, et c'est seulement à mon réveil que je m'interroge sur le sens de ses apparitions : ont-elles seulement un sens – après tout, pourquoi ma vie rêvée

149

devrait-elle avoir un sens alors que ma vie éveillée n'en a pas ?

La petite Pip a sorti le doigt de son nez et gravement inspecté ce qu'elle avait extrait des profondeurs de sa narine.

« Ne vas-tu rien dire du tout ? m'a demandé Polly. À quoi bon être ici tous les deux si on ne parle pas ? »

J'ai eu la tentation de lui dire que c'était elle qui était venue ici, sans être invitée et, si j'avais été honnête, sans être totalement la bienvenue non plus ; mais j'ai gardé le silence. Elle a soupiré.

« J'ai quitté Marcus, tu sais.

— Ah.

— C'est tout ce que tu as à dire : "Ah" ? »

J'ai fait mine de remplir sa tasse, mais elle a repoussé la théière avec brusquerie.

« Vous vous êtes disputés ? » ai-je demandé en gardant un ton neutre, je ne sais trop comment.

Je me sentais comme un soldat piégé dans un cratère sous le feu d'un bombardement ennemi, au pied duquel vient de se ficher un obus encore chaud qui n'a pas explosé. En proie à un dédain furieux, Polly a haussé les épaules, abaissant et tordant ses articulations à la manière d'une acrobate qui a mal.

« Pourquoi tu t'es monté contre moi tout d'un coup ? » a-t-elle gémi.

La petite a cessé d'étudier le bout de son doigt pour fixer sa mère ; son regard, à ce que j'ai remarqué, a eu besoin d'un moment pour accommoder et je me suis demandé si, comme sa mère, elle aussi loucherait. Polly levait vers moi un visage angoissé ; avec cette expression et l'enfant sur ses genoux, elle m'a fait penser, de manière déconcertante, à une pietà classique – ça, c'est mon truc, je transforme tout en un tableau que j'encadre. J'ai répondu que je ne m'étais pas monté contre elle – qu'est-ce qui pouvait lui faire penser une chose pareille ?

« Si, si ! a-t-elle crié. Je l'ai vu à ta tête longtemps avant que tu ne fiches le camp, à la façon dont tu me regardais, dont tu n'arrêtais pas de te justifier et de tourner en rond en marmonnant dans ta barbe et en soupirant. »

Elle s'est interrompue et ses épaules se sont affaissées. Il y a effectivement, je l'ai déjà noté, un soupçon d'opéra lyrique dans tous les discours : on a les arias, les coloratures, les récitatifs tour à tour animés, pensifs ou furieux déballés avec sifflements et projections de postillons.

« Après ton départ, a-t-elle continué, je me réveillais le matin en me disant que tu appellerais dans la journée, que dans la journée j'entendrais ta voix, mais les heures se traînaient et la nuit arrivait sans que le téléphone ait sonné. J'étais incapable de penser à autre chose qu'à toi, aux raisons pour lesquelles tu étais parti et à l'endroit où tu pouvais bien être. Et, tout du long, j'évoluais dans un brouillard. Hier, pendant que je faisais la vaisselle, un verre s'est cassé dans l'évier. Avec la mousse, je ne m'en suis pas aperçue et je n'ai pas senti que je m'étais coupée jusqu'à ce que l'eau rougisse. »

Elle a levé la main pour me montrer son pouce emmailloté dans un tas de charpie qu'un sparadrap taché d'un sang couleur rouille maintenait en place ; aussitôt, j'ai revu Marcus, dans l'atelier, brandissant la main pour me montrer son annulaire et l'alliance qui avait entaillé le visage de Polly. J'ai tendu le bras vers elle, mais elle s'est dérobée avec brusquerie et a caché sa main derrière le dos de sa fille. Un silence s'est installé. La petite pluie tambourinait contre les carreaux. Je lui ai dit que j'étais désolé en essayant de paraître humble et abattu. J'étais abattu, j'étais plein d'humilité, mais apparemment mon ton de voix ne parvenait pas à convaincre. Polly a lâché un rire rageur.

« Oh oui, a-t-elle répliqué d'un ton sardonique, tu es désolé, bien entendu. »

La petite s'est mise à pleurer, faiblement et, à croire qu'elle explorait un nouveau registre, elle a produit un bruit de charnière rouillée qu'on ouvre péniblement, centimètre par centimètre. De nouveau, Polly l'a plaquée contre son sein et bercée, et aussitôt elle s'est calmée. La maternité. Encore une énigme que je ne percerai jamais.

On est restés un long moment assis autour de la table. Pendant que le thé, auquel nous n'avions pas touché, refroidissait, la lumière de l'après-midi a viré au plomb et la pluie maussade dehors a commencé à tomber de biais. Je ne me sentais pas aussi bouleversé que, en toute justice, j'aurais dû l'être. Même dans les situations les plus tendues – le cœur stressé a besoin de repos –, j'ai le don de trouver de petites poches de paix et de calme secret. Polly, l'enfant à présent endormie sur ses genoux, n'arrêtait pas de parler, pour elle-même plus que pour moi, m'a-t-il semblé, n'exigeant que mon écoute ou peut-être même pas – peut-être avait-elle oublié ma présence. Le chagrin, à ce qu'elle avait découvert, était une sensation physique, une sorte de maladie qui l'affectait de la tête aux pieds. Elle en était surprise, m'a-t-elle confié ; elle avait cru que ce genre de souffrance se limitait aux sentiments. Je voyais bien ce qu'elle voulait dire ; je le voyais très bien. Moi aussi, je connaissais la fièvre de l'âme, mais je ne le lui ai pas dit, car c'était elle à présent qui se trouvait sous les feux de la rampe. Elle avait le bout des doigts douloureux sous les ongles, a-t-elle ajouté, comme si elle avait la peau à vif – une fois encore, elle a agité la main devant moi, alors que cette fois-ci elle n'avait rien à montrer –,

152

les yeux la brûlaient et elle avait même l'impression d'avoir mal aux cheveux. Sa température corporelle jouait au yo-yo : à un moment son sang était en ébullition et l'instant d'après elle était glacée jusqu'aux os. Elle avait la peau brûlante, boursouflée au toucher et un peu collante sur les parties les plus délicates de son anatomie, les creux poplités ou les plis rebondis de ses aisselles, comme ça lui arrivait dans son enfance quand elle restait trop longtemps au soleil.

« Tu sens ? m'a-t-elle demandé en remontant la manche de son pull-over et en me flanquant le dessous de son bras sous le nez. Tu sens la chaleur ? »

Je la sentais.

Marcus, a-t-elle poursuivi, s'était mis à l'ignorer ou à la traiter avec une politesse glacée qui la blessait plus que n'importe quelle insulte ou récrimination. Il avait un petit sourire, une ombre de sourire, ironique, supérieur, dont elle était incapable de se protéger, qui l'exaspérait et lui donnait envie de le frapper. Quand il souriait ainsi, en général lorsqu'il se détournait, ce qui était apparemment la seule chose qu'il faisait à présent, elle se rendait compte qu'elle en venait à le détester autant qu'il paraissait la détester, et ça l'effrayait, cette violence qu'elle percevait en elle. Et lui aussi, qui avait toujours été doux et peu sûr de lui, semblait tellement furieux, tellement vindicatif. Le lendemain du jour où je m'étais enfui, elle était tombée en descendant l'escalier menant à l'atelier : elle avait raté la dernière marche et s'était étalée de tout son long, sur le ventre ; elle s'était fait mal aux seins et s'était cogné le nez par terre, ce qui avait entraîné des saignements. Quand elle s'était relevée, de grosses gouttes rouges, effrayantes, avaient éclaboussé son chemisier. Elle avait jeté un coup d'œil vers son mari, assis à son établi, et avait surpris dans ses yeux une froide lueur de satisfaction, qui l'avait choquée. Était-il donc tellement amer envers elle pour se réjouir ainsi de la voir dans cet état, à genoux, blessée et en sang ?

« Ce vent terrible, m'a-t-elle dit, il a soufflé pendant des jours après ton départ, nuit et jour. »

La maison autour d'elle lui avait fait l'effet d'un navire filant toutes voiles dehors au milieu d'une tempête impitoyable. Les fenêtres craquaient, les cheminées gémissaient, les portes claquaient et les serrures sifflaient. Par moments, c'est à peine si elle parvenait à s'y retrouver, entre l'orage dehors et le tumulte de sa propre souffrance qui se cabrait et ruait en elle. Elle s'était terrée dans la petite pièce au-dessus de l'atelier, sa pièce, celle qui, par un tacite agrément entre Marcus et elle, avait toujours été son fief. Elle passait des heures sur une chaise à bascule à côté de la fenêtre, tandis que la petite jouait par terre à ses pieds. Le sel, charrié par le vent de l'estuaire, brouillait les carreaux, et les gens dans la rue en contrebas lui semblaient des fantômes allant et venant sans bruit.

Puis, à sa grande surprise, le deuxième ou le troisième jour après mon départ, Marcus était monté de l'atelier et avait tapé à la porte. Si doucement qu'elle l'avait à peine entendu, compte tenu du raffut de la tempête dehors. Il lui apportait une tasse de thé sur un plateau, orné d'un petit napperon en dentelle. Il lui avait demandé pourquoi elle restait dans le noir, mais elle avait répondu que ce n'était encore que le crépuscule. « Tu devrais allumer la lampe », lui avait-il conseillé comme s'il ne l'avait pas entendue.

Elle l'avait prié de la regarder, mais il avait refusé. La vue du napperon l'avait presque fait pleurer. Marcus était exténué ; il semblait aussi bouleversé qu'elle par cette terrible chose qui avait surgi entre eux, telles des eaux nauséabondes émanant d'un puits empoisonné.

Il s'était posté à la fenêtre. Pour voir dehors, il était obligé de se pencher un peu en avant, car la fenêtre était basse et profondément encastrée. Il avait posé son bras contre la vitre, appuyé le front contre son bras et soupiré. Elle avait surpris l'odeur de l'huile qu'il utilisait dans son travail, une odeur familière qui lui collait toujours aux doigts, même avant qu'il s'installe à son établi, le matin. Elle n'avait perçu aucune chaleur chez lui, aucune indulgence, aucune compassion. Pourquoi était-il monté alors ? Allongée sur le dos dans son lit de bébé à côté de la cheminée, la petite Pip jouait avec ses orteils, comme elle aimait à le faire, et gazouillait. Marcus ne lui avait prêté aucune attention ; peut-être qu'il avait tiré un trait sur elle aussi. Il avait soupiré de nouveau. « Je ne sais pas pourquoi il est revenu ici », avait-il murmuré d'un ton presque las. Il était resté penché à observer la rue ou à faire semblant. « Qui ? » avait-elle balbutié alors qu'elle connaissait la réponse. Il n'avait pas dit un mot, ne l'avait pas regardée, s'était contenté d'afficher son vague petit sourire froid. Donc il savait. L'espace d'une seconde, Polly avait senti son cœur faire un bond. M'avait-il vu, s'était-elle demandé, était-il tombé sur moi quelque part et lui avais-je avoué la vérité ?

Qu'il sache n'avait aucune importance, a-t-elle ajouté, elle s'en fichait. La seule chose qui comptait, c'était la simple possibilité, capitale, étourdissante que, s'il m'avait vu, s'il m'avait parlé, il avait peut-être une idée de l'endroit où je m'étais enfui, et où elle pourrait me trouver. Mais non, elle l'avait vu à son expression, il ne m'avait pas rencontré, il ne m'avait pas parlé, il avait juste deviné, c'est tout, juste deviné dès l'instant où je m'étais enfui que c'était moi le mystérieux amant de sa femme. Là, ça avait été au tour de Polly de soupirer. Attendait-il qu'elle nie, qu'elle lui soutienne qu'il se trompait, qu'il imaginait tout ça ? Elle n'avait pu parler, n'avait pu se résoudre à lui servir davantage de mensonges. Autant qu'il sache la vérité. Peut-être était-ce préférable ; peut-être la situation serait-elle plus facile. Cependant, elle n'avait pu se confesser, pas à voix haute, pas avec des mots, elle n'avait pu dire mon nom. De toute façon, rien ne l'y obligeait. Elle savait qu'il savait.

Que le vent soufflait férocement, que la nuit tombait vite sur eux deux, là, dans cette petite pièce.

Les choses ne s'étaient pas améliorées, m'a encore confié Polly, elles n'étaient pas devenues plus faciles. Elle ne croyait pas qu'elles le deviendraient jamais, donc elle lui avait dit, carrément, non pas pour moi, non non, elle n'aurait jamais prononcé mon nom devant lui, elle lui avait juste dit qu'elle le quittait. Il n'avait manifesté aucune surprise, aucun désarroi, il l'avait simplement regardée de cet air de chouette qu'il prenait toujours avant, quand elle se fâchait contre lui, et avait mis le doigt sur le pont de ses lunettes rondes démodées, encore un autre de ces petits gestes attachants qu'il avait lorsqu'il était sur la défensive, que je connaissais tous si bien, aussi bien qu'elle, j'imagine. Ne l'aimions-nous pas encore, elle et moi, ne serait-ce qu'un petit peu malgré tout ? Je me le demande. Cette éventualité m'a traversé l'esprit, tel un oiseau s'envolant sans bruit vers la cime d'un arbre.

Il devait déjà avoir compris ce qu'elle avait décidé, a-t-elle ajouté, il devait avoir deviné ça aussi, deviné qu'elle allait le quitter.

Et là-dessus, a-t-elle poursuivi, il s'était passé quelque chose de très étrange. Subitement, à ce moment précis, alors qu'elle était assise sur la chaise à bascule et que Marcus était debout à la fenêtre, subitement elle avait su où j'avais fui, où je me cachais. Bien sûr, c'était la cachette évidente. Comment n'y avait-elle pas songé plus tôt ! Et maintenant elle était là.

« Tu veux dire, ai-je déclaré lentement, que c'est aujourd'hui que tu l'as quitté, juste là, avant de venir ici ? »

Elle a hoché la tête d'un geste vif, en souriant, les yeux grands ouverts et les lèvres étroitement pressées l'une contre l'autre, avec la joyeuseté d'une écolière qui s'est sauvée de l'école.

« Qu'est-ce que tu vas faire ? ai-je bredouillé.

— Je vais aller chez moi.

— Chez toi ?

— Oui. »

Elle s'est légèrement empourprée.

« Vas-y, rigole, m'a-t-elle lancé en détournant les yeux. C'est ce que font les femmes qui sont dans le pétrin, je sais, elles courent chez leur mère. Encore que, a-t-elle lâché avec un petit rire navré, la mienne ne me sera pas d'une grande aide. »

Elle s'est interrompue et a affiché une expression d'une gravité et d'un sérieux tels que je me suis senti trembler ; quelle nouvelle épreuve avait-elle concoctée pour moi, quel nouveau cerceau allait-elle me demander de traverser ?

« Je veux que tu m'y emmènes. Ou plutôt, je veux que tu m'accompagnes. D'accord ? Tu vas m'emmener chez moi ? »

Elle était venue avec la vieille Humber de Marcus. J'en ai été surpris, choqué même. Marcus n'était sûrement pas d'accord pour qu'elle la prenne, car il chérissait cette voiture et la bichonnait comme un animal de compagnie adoré. Avait-elle sauté dedans sans lui demander son avis ? J'ai jugé plus sage de ne pas poser de questions ; dans le cratère où j'étais piégé, l'obus qui

157

n'avait pas explosé était toujours là, avec son bout pointu fiché dans la boue et son flanc trop lisse et doré, prêt à détoner au moindre de mes mouvements. J'ai observé Polly au volant. C'était une nouvelle version d'elle que je découvrais, cassante, vive et déterminée ; il suffit d'une calamité de grande envergure pour affiler l'esprit d'une fille aussi facile à vivre qu'elle, ou aussi facile qu'elle l'avait été jusqu'à présent. Face à cette Polly que je ne connaissais pas, j'avoue que j'étais méfiant, voire carrément effrayé.

Elle s'était préparé une valise pour ses affaires et avait fourré celles de la petite dans un vieux sac de cricket ayant appartenu à son père ; tous ses effets semblaient avoir été ramassés et rassemblés sous le coup d'une précipitation rageuse et angoissée. Polly était en effet une femme en fuite. J'avoue que tout ça était un peu excitant, malgré mes sombres pressentiments.

Sur les routes étroites, la grosse automobile oscillait et faisait des embardées, elle paraissait plus lourde que jamais, comme accablée par le poids des problèmes qu'elle transportait. La pluie, à présent transformée en neige fondue, glissait lentement sur le pare-brise, telles des projections de bave. Les arbres se détachaient sombrement devant nous et des déchirures apparaissaient dans les nuages, brûlantes lumières blanches au milieu d'un environnement gris terne, que le vent refermait à la hâte. Derrière les gaz d'échappement salés du moteur, je surprenais, montant des herbes détrempées, du terreau et de l'humus, de vagues réminiscences odorantes d'automne et d'enfance. J'ai regardé les mains de Polly sur le volant, dont l'une avait son pansement au pouce, et j'ai vu avec un léger sursaut de surprise qu'elle portait toujours son alliance. Mais pourquoi cette surprise ? J'étais persuadé qu'elle ne croyait pas que son mariage avec Marcus était irrémédiablement

158

brisé ; du moins, je l'espérais vivement. Mais que pensait-elle donc ? Je me suis trémoussé sur mon siège, très mal à l'aise. La petite dormait, ficelée dans son siège spécial à l'arrière, la tête penchée de côté et un filet de salive argent dégoulinant de sa lèvre inférieure. J'avais remarqué que Polly ne parlait plus d'elle comme de la petite Pip, qu'elle n'était plus que Pip ; encore une habitude perdue, encore un fragment de l'ancienne vie jeté aux orties. À propos, Pip, ça ne peut pas être son vrai nom, n'est-ce pas, ça ne peut pas être son nom entier ? Curieux, les choses qu'on ignore, les choses qu'on n'a jamais cherché à clarifier. C'est le diminutif de Philippa peut-être ? Mais qui irait appeler une enfant Philippa, prénom dont je ne suis même pas sûr de savoir le prononcer ? Cela dit, les Philippa ont dû être autrefois des bébés, de même que les Olivia. Telles étaient les idées oiseuses, si on peut appeler ça des idées, que je tournais et retournais dans ma tête tandis que nous filions sur la route mouillée. Dans mon désespoir, je cherchais bien sûr tous les moyens de me distancier de tout ça, mentalement du moins : de Polly, de l'enfant à l'arrière, de la voiture qui tanguait, de moi aussi, de mon moi hésitant et de plus en plus inquiet. Polly la fugitive représentait un phénomène totalement neuf et autrement plus difficile à contrôler qu'elle ne l'avait été jusqu'à présent. Les vieux maîtres d'apologétique avaient raison : l'impératif de survie est plus fort que le désir génératif et tout ce qu'il dicte et entraîne. Pauvre vieil amour, quelle fleur fragile et craintive !

J'ai demandé à Polly si son père nous attendait. Sans quitter la route des yeux, elle m'a répondu : « Bien entendu », tout en relevant brièvement la tête en un mouvement dédaigneux.

« Tu t'imagines que je vais débarquer sans prévenir et risquer que ma mère pique une' de ses crises ? »

159

Ainsi rabroué, je n'ai rien ajouté et me suis alors tourné les pouces en regardant par la fenêtre de mon côté. Les arbres qui défilaient agitaient sauvagement leurs cimes sous le vent et les feuilles voltigeaient n'importe comment, piquetant l'air de taches vert jade, terre de Sienne, rouge encaustique. De longues traînées d'eau de pluie scintillaient dans les champs inondés et un vol de petits oiseaux noirs, bataillant au milieu des bourrasques, donnait l'impression de se démener pour voler à rebours sur un ciel d'étain sali. Je m'étais abstenu de demander à Polly pourquoi elle voulait que ce soit moi – moi entre tous ! – qui l'accompagne pour ce retour capital, désespéré même, à son lieu de naissance et au décor de ses jeunes années : chez moi, comme elle avait dit. Jusqu'à présent, en fait, je ne lui avais presque rien demandé. Je présume toujours que tout est parfaitement simple et évident et que je suis le seul à ne pas comprendre ce qui se passe, de sorte que j'ai tendance à ne rien dire, à ne poser aucune question, de peur qu'on me prenne pour un imbécile et qu'on se moque de moi. C'est un trait de caractère essentiel chez moi que de me faire oublier et de laisser passer la meute hurlante. Ce parti pris de prudence m'a été bien utile ; plus maintenant, hélas !

La demeure ancestrale des Plomer – Plomer est le nom de jeune fille de Polly, encore une belle et douce occlusive – s'appelle Grange Hall ou, plus communément, la Grange. C'était la première fois que je m'y rendais, même si Polly m'en avait souvent parlé – aussi souvent, j'en suis sûr, qu'elle soutenait m'avoir entendu parler de ma vieille maison ; que le passé nous cramponne et nous égratigne amoureusement de ses tendres griffes. Les battants métalliques du portail donnant sur l'allée étroite étaient ouverts, comme ils devaient l'être depuis des décennies, misérablement affaissés sur leurs charnières ; la rouille avait ciselé des filigranes bosselés sur les barreaux dont les parties inférieures disparaissaient dans le chiendent et les orties. Lorsqu'on a quitté la route pour bifurquer vers la demeure, il m'a semblé sentir tanguer et glisser quelque chose en moi et, durant un moment, des nausées m'ont secoué tandis que la panique faisait rouler une perle brûlante le long de ma colonne vertébrale. Allais-je moi aussi me retrouver piégé ici, comme ces portes, piégé et retenu ? À quoi étais-je en train de m'exposer ? Qu'est-ce qui m'attendait au milieu de ces prés embroussaillés, dans cette maison inconnue où un couple invraisemblable, le vieux père de Polly et sa pauvre mère frappadingue, finissaient leurs jours ? Peu à peu, la nausée a cédé la place à une sensation étouffante : j'avais l'impression qu'on m'avait affublé d'une coiffe invisible me descendant aux épaules. Néanmoins, quelques minutes plus tard, la petite s'est réveillée et mon haut-le-cœur s'est calmé.

« On est arrivés », a claironné Polly d'une voix que j'ai jugée empreinte d'une gaîté niaise et qui m'a valu une bouffée d'irritation.

Qu'est-ce que, me suis-je demandé une fois encore, qu'est-ce que je fabrique avec cette jeune femme désespérée et en proie à des tribulations insupportables ? J'aurais fait un bien piètre chevalier errant avec le voile de ma dame de cœur en guise de pavillon loqueteux et boueux abaissé au bout de ma lance baissée.

La maison, construite en granit, était massive et d'une simplicité qui confinait à la sévérité, à l'exception de la porte d'entrée cintrée d'inspiration gothique, ce qui prêtait à l'ensemble un aspect vaguement ecclésiastique. Un grand nombre de hautes cheminées se détachaient sur le ciel, larges et prétentieuses ; l'une d'elles crachait une fumée blanche et vive – digne d'une proclamation papale – qui, à peine sortie, était happée par le vent, déchiquetée. À l'endroit où l'on manœuvrait devant les marches du perron, le gravier était clairsemé et l'on apercevait des parcelles de marne humide et brillante. Un vieux retriever, qui avait sans doute été golden autrefois, mais arborait aujourd'hui une couleur de foin mouillé, s'est avancé pour accueillir la voiture.

« Oh, voilà Barney ! » s'est écriée Polly dans un gémissement de joie attristée.

Le chien était arthritique et avait une démarche molle et heurtée, comme si les diverses parties de son anatomie étaient rattachées à une structure interne de fils de fer lâches, de crochets et d'élastiques. Il a agité sa lourde queue et poussé un aboiement laborieux et apparemment heureux, disant clairement : *Wouf !*

Polly a dégagé l'enfant de son siège à l'arrière en grognant sous l'effort, pendant que je faisais le tour pour décharger le coffre. Elle m'a décoché une remarque acerbe parce que j'avais posé le sac de criquet par terre et que le fond du bagage allait être mouillé. Mécontent, je me suis fait la réflexion qu'on aurait pu nous prendre pour un couple d'âge moyen, moyennement assorti, tenacement marié, deux personnes qui, lorsqu'elles étaient ensemble, se montraient tour à tour grincheuses, querelleuses et indifférentes. Quand j'ai refermé le coffre et que je me suis redressé, je me suis vu regarder autour de moi sous le coup d'un brusque étonnement. La journée paraissait énorme et intensément lumineuse, à croire que quelqu'un quelque part avait subitement soulevé un couvercle. Que le parfaitement ordinaire peut parfois paraître extraordinaire, en fin de compte, le cliquetis du moteur de la Humber en train de refroidir, les corbeaux tournoyant au-dessus des arbres, la vilaine vieille maison avec sa porte d'église incongrue et Polly, sa fille accrochée à son sein, qui, l'air absent et fâché, repoussait une mèche de cheveux tombée devant ses yeux.

« Oh, Seigneur, a-t-elle murmuré entre ses dents, voilà que maman déboule. »

Mme Plomer approchait d'un pas mal assuré sur les gravillons. Grande et osseuse, avec une tignasse grise ébouriffée donnant l'impression qu'elle venait de subir un choc électrique sévère, elle portait un mackintosh couleur souris, une jupe en tweed de travers et des bottes en caoutchouc vertes qui devaient être quatre à cinq fois trop grandes pour elle.

« Bon, a-t-elle dit d'un ton brusque en se carrant devant nous avec un grand sourire à l'adresse de l'enfant, vous avez amené la petite Polly. »

Toujours souriante, elle a froncé les sourcils.

« Mais qui êtes-vous, ma chère ? a-t-elle gentiment demandé à sa fille. Et que faites-vous avec notre bébé ? »

Lorsque je songe à la possibilité – peut-être devrais-je dire à la perspective – de la damnation éternelle, je ne vois pas mon âme souffrante plongée dans un lac en flammes ni prisonnière d'une plaine de permafrost s'étendant à l'infini. Non, mon enfer à moi sera une affaire d'une banalité irréprochable, équipée de tous les accoutrements banals de l'existence : rues, maisons, individus vaquant à leurs occupations habituelles, oiseaux piquant vers le sol, chiens hurleurs et souris grignoteuses de lambris. Cependant, derrière la platitude apparente de toute chose, il y a ici-bas un grand mystère, un mystère dont je suis seul à avoir conscience et qui n'implique que moi. Car, même si ma présence passe inaperçue, si tous ceux qui me croisent semblent me connaître, moi, je ne connais personne, ne reconnais rien, n'ai aucune idée de l'endroit où je me trouve ni de la manière dont j'ai pu y arriver. Ce n'est pas que j'aie perdu la mémoire ni que je sois affecté par une forme de traumatisme du déplacement et de la marginalisation. Je suis aussi conformiste que n'importe qui et n'importe quoi d'autre, et c'est précisément pour cette raison qu'il m'appartient de préserver une façade de calme affable et de donner l'impression que je m'intègre harmonieusement. Or je ne suis pas intégré, pas du tout. Je suis un étranger dans ce lieu où je suis piégé, le serai toujours, même si tous me considèrent comme un des leurs, tout le monde sauf moi. Et il en sera ainsi pour l'éternité : un enfer vivant, si on peut utiliser ce terme.

Tout d'abord, il y a eu le thé. Ils avaient préparé des théières remplies d'un breuvage brun de tourbe, accompagnées de tranches de pain présentées à la manière de dominos tombés, de morceaux de viande froide luisante, suintante. Il y avait des biscuits et des buns, de la confiture maison dans un récipient poisseux et, summum, un énorme plum-cake, bien sec avec une cerise confite dessus, qu'on nous a sorti avec un geste ampoulé de magicien d'une grande boîte laquée en métal pleine de bosses étincelantes. Janey, la bonne-cuisinière-gouvernante, une femme féroce, sans âge, aux cheveux gris et rêches en broussailles – qui n'étaient pas sans rappeler la perruque de clown de Mme Plomer – sous lesquels on apercevait son cuir chevelu rosâtre, a tout apporté de la cuisine sur un vaste plateau, s'y reprenant à trois ou quatre reprises flageolantes, les coudes déployés de gauche et de droite, et pointant un bout de langue gris et humide. Mme Plomer, toujours dans ses bottes en caoutchouc, entrait et sortait en souriant à tous et à tout avec une bienveillance distante, tandis que son mari, en proie à un énervement guilleret, toupinait en se frottant les mains et en fredonnant par-devers lui. Le jour tombait et néanmoins une grande aiguille de lumière dorée emplissait les fenêtres tournées vers l'ouest et plongeait tout l'intérieur dans des ombres brun grisé. Le service en porcelaine était dépareillé, le pot à lait fêlé. Janey a chipé la cuillère à thé de Polly, pris une gorgée de lait dans le pot pour en vérifier la fraîcheur, puis a lâché la cuillère dans le thé de Polly avec fracas et beaucoup d'éclaboussures.

« Et tu lui donnes à manger, à cette petiote ? a-t-elle bougonné en lançant un regard sombre vers l'enfant. Pour moi, elle mange pas à sa faim. »

Assis au cœur de ce simulacre de vie familiale campagnarde, je me sentais l'âme d'un coucou fraîchement éclos, énorme et ridicule, autour duquel les oisillons légitimes, faisant de leur mieux pour s'adapter, agitaient leurs ailes tronquées et gazouillaient faiblement dans le nid. Polly m'avait présenté en des termes très vagues, disant que j'étais un ami de Marcus venu l'aider pour la petite et les bagages ; de Marcus lui-même, de l'endroit où il pouvait être, de son état, elle n'avait soufflé mot. Janey dans son tablier m'ignorait ostensiblement, me traversait du regard comme si j'étais totalement transparent ; je suis sûr qu'elle m'avait jaugé. Le père de Polly aussi, je dirais, même s'il était trop poli pour le montrer. « Orme, Orme, avait-il marmonné en portant le doigt à son front d'une blancheur de papier et en fixant le plafond d'un air contrarié. Vous n'êtes pas le peintre qui habite en ville dans la vieille maison du docteur Barragry ? » J'avais répondu que oui, j'habitais bel et bien à Fairmount, mais que je ne peignais plus. « Ah », avait-il grommelé en hochant la tête et en m'enveloppant d'un regard vide.

C'était un petit homme impeccable avec un beau profil aux joues creusées et de pâles yeux gris – les yeux de Polly. Il avait l'aspect desséché, usé de celui qu'on a laissé se patiner longtemps sous les intempéries. Aussi invraisemblable que cela puisse paraître, ses cheveux clairsemés avaient dû être roux, car il avait encore des reflets blond rouille et son nez, proéminent et fort, aurait pu avoir été sculpté dans un morceau de bois flotté décoloré. Il portait un costume trois pièces en tweed verdâtre et une paire de vénérables richelieus marron impeccablement cirés. Bien qu'il eût un teint généralement fadasse, il avait une tache rose irrégulière, finement veinée, au creux de chaque joue. Il était un peu sourd et, quand on lui adressait la parole, il se penchait prestement en avant, la tête inclinée d'un côté et les yeux rivés sur les lèvres de son interlocuteur qu'il scrutait avec une vivacité d'oiseau. Au début, il m'avait paru bien trop vieux pour être le père de Polly. Sa mère, comme je devais l'apprendre, était déjà dérangée, enfant, et la famille, cherchant à la marier, avait arrêté son choix sur le cousin Herbert, le dernier des Plomer de Grange Hall, avait-on supposé jusque-là. Herbert, le M. Plomer à présent assis en face de moi, était alors un célibataire d'un âge un peu avancé, distrait, bien-veillant, facile à manœuvrer et à la tête d'une belle vieille maison et de quelques centaines d'hectares de bonne terre. Tout cela paraissait bien trop crédible, dans un style XIXe siècle à l'eau de rose et, l'espace d'une folle minute, j'ai pensé que toute l'affaire – le vieux manoir en pierre, le papa âgé et la maman toquée, la domestique teigneuse avec ses plateaux de boustifaille grinçants et même les mauvaises herbes devant le portail, les corbeaux tournoyant dans le ciel – avait pu être montée de toutes pièces pour m'amener à croire que j'étais Ichabod Crane venu obtenir la main de la belle Katrina et m'accaparer les richesses du Val dormant. Y aurait-il aussi, me suis-je demandé, un Cavalier sans tête ?

Janey, rageuse et marmonnant dans sa barbe, offrait, avec la hâte indifférente de celle qui distribue un jeu de cartes poisseuses, des assiettes de pain beurré accompagné de jambon et de pickles. Il y avait longtemps que je n'avais pas mangé un oignon vinaigré. Il avait un goût métallique que je connaissais bien. Remarquable, tout ce dont nos bouches se souviennent, avec quelle précision, quand bien même une éternité s'est écoulée.

Pip, qui dans ma tête restera toujours la petite Pip, était installée dans une chaise haute, elle-même relique de la petite enfance de Polly. La mère de Polly lançait sur l'enfant de furtifs coups d'œil, à la dérobée, en battant des paupières de manière soupçonneuse. Au début du repas, son mari lui avait assuré, en s'exprimant lentement et d'une voix forte, que la jeune femme assise au bout de la table était bien sa fille Polly, à présent adulte et maman elle-même, ainsi que le prouvait la fillette juchée là dans la chaise haute, mais je voyais bien que la pauvre femme se demandait comment c'était possible, puisque Polly était là, toujours petite, qui cognait sa cuillère contre la table et bavait sur son bavoir. Tout devait être très perturbant pour un esprit aussi dérangé que le sien. Polly, je le savais, était la seule enfant du couple et sa naissance avait été une surprise, voire un choc, pour tout le monde et surtout pour sa mère qui, j'en suis persuadé, n'avait pas trop compris comment la chose lui était arrivée. À ce qu'on m'a expliqué, le mal dont souffrait Mme Plomer était une forme de démence précoce, modérée et relativement placide, même si à l'occasion, lorsqu'elle était déroutée ou contrariée, elle pouvait se montrer sévèrement agitée plusieurs jours durant. M. Plomer, qui avait choisi de présenter la maladie de sa femme comme une simple forme d'excentricité chronique et attachante, en accueillait toutes les manifestations par le biais d'un

167

complexe étalage de stupeur et de gaîté chagrine. « Mais voyons, ma chérie, s'exclamait-il, tu as rangé mon pantalon dans le garde-manger ! À quoi pensais-tu ? » Il se tournait ensuite vers la personne présente, quelle qu'elle soit, avec un sourire indulgent et en hochant la tête, comme s'il s'agissait là d'une étourderie isolée que le cirage à chaussures n'était jamais apparu dans le beurrier ni la balayette à cabinet sur la table de la salle à manger.

La petite dans sa chaise a poussé un cri aigu qui l'a elle-même étonnée, puis a jeté un rapide coup d'œil sur la tablée pour voir comment nous avions interprété sa soudaine intervention. Oui, oui, les enfants sont mystérieux, c'est certain. Est-ce parce que les choses qui nous sont familières relèvent pour eux de la nouveauté ? Impossible. Ainsi qu'Adler nous le dit dans son grand essai sur le sujet, le mystère apparaît quand un objet connu se présente à nous sur un mode étranger. Donc, si les enfants perçoivent tout comme nouveau, alors bla-bla-bla, etc., etc., etc. – vous voyez ce que je veux dire. Cependant, y a-t-il un eux et un nous, et pouvons-nous établir pareilles distinctions ? Les jeunes et les vieux, disons-nous, le passé et le présent, les vivants et les morts, comme si d'une certaine façon nous étions nous-mêmes en dehors du processus temporel et lui appliquions un levier d'Archimède. L'être vivant, d'après un philosophe, n'est qu'une espèce de mort, une espèce rare en plus ; de la même manière, c'est évident, les jeunes ne sont qu'une version précoce des vieux et ne devraient pas être traités comme une espèce distincte, d'ailleurs ils ne le seraient pas s'ils ne nous paraissaient pas si curieux. En regardant la petite Pip, je me suis demandé ce qui pouvait bien se passer dans sa tête. Elle n'avait pas encore de mots, ne disposait que d'images, je présume, pour donner un sens, quel qu'il soit, à ce qu'elle faisait des choses. Il y avait apparemment là-dedans une sorte de leçon pour moi, moi l'ancien peintre ; elle émanait de mes pensées qui se regroupaient vaguement, miroitaient un moment de façon cruellement tentante, puis se dispersaient. Je ne parviens plus à penser ainsi, à frotter des concepts les uns contre les autres afin de produire des étincelles éclairantes. J'ai perdu le coup, ou la volonté, ou je ne sais quoi. Oui, ma muse s'est défilée, elle a quitté le nid, la sale vieille poule.

La mère de Polly a froncé les sourcils, levé la tête comme si elle avait entendu quelque chose, un vague bruit au loin, une convocation secrète, et elle a quitté sa place, toujours renfrognée, pour sortir de la pièce en embarquant sa serviette sans plus se souvenir qu'elle l'avait dans la main.

Je me suis tourné vers Polly, mais elle a refusé de croiser mon regard ; ce devait être très éprouvant pour elle que d'être là, dans le sein flétri de sa famille, avec moi assis en face d'elle, tel un zinzin qu'elle aurait apporté par erreur et dont elle ne voyait plus à présent comment s'en débarrasser. À propos, elle s'était encore une fois métamorphosée. C'était comme si, en venant ici, elle avait retiré sa robe de bal pour enfiler un peignoir ou une blouse d'écolière. À présent, elle incarnait la fille de la famille, quelconque, respectueuse, exaspérée, les lèvres plissées sous le coup d'un morne ressentiment, soupe au lait. J'avais du mal à voir en elle la créature triomphalement licencieuse qui, sur le canapé vert de l'atelier lors d'un après-midi pas si lointain que ça, criait dans mes bras, plantait ses ongles dans mes omoplates et enfouissait sa bouche avide, ô doux succube, dans le creux de ma gorge tressaillante de plaisir. Et pendant que je la contemplais avec son pull couleur porridge, ses cheveux sévèrement tirés en arrière, son visage dépouillé de tout maquillage et tourmenté par cette longue journée d'angoisses et de tensions, j'ai eu une révélation – je ne peux qualifier cela autrement – à couper le souffle – littéralement, car ça a été une révélation et que j'en ai eu le souffle coupé. Ce que j'ai vu avec une brutale clarté, c'est que la femme n'existe pas. La femme, je m'en suis rendu compte, est une légende, une illusion qui parcourt le monde et s'arrête ici et là sur telle ou telle mortelle sans méfiance qu'elle transforme, brièvement mais fondamentalement, en un objet de désir, de vénération et de terreur. Je me vois, assailli par ce nouveau savoir stupéfiant, affalé, bouche bée, sur ma chaise, les bras ballants et les jambes mollement écartées devant moi – je parle au figuré bien sûr –, dans la pose sidérée de celui qui vient d'avoir une illumination dévastatrice.

Je sais, je sais, vous hochez la tête et gloussez, et vous avez raison : je suis un crétin désespérant et obtus. La découverte supposément formidable qui s'est présentée à moi ce jour-là autour de la table du thé n'était en vérité rien de plus qu'une de ces bribes de banale sagesse dont toutes les femmes, et probablement la plupart des hommes aussi, ont fait l'expérience depuis qu'Ève a croqué la pomme. De même, je le confesse, elle n'a pas eu un grand effet éclairant sur ma personne – malheureusement, la lumière qui accompagne de tels instants de clairvoyance se dissipe vite, je trouve. Mes yeux ne se sont pas dessillés. Je n'ai pas mesuré la simple humanité de Polly pour la décréter indigne de ma passion et la considérer avec un scepticisme nouveau. Au contraire, j'ai éprouvé un brusque regain de tendresse à son égard, mais d'un genre ordinaire, dépassionné. Néanmoins, même si la magie s'était évaporée en un instant, je crois que ce soir-là je la chérissais plus que je ne l'avais jamais chérie, même durant ces premières semaines extatiques où elle grimpait quatre à quatre les trop nombreuses marches menant à l'atelier et se jetait à mon cou dans un déluge de cris et de baisers, puis me faisait reculer vers le canapé en s'attaquant maladroitement à mes boutons avec des rires et des halètements sensuels à mon oreille. À mon tour maintenant, je l'aurais volontiers prise dans mes bras pour lui faire monter majestueusement l'escalier conduisant à sa chambre et à son lit, toujours dans ses lainages et sa jupe de jeune joueuse de hockey, et me perdre dans sa chair en pâte à modeler d'un rose grisé, chaude comme le pain et adorée. Mais ça aurait été Polly, la quelconque Polly en personne, que j'aurais caressée en esprit, car elle avait fini par percer le coffrage que mes fantasmes avaient moulé autour d'elle et était devenue enfin, enfin, elle était devenue à mes yeux – quoi ? Son vrai moi ? Je ne peux pas dire ça. Je ne suis pas censé croire au vrai moi. Alors, quoi ? Un fantasme moins fantastique ? Oui, convenons-en. À mon avis, c'est le maximum que nous puissions espérer, le maximum que nous puissions demander. Ou attendez, attendez, formulons-le ainsi : je lui ai pardonné tout ce qu'elle n'était pas. J'ai déjà dit ça avant, quelque part. Peu importe. De la même manière, elle doit m'avoir pardonné il y a longtemps. Comment ça sonne ? Cela rime-t-il à quelque chose ? Ce n'est pas une mince affaire, le pardon que deux êtres humains peuvent s'accorder mutuellement. Je devrais le savoir.

Et pourtant, et pourtant. Ce que je vois maintenant, à ce moment précis, et que je n'avais pas vu alors, c'était que cette ultime étape de la pupaison de Polly correspondait au début de la fin, au vrai début de la vraie fin de mon, de mon – oh, allez, comment appeler cela autrement ? – de mon amour pour elle.

On est bien montés à sa chambre. Une fois dedans, j'ai posé sa valise et le sac de cricket avec les affaires de l'enfant, puis je me suis reculé gauchement, soudain intimidé. Je me suis efforcé de ne pas regarder trop attentivement, trop curieusement les objets dans la pièce. Je me faisais l'effet d'être un intrus, ce que j'étais, je sais. Polly a jeté un coup d'œil autour d'elle et poussé un soupir qui lui a gonflé les joues. Ça avait été sa chambre, m'a-t-elle confié, jusqu'au jour où elle avait quitté la maison pour épouser Marcus. Le lit, haut et étroit, paraissait trop petit pour un adulte et en le regardant j'ai éprouvé une vive petite pointe de compassion et de douce tristesse. Qu'il semblait adorable, qu'il semblait émouvant ce berceau immuable qui n'attendait rien alors qu'il l'avait accueillie et protégée durant tant de nuits. Je l'ai visualisée endormie là, inconsciente du lever de la lune, du vol de la chauve-souris, de la furtive survenue de l'aube, elle et son souffle doux qui troublait à peine l'obscurité. Il m'a semblé que j'allais verser une larme, sincèrement. Que tout était déroutant.

Des carreaux vernissés ornés d'un motif de fleurs roses peintes encadraient les flancs de la cheminée. On avait allumé un feu de bois, mais il n'avait pas pris – les bûches étaient mouillées et les pâles flammes du petit bois s'escrimaient vainement à les lécher.

« Elle a toujours fumé, cette cheminée, a bougonné Polly. Je suis étonnée de ne pas encore avoir été asphyxiée. »

La petite fenêtre carrée à quatre carreaux en face du lit regardait une cour pavée et une suite d'étables désaffectées. Un peu plus loin, il y avait une timide colline surmontée d'un bosquet d'arbres, des chênes, je pense, encore que pour moi la plupart des arbres soient des chênes, leurs branches déjà presque nues et d'un noir d'encre se détachant nettement sur un ciel bas d'un mauve glacé parcouru de traînées argent. À l'intérieur de la pièce, les ombres du crépuscule se rassemblaient à la hâte et se massaient dans les coins sous le plafond, pareilles à des écharpes en toiles d'araignées. Dans la cuisine, Janey faisait la vaisselle en sifflotant. J'ai bataillé pour reconnaître la mélodie. Polly s'est assise au bord du lit, les mains jointes sur ses genoux. Elle a regardé par la fenêtre. Une vague lueur de fin de journée s'accrochait aux pavés de la cour. « The Rakes of Mallow », voilà l'air que Janey sifflotait. Absurdement ravi de l'avoir identifié, je me suis tourné en souriant vers Polly – qu'est-ce que j'allais faire, lui chanter une petite chanson ? –, mais au même moment, sans prévenir, elle a enfoui son visage dans ses mains et s'est mise à sangloter. Je suis resté en retrait, atterré, puis me suis approché d'elle sur la pointe des pieds. J'aurais dû la serrer dans mes bras pour la réconforter, mais je ne savais comment m'y prendre tellement elle paraissait informe, tassée là, les épaules secouées de sanglots, et je n'ai pu qu'agiter les mains désespérément autour d'elle, comme si je travaillais l'air pour façonner une copie d'elle.

« Oh, Seigneur, a-t-elle murmuré. Oh, mon Dieu. »

Le profond désespoir qui teintait sa voix m'a effrayé et forcément je me suis senti responsable ; c'était comme si j'avais trafiqué un petit mécanisme inerte et ainsi déclenché un bruyant mouvement impossible à arrêter. Par hasard, mes doigts ont effleuré l'édredon sur lequel elle était assise et j'ai frissonné au contact du satin sec et froid. Moi aussi, j'ai invoqué Dieu, en silence toutefois, en priant son inexistence pour qu'elle me sauve de cette situation impossible ; je me suis même vu tiré brusquement en arrière, magiquement enfourné dans la cheminée et aspiré dans un souffle à travers le conduit, les bras collés au corps et les yeux pédonculés dans leur orbite en un transport d'extase à la Greco, émergeant au grand air une seconde plus tard, tel un clown sortant de la bouche d'un canon, pour disparaître dans le dôme bleu libellule du ciel. Fuir, oui, fuir, voilà tout ce à quoi je pouvais penser. Où était passée toute la tendresse revigorante qui m'avait submergé devant la table du thé à l'endroit de ma chérie, il n'y avait pas une une demi-heure ? Où en effet ? Je me sentais paralysé. C'est un spectacle épouvantable qu'une femme qui pleure. Je me suis entendu appeler et répéter maintes et maintes fois le nom de Polly d'une voix basse et pressante, comme si elle était dans les profondeurs d'une cave, puis je lui ai touché prudemment l'épaule, ce qui m'a valu le même choc que celui produit par l'édredon. Elle n'a pas levé la tête, m'a juste repoussé d'un geste la main.

« Fiche-moi la paix, a-t-elle gémi dans un sanglot déchirant, tu ne peux rien faire ! »

Je me suis attardé un moment, taraudé par l'indécision, puis j'ai tourné les talons et suis sorti discrètement en refermant la porte derrière moi avec un soin consterné, exquis, honteux.

J'ai traversé la maison pour redescendre au rez-de-chaussée. D'une manière curieuse et distante, j'avais l'impression de tout connaître, l'odeur de moisi, la moquette fanée de l'escalier, les ternes portraits des ancêtres tapis parmi les ombres, le porte-chapeaux, les ramures montées du vestibule, l'horloge de parquet en retrait dans la pénombre. On aurait dit que j'avais vécu ici il y a longtemps, pas dans mon enfance, mais dans une antiquité stylisée, dans ce grand manoir aux relents de renfermé planté au fond de mon esprit, lequel est le passé, le passé inévitablement imaginé.

174

Après avoir ouvert deux ou trois portes pour rien, j'ai fini par trouver le salon. Sur un tapis devant le feu, la petite jouait avec une série de briques en bois. Son grand-père, assis dans un fauteuil et penché en avant, les bras sur les accoudoirs, les doigts entrelacés, lui souriait d'un air amusé. La nuit était tombée à une rapidité remarquable, m'a-t-il semblé, les rideaux étaient tirés et les lampes à abat-jour avec leurs ampoules de quarante watts dispensaient une lueur voilée sur le lourd mobilier menaçant ainsi que sur le papier peint aux rayures fanées. J'ai remarqué l'immense miroir accroché au-dessus de la cheminée avec son encadrement tarabiscoté et écaillé, les gravures de chasse fatiguées, un canapé recouvert de chintz apparemment épuisé par tant d'années de bons et loyaux services et se prélassant à croupetons. Tout cela aussi, je le connaissais d'une certaine façon.

« Quel âge fascinant, a déclaré M. Plomer en nous lançant un clin d'œil, à la petite et à moi. Toute la vie devant elle. »

Il m'a désigné un fauteuil de l'autre côté de la cheminée pour m'inviter à m'asseoir.

« Vous n'êtes pas venu avec votre propre automobile, n'est-ce pas ? Il faut donc que nous vous trouvions un lit, à moins que (son doux regard n'a pas cillé, pourtant j'ai cru déceler dans son œil une lueur, une intelligence vive, acérée) Polly ne s'en occupe ? »

Eh bien, ce n'était pas un imbécile, il devait avoir deviné ce que Polly était pour moi et moi pour elle, malgré les disparités évidentes entre nous, l'âge n'étant pas la moindre – je n'aurais pas été surpris qu'il ait mieux compris que moi nos relations. Dans la cheminée, une bûche en feu s'est affaissée dans une nuée d'étincelles. J'ai dit que je ferais bien d'appeler un taxi, mais il a hoché la tête.

175

« Pas du tout, pas du tout. Il faut que vous restiez, bien entendu. Il suffit d'aérer une pièce pour vous. Je vais en parler à Janey. »

Il m'a adressé un nouveau clin d'œil.

« Ne prêtez pas attention à cette pauvre Janey, vous savez. Elle n'est pas aussi terrible que ses manières le donnent à penser. »

J'ai opiné. J'avais l'impression que mes membres me pesaient, que le ton doux et presque caressant du vieil homme m'enfermait dans une transe semi-hypnotique. La petite à nos pieds, qui avait assemblé une tour de briques, l'a alors renversée avec un gloussement de satisfaction.

« Ce doit être l'heure de la coucher, a murmuré le vieil homme en fronçant les sourcils. Peut-être devriez-vous tout de même monter parler à sa mère ? »

J'ai opiné de nouveau mais, vautré et impuissant dans l'ample et irrésistible étreinte du fauteuil, je n'ai pas bougé. J'ai pensé à Polly assise au bord du lit, la tête penchée et les épaules secouées de sanglots.

« Je ne vous ai rien offert à boire ! » s'est exclamé M. Plomer.

Il s'est levé avec raideur, en grimaçant, et s'est dirigé en traînant les pieds vers un buffet à l'autre bout de la pièce.

« Il y a du sherry, m'a-t-il crié par-dessus son épaule d'une voix caverneuse qui a résonné au milieu de la pénombre. Ou bien ça. »

Il a brandi une bouteille et en a décrypté l'étiquette.

« C'est marqué "schnaps". Un cadeau de mon ami le Prince – M. Hyland, je veux dire. Vous le connaissez ? Je ne sais pas trop ce que c'est comme alcool, mais je crains que ce ne soit plutôt fort. »

J'ai dit que je préférerais du sherry et il est revenu avec deux verres guère plus gros que des dés à coudre.

176

Il s'est rassis. J'ai bu le sirop sucré et onctueux à petites gorgées. J'étais tellement fatigué, tellement fatigué, tel un voyageur immobilisé au milieu d'un long voyage torturant. J'ai repensé à un rêve que j'avais fait une nuit, récemment, pas vraiment un rêve, un fragment seulement. Je me trouvais dans une gare quelque part à l'étranger, mais n'avais pas idée du pays où j'étais et ne parvenais pas à identifier la langue que parlaient les gens autour de moi. La gare ressemblait à une église byzantine ou peut-être à un temple ou même à une mosquée, avec une coupole décorée à la feuille d'or et, au sol, des carreaux ornés de motifs torsadés bleu, argent et rubis. J'attendais impatiemment un train qui allait me ramener chez moi, alors que je n'étais pas du tout certain de l'endroit où ça pouvait être. Par les portes grandes ouvertes de la gare, je voyais le soleil resplendissant, des tourbillons de poussière, une intense circulation de véhicules de marque pour moi inconnue et des foules de gens au teint olivâtre circulant en tous sens, des femmes coiffées de foulards et vêtues de noir, des hommes avec des moustaches énormes et des yeux bleu pâle perçants. J'ai cherché une horloge du regard, en vain, puis me suis fait la réflexion que mon train, le seul dans lequel j'aurais pu voyager, le seul pour lequel mon billet était valable, était parti depuis longtemps, me laissant en plan ici, parmi des inconnus.

« Il se promenait sur le chemin de ronde du château par un temps d'orage », a dit M. Plomer.

Je l'ai regardé, les yeux lourds sous des paupières de plomb. Dans sa main gauche, il tenait un livre, un petit volume plein de charme relié en tissu cramoisi passé, ouvert à une page qu'il était apparemment en train de lire ou sur le point de lire. D'où provenait-il ? Je n'avais pas vu mon hôte se lever pour l'attraper. M'étais-je assoupi une minute ? Et le rêve du train, était-ce un souvenir ou l'avais-je rêvé de nouveau, ou bien l'avais-je rêvé pour la première fois ? Le vieil homme me considérait d'un œil vif et bienveillant.

« Le poète qui logeait dans un château appartenant à une de ses amies, une princesse, est allé se promener sur les remparts un soir d'orage où, comme il dit, il a entendu la voix de l'ange. »

Il a souri, puis a levé le livre jusqu'à ses yeux et s'est mis à le lire tout haut d'une voix douce, fluette et chantante. Je l'ai écouté comme un enfant captivé ne comprenant rien à ce qu'on lui raconte. La langue, que je ne connaissais pas, sonnait à mes oreilles comme autant de raclements de gorge et de sons inarticulés. Après avoir récité quelques lignes, il s'est interrompu, l'air penaud, des taches roses éclairant ses joues creusées.

« C'était à Duino, m'a-t-il expliqué, un château au bord de la mer, il a donc donné ce nom à ses poèmes. »

Il a refermé le livre et l'a posé sur son genou, en marquant sa page d'un doigt.

Je l'ai prié en marmonnant de me donner le sens de ce qu'il m'avait lu.

« Eh bien, étant donné que c'est un poème, une grande partie de son sens est liée à la manière dont il est exprimé, vous voyez, à son rythme et à sa cadence. »

Il s'est arrêté et a produit un léger bruit de gorge, une sorte de bourdonnement, puis il a levé la tête afin d'examiner les ombres au plafond.

« Il parle de la terre – *Erde* –, qu'il souhaite voir absorbée en nous. »

À ce stade, il s'est remis à psalmodier une phrase en allemand.

« N'est-ce pas là ce que tu veux, dit-il – enfin, dit-il à la terre –, être un jour invisible ? En nous invisible, veut-il dire. »

178

Il a souri gentiment.

« La pensée est obscure, peut-être. Pourtant, on admire la passion de ces vers, je crois, non ? »

J'ai contemplé le cœur aveuglant du feu. Il m'a semblé entendre le tic-tac pesant de la grande horloge dans le hall. Le vieil homme s'est éclairci la gorge.

« Le Prince – je sais que je ne devrais pas lui donner ce surnom – va venir demain, a-t-il ajouté. Si vous êtes toujours ici, peut-être pourrions-nous bavarder, tous les trois. »

J'ai hoché la tête, craignant que ma voix ne me lâche. J'ai repensé à mon rêve et au train parti. À moi perdu et égaré dans un pays inconnu, à ces voix étrangères à mes oreilles. M. Plomer a soupiré.

« Je suppose que nous devrons l'inviter à déjeuner. Peut-être que Polly présidera. Ma femme (il a souri) n'apprécie pas les poètes. »

Il s'est tourné pour s'adresser aux ombres derrière la cheminée.

« Qu'en dis-tu, ma chérie ? Vas-tu remplacer ta mère pour recevoir (il a souri de nouveau) notre cher ami Frederick ? »

J'avais vraiment dû m'endormir un moment, puisque Polly, je la voyais à présent, était assise sur le canapé tendu de chintz près de la porte, la petite sur les genoux. Tout en battant des paupières, j'ai déployé de gros efforts pour me remettre droit dans le fauteuil. Polly portait le même pull-over et la même jupe qu'avant, mais elle avait échangé ses chaussures contre une paire de pantoufles en feutre gris avec, au niveau des orteils, des houppes ou des pompons ou allez savoir comment ça s'appelle. Même à la lumière chiche de la lampe, j'ai pu voir ses paupières gonflées par les larmes et ses narines délicatement bordées de rose.

« Il vient ici demain ? s'est-elle écriée. Deux visiteurs d'affilée – Janey va piquer une crise. »

Elle a lâché un rire triste tandis que son père continuait à sourire. Elle ne m'a pas regardé. L'enfant dormait, la tour de briques effondrée à mes pieds.

Quand j'étais petit – ah, quand j'étais petit ! –, j'étais obsédé par la prudence, le confort. Il ne peut y avoir beaucoup de petits garçons aussi peu aventureux que je l'étais à cette époque lointaine. Encore lié à ma mère par un cordon résiduel ayant la finesse, la délicatesse et la solidité d'un fil en soie d'araignée, je m'accrochais à elle comme à un rempart contre un monde imprévisible et anarchique. La prudence était mon maître mot et en dehors de l'abri du foyer, je n'accomplissais rien sans avoir réfléchi aux conséquences potentiellement risquées de mon geste. J'étais une bonne petite machine consciencieuse, alignant sans relâche, en rangées bien nettes, toutes les choses que je rencontrais sur mon chemin, qui se prêtaient à mon obsession de l'ordre. Le désastre guettait de tous côtés ; chaque pas était une chute potentielle ; chaque sentier menait au bord du précipice. Je n'avais confiance en rien à part moi. Le premier objectif du monde, je le savais pertinemment, était de me défaire et jamais il ne perdait de vue cette priorité. J'avais même peur du ciel.

Pourtant, je n'étais pas gnangnan, absolument pas, j'étais réputé pour ma robustesse, pour mon agressivité même, malgré mon manque de prouesses physiques et mes penchants artistiques bien connus et prodigieusement ridicules. Ce que je ne pouvais accomplir avec mes poings, je m'efforçais de l'accomplir avec des mots. Les grosses brutes de l'école ont vite appris à craindre le knout de mes sarcasmes. Oui, je pense pouvoir affirmer que j'étais à ma façon un sacré petit chenapan, un dur, dont la peur était totalement intériorisée, marais souterrain et fumant où des poissons morts flottaient le ventre en l'air et où piaillaient des oiseaux trapus au bec en cimeterre se nourrissant de charognes. Et elles sont toujours là, ces *aigues-mortes* putrides que je porte en moi, toujours suffisamment profondes pour me noyer. Ce que je trouve effrayant aujourd'hui, ce n'est pas la malveillance générale des choses, même si Dieu sait – et Satan mieux encore – que j'aurais sans doute intérêt à m'en méfier, mais leur fourbe plausibilité. La mer au matin, un coucher de soleil somptueux, un vol de rossignols, et même l'amour d'une mère, tout conspire pour me garantir que la vie est parfaite et la mort rien de plus qu'une rumeur. Que tout cela peut être persuasif, or je ne suis pas persuadé et ne l'ai jamais été. En des temps antérieurs, dans la boutique de mon père, parmi ces gravures sans valeur qu'il vendait, j'étais capable de repérer, même dans la plus paisible des scènes estivales, au milieu d'arbres et de vaches tachetées, le lutin ricanant me regardant d'entre une végétation d'apparence inoffensive. Et c'est ce que j'ai décidé de peindre, le chancre sous le corsage de velours, la bête derrière le canapé. Même le vol – cela m'effleure à l'instant –, même le vol a été une manière d'essayer de percer la surface, d'arracher des fragments du mur du monde afin de coller mon œil aux trous et découvrir ce qui se cachait derrière.

Prenez cet étrange après-midi à Grange Hall avec Polly et ses parents, et les heures encore plus étranges qui ont suivi. J'aurais dû filer à la fin de cet épouvantable goûter – où je m'étais senti comme Alice, le chapelier fou et le lièvre de Mars, tous à la fois –, mais l'atmosphère de Grange Hall m'avait plongé dans une lassitude indécrottable. Pour la nuit, on m'avait attribué

181

une chambre de bonne sous les toits, petite et singulièrement exiguë. D'un côté, le plafond descendait jusqu'au sol, ce qui m'obligeait à me plier en deux, même quand j'étais couché, de sorte que j'étais horriblement mal à l'aise – l'endroit était presque aussi pénible que la mansarde de la rue Molière où j'avais habité il y a si longtemps durant mon été à Paris. Mais bon, que ce soit dans de grandes ou de petites chambres, on dirait que je suis toujours décalé. Pour dormir, il y avait un lit de camp très bas, pourvu de deux jeux de pieds croisés en bois qui gémissaient rageusement au moindre de mes mouvements. Janey avait allumé dans la minuscule cheminée un feu de charbon – c'était une championne pour les feux de chambre, la Janey – qui a fumé pendant des heures. Moi aussi, comme Polly, j'ai eu l'impression que je risquais de m'asphyxier, d'autant que la seule fenêtre de la pièce était condamnée par de la peinture, et je me suis réveillé plus d'une fois dans la nuit avec la sensation qu'une petite créature malveillante avait passé des heures accroupie sur mon torse. Avais-je rêvé une fois encore ? Ne dit-on pas qu'on rêve toute la nuit, mais qu'on en oublie la majeure partie ? Quoi qu'il en soit, vous avez un tableau d'ensemble signé Fuseli : inconfort, air vicié, sommeil agité et réveils fréquents, le tout accompagné par le gong épouvantable d'un mal de tête lancinant. Une trouble obscurité régnait toujours dehors lorsque je me suis éveillé pour ce que je savais être la dernière fois cette nuit-là, en proie à une soif torride. Assis dans ce lit bas, sous l'escarpement pentu du plafond, la tête dans mes mains et les doigts dans mes cheveux, j'étais comme un enfant qui, effrayé dans le noir et incapable de fermer l'œil, attend que sa maman vienne lui porter une boisson apaisante, remonte les draps jusque sous son menton, puis pose un moment sa main fraîche sur son front moite.

182

J'ai allumé la lumière. L'ampoule projetait une lueur jaunâtre sur le lit et le tapis élimé par terre ; il y avait une chaise en osier et un de ces meubles en bois qu'on trouve dans les vieilles maisons, j'ignore comment on les appelle, avec dessus une cuvette blanche et un broc assorti. Combien de servantes, combien de serviteurs, depuis longtemps décédés, s'étaient recroquevillés là en grelottant par des matins froids semblables à celui-ci afin de se livrer à leurs modestes ablutions ? Je me suis levé. Je n'avais pas seulement soif, j'avais aussi une furieuse envie de pisser ; cette situation, avec sa perverse symétrie, m'a paru totalement injuste. Je me suis penché pour jeter un coup d'œil sous le sommier dans l'espoir d'y dénicher un pot de chambre, or il n'y en avait pas. Je me suis rendu compte que je frissonnais, que je serrais les dents – il faisait vraiment très froid –, si bien que j'ai retiré une couverture du lit pour la draper sur mes épaules. Elle conservait l'odeur de générations de dormeurs et de leur sueur. Je suis sorti dans le couloir, à la fois groggy et intensément alerte. J'ai dans l'idée que dans pareils moments on n'est jamais aussi éveillé qu'on l'imagine. Ne pouvant localiser l'interrupteur, j'ai laissé ma porte entrouverte, afin de ne pas perdre mes repères. J'ai tourné à droite et avancé prudemment d'un pas traînant. En quittant le champ du faible halo de lumière émanant du seuil derrière moi, j'ai eu l'impression que l'obscurité dans laquelle je m'enfonçais se plaquait avec moiteur contre mon visage, tel un masque ajusté en soie noire et douce. J'ai tendu le bras pour toucher le mur du bout des doigts et assurer ma progression. Le papier peint était – comment on appelle ce truc démodé ? – de l'anaglyphe, quel drôle de nom, il va falloir que je cherche, avec un relief très marqué et d'un contact assez doux, qui tapissait, et tapisse toujours, la maison de gardien à l'étage comme au rez-de-chaussée, entre les plinthes et les cimaises à lambris, encore un autre mot singulier, cimaise, j'en ai la tête pleine aujourd'hui, de mots, je veux dire. Là, à ma gauche, il y avait une porte ; j'ai tourné le bouton ; en vain, c'était fermé et il n'y avait pas de clé dans la serrure. J'ai continué. L'obscurité était à présent presque totale et je me suis vu, apparition immatérielle enveloppée dans une couverture moisie, la traverser comme sur un coussin d'air d'un autre univers. J'ai entraperçu le cadre d'une fenêtre spectrale. Pourquoi, lorsqu'il fait si noir, la forme des choses paraît-elle trembler, vibrer très légèrement, comme si elles étaient en suspens dans un médium liquide, visqueux, dense et parcouru de courants faibles, mais super rapides ? J'ai porté mon regard sur la nuit, en pure perte. Rien, pas la plus petite lueur émanant d'une fenêtre lointaine, d'une étoile solitaire. Comment se pouvait-il que tout soit aussi noir ? Ça ne semblait pas naturel.

J'ai essayé la partie inférieure de la fenêtre à guillotine. Elle s'est laissé soulever de quelque trois centimètres, puis, de mauvaise grâce, de trois autres, avant de se bloquer. Songeant à ce qui, dans des romans canailles du siècle précédent, arrive bien souvent à des gentilshommes ayant la témérité de s'exposer à des situations aussi dangereuses que celle-ci, j'ai hésité, mais j'avais très envie – pourquoi a-t-on mal aux dents du fond quand on a la vessie trop pleine ? – et mettant toute prudence de côté, j'ai avancé d'un pas et commencé à uriner copieusement dans le bastion de la nuit. Je me soulageais et gambergeais tout en appréciant d'une façon puérile et frissonnante la fraîcheur nocturne sur ma chair tendre – comme nous sommes bizarrement faits ! –, quand j'ai peu à peu pris conscience que je n'étais pas seul. Ce n'était pas que j'aie entendu quoi que ce soit – le bruit de lointaine cataracte qui montait

184

de la cour pavée en dessous aurait noyé n'importe quel son hormis un tintamarre –, mais j'ai perçu une présence. Un spasme de frayeur m'a parcouru, stoppant net le flux libératoire. J'ai tourné la tête sur la droite et scruté l'obscurité, les yeux plissés jusqu'à les réduire à deux fentes. Oui, il y avait quelqu'un, immobile au bout du couloir. J'aurais hurlé de frayeur, si je ne m'étais pas instantanément retrouvé avec la bouche sèche.

J'ai peur dans le noir, vous vous en doutez bien. C'est encore une de ces afflictions enfantines dont j'ai honte, mais il n'y a apparemment pas de remède. Quand bien même il y a des gens autour de moi, j'ai le sentiment d'être seul dans mon obscure chambre des horreurs. Je fais mine d'être à l'aise, avance vaillamment dans le vide aveugle et échange des blagues avec les autres, mais je ne cesse désespérément de brider le gamin terrifié qui se débat en moi. Vous imaginez donc sans peine ce que j'éprouvais, planté là, en maillot de corps et caleçon, avec ma couverture, une partie essentielle de mon anatomie émergeant de la fenêtre, tandis que je lorgnais avec une terreur muette cette horrible apparition qui se profilait devant moi dans l'obscurité à peine pénétrable. Elle ne bougeait pas, ne faisait pas de bruit. Était-ce mon imagination, était-ce une vision ? Je me suis écarté de la fenêtre et j'ai serré ma couverture autour de moi pour me protéger. Fallait-il que j'approche cette silhouette fantomatique, que je la défie – *Qui es-tu, toi, pour usurper cette heure de la nuit ?* – ou valait-il mieux que je prenne mes jambes à mon cou ? Au même instant, une porte s'est ouverte à l'étage en dessous et la lumière a vaguement éclairé un étroit escalier sur ma droite que je n'avais pas remarqué.

« Qui est là ? » a lancé Polly d'un ton plaintif.

L'ombre de sa tête et de ses épaules s'est dessinée sur le mur de l'escalier.

« Maman, c'est toi ? »

C'était elle, c'était sa mère, là dans le noir devant moi.

« Je t'en prie, descends. »

À en juger par sa voix chevrotante, Polly n'avait aucune intention de s'aventurer dans l'escalier, car elle aussi a peur du noir, je le sais, merci mille fois.

« Je t'en prie, maman, a-t-elle répété d'un ton bébé et zozotant, je t'en prie, descends. »

Mme Plomer m'observait avec une vive attention en fronçant légèrement les sourcils, tout en étant prête à sourire, comme si j'étais une créature exotique et potentiellement fascinante sur laquelle elle était tombée, de manière très surprenante, en pleine nuit, dans les strates supérieures de sa propre demeure. Et je suppose qu'avec cette couverture serrée autour de moi, mes pieds nus et mes courtes jambes à découvert, je devais vaguement lui rappeler un des grands singes les plus petits, étonnamment attifé d'un caleçon, d'un maillot de corps et d'une sorte de cape, ou sinon d'un roi déchu peut-être, fol errant dans la nuit. Pourquoi n'ai-je rien dit – pourquoi n'ai-je pas fait signe à Polly que j'étais là ? Au bout de quelques minutes, sa silhouette s'est rapetissée sur le mur et l'obscurité est retombée quand elle a refermé la porte de sa chambre.

Je sais qu'il n'y a pas de normes, quand bien même on parle et vit comme s'il y en avait, n'empêche qu'en certaines occasions rares on a l'impression d'avoir franchi jusqu'aux limites les plus reculées. Se retrouver en sous-vêtements sous une couverture, dans un silence de conspirateur, à deux pas de la mère démente de sa maîtresse, au hasard d'un couloir sous les toits plongé dans le noir total, au beau milieu d'une glaciale nuit de fin d'automne, voilà qui compte sûrement comme un de ces exemples de plausibilité dépassée. Cependant, malgré le côté invraisemblable de ma présence en cet endroit et sans faire abstraction de ma peur de l'obscurité, laquelle paraissait encore plus profonde depuis que Polly avait refermé sa porte et qu'il n'y avait plus de lumière, je me suis senti presque joyeux – oui, joyeux ! – et très polisson, tel un écolier concoctant un tour pendable sur le coup de minuit. C'était intéressant, presque grisant, que d'être en compagnie d'une personne atteinte de folie inoffensive. Cela étant, je ne pouvais pas vraiment prétendre être en compagnie de Mme Plomer ; en fait, le fond du problème, c'était ça : il y avait quelqu'un et personne à la fois. Ça m'a amené à m'interroger sur cette curieuse situation, sur laquelle je m'interroge encore. Est-ce que, l'espace d'un bref laps de temps, j'avais été autorisé à entrer dans le domaine enchanté mais sombre des demi-fous ? Ou bien étais-je juste revenu, une fois de plus, dans cette obscure chambre d'écho qu'est le passé ? Car il y avait quelque chose de l'enfance dans ce moment, c'est certain, de la paisible acceptation de l'incommensurabilité des choses par l'enfance dépassée, et aussi de cette découverte stupéfiante et oubliée – découverte que, comme tout le monde, j'avais dû faire dans mes toutes premières années, à l'aube de la conscience – que dans le monde je n'étais pas seul, mais qu'il y avait d'autres gens aussi, innombrables, indéchiffrables, des masses de gens, une grouillante horde d'inconnus.

C'est à ce moment-là seulement, comme mes yeux s'étaient ajustés et que j'avais commencé à pouvoir la distinguer de nouveau, que j'ai remarqué la tenue de Mme Plomer. Elle avait ses bottes en caoutchouc bien sûr et un long et lourd cardigan aux poches godaillantes par-dessus une chemise d'homme démodée sans col et à rayures. Néanmoins, le plus remarquable était sa jupe, laquelle n'était pas vraiment une jupe, mais un machin semblable à un cône renversé, assemblé ou plutôt bâti à partir de plusieurs jupons de gaze raide superposés ; ces vêtements que dans ma jeunesse les jeunes filles portaient sous des robes d'été étroitement serrées à la taille se déployaient en corolle sur la piste de danse et remontaient parfois si haut, lorsque nous faisions tourner notre cavalière suffisamment vite, que nous parvenions à entrevoir ses culottes bouffantes à volants, vision à nous couper le souffle. Ainsi attifée de sa tenue bouffonne, Mme Plomer ne m'a pas tant rappelé les beautés estivales de mes jeunes années qu'un personnage d'une tour d'horloge du Moyen Âge, tapi dans la pénombre en attendant que les roues à rochet se mettent en branle, que le mécanisme s'anime d'un coup pour le laisser lentement sortir et profiter, comme tous les quarts d'heure, de ses demi-circuits devant l'attention du vaste monde. Elle m'observait encore – je voyais l'éclat rusé et vigilant de ses yeux. Elle n'avait pas l'air d'avoir entendu Polly l'appeler du bas de l'escalier ; ou peut-être que si, mais redoutant une ruse, dont j'aurais été complice, destinée à la piéger et à l'extraire de sa cachette, elle l'avait fermement ignorée. Car j'avais vraiment le sentiment qu'elle se croyait cachée ici, mais de qui ou de quoi, je n'aurais pu le deviner – sans doute ne le savait-elle pas elle-même. Que fallait-il que je fasse ? Que pouvais-je faire ? J'ai commencé à craindre d'être retenu là toute la nuit, sous l'emprise de cette apparition dérangée et mutique dans ses bottes en caoutchouc et son tutu improvisé. À la fin, c'est elle qui a pris l'initiative décisive. Elle s'est secouée, a avancé avec un bref soupir exaspéré – à l'évidence, elle estimait que, même si j'étais un conspirateur, j'étais ridiculement hésitant et clairement inepte, qu'il n'y avait donc pas de raison de s'inquiéter – et, passant devant moi dans un bruissement de tulle, m'a repoussé sur le côté. Je l'ai regardée descendre l'escalier et son dos voûté dans son cardigan m'a paru refléter le profond dédain que je lui inspirais, moi et tout ce que je représentais. J'ai patienté un moment, puis j'ai entendu Polly ouvrir sa porte de nouveau et de nouveau la lumière de la chambre derrière elle a tracé un angle sur le mur où de nouveau l'ombre de sa tête s'est retrouvée projetée, pareille à un des ovales allongés et stylisés de Arp.

J'ai suivi Mme Plomer dans l'escalier. Je n'aurais pas pu, en toute conscience – quelle formule – rester caché plus longtemps. Polly m'a aperçu, derrière les épaules de sa mère, et a écarquillé les yeux.

« C'est toi ! a-t-elle lâché dans un murmure rauque. Tu m'as fait peur. »

Je n'ai rien répondu. Il m'a semblé que, loin d'avoir peur, elle faisait un effort pour ne pas rire. Elle avait enfilé une robe de chambre en laine épaisse et était comme moi pieds nus. Je me suis serré davantage dans ma couverture et lui ai décoché un regard qui se voulait hautain, mais ne l'était sûrement pas. Je devais vraiment ressembler à Lear, revenant de la lande et penaud de ne pas être mort de chagrin.

« Viens, a dit Polly à sa mère, il faut que tu retournes te coucher maintenant, tu vas attraper la mort. »

Elle l'a emmenée et m'a jeté un coup d'œil accompagné d'un mouvement de tête de côté m'ordonnant d'aller l'attendre dans sa chambre.

L'atmosphère de la pièce était gorgée de sommeil. Le feu éteint dans la cheminée avait laissé une âcre puanteur de résineux. Sous la lumière de la lampe, draps et couvertures donnaient l'impression d'avoir été rejetés artistement, comme si quelqu'un comme moi – c'est-à-dire quelqu'un comme moi avant – les avait disposés ainsi en attendant le modèle qui se déshabillait derrière un paravent et allait surgir d'une minute à l'autre pour s'installer au milieu du lit dans la pose d'une Olympia trop mûre. Vous voyez, vous voyez ce que dans mon cœur coupable je désire ardemment ? – les bons vieux temps du *demi-monde*, des chapeaux en soie, de l'embonpoint nacré, des libertins et libertines en vadrouille sur les boulevards, des après-midi faunesques dans l'atelier et des nuits folles de par la ville étincelante. Est-ce là la vraie, l'infâme raison pour laquelle je me suis mis à la peinture, pour être le Manet – encore lui – ou le Lautrec, le Sickert même d'une époque plus tardive ? Là-dessus, Polly est revenue, ce n'était pas Olympia, mais une mortelle rassurante, et de nouveau la pièce est redevenue une simple pièce et la couche froissée le lit où elle avait innocemment dormi jusqu'à ce que deux frénétiques vagabonds de la nuit l'arrachent à son sommeil.

Elle a ôté sa robe de chambre avec un haussement d'épaules irrité et, frigorifiée d'avoir accompagné sa mère Dieu sait où, elle s'est dépêchée de grimper dans le lit, habillée de son pyjama – du pilou, je crois que c'est ainsi que s'appelle ce tissu, encore un mot étonnant –, a remonté draps et couvertures jusqu'au menton et s'est installée en chien de fusil, jambes pliées et genoux pressés contre le torse, en frissonnant un peu et en m'ignorant autant que sa mère lorsqu'elle m'avait tourné le dos dans l'escalier. Je me demande si les femmes se rendent compte à quel point elles sont inquiétantes quand elles pincent les lèvres et s'enferment pareillement dans le silence. Je pense que oui, je pense qu'elles en ont tout à fait conscience, mais si c'est le cas, pourquoi n'utilisent-elles pas davantage cette arme ? Je me suis assis précautionneusement à côté d'elle, comme si le lit était un bateau que je craignais de faire chavirer, et j'ai ajusté la couverture autour de mes épaules. Ai-je dit combien j'étais transi à présent, malgré la chaleur cotonneuse de la pièce ? J'ai contemplé la joue de Polly si rayonnante quand elle s'allongeait avec moi sur le canapé de l'atelier. La lumière de la lampe donnait du grain à sa peau, une texture parcheminée. Elle avait les yeux fermés, mais je voyais bien qu'elle n'était pas prête à dormir. J'ai tâté l'édredon – encore une fois, ce satin crissant m'a collé la trouille – jusqu'à ce que je trouve le contour d'un de ses pieds et le presse dans ma main. Sans ouvrir les yeux, elle a dit quelque chose que je n'ai pas saisi, puis s'est éclairci la gorge pour répéter :

« Quel accoutrement, ma mère ! Je ne sais pas ce qui lui passe par la tête. »

Ayant l'impression qu'elle n'attendait aucun commentaire de ma part, je n'ai rien dit ; en ce qui me concernait, il n'y avait pas à discuter de Mme Plomer. J'ai senti la chaleur revenir dans le pied de Polly. À une époque, j'aurais rampé devant cette jeune femme rien que pour avoir le privilège de prendre un de ses petits orteils roses dans ma bouche et le sucer – oh oui, j'ai eu mes moments d'adoration et d'abjection. Et aujourd'hui ? Aujourd'hui le vieux désir avait été remplacé par une autre forme d'ardeur, laquelle ne serait pas assouvie dans ses bras, si tant est qu'elle puisse jamais l'être. Quelle était cette chose qui me taraudait le cœur, comme en d'autres temps d'autres choses bien différentes m'avaient taraudé d'autres organes bien différents ? J'étais là à ressasser cette question lorsqu'à ma grande consternation m'est venue l'idée que la personne couchée à côté de moi sous les couvertures avec ses genoux serrés contre sa poitrine pouvait être – j'hésite à l'avouer –, pouvait être ma fille. Oui, ma fille disparue, qu'une brillante magie m'aurait ramenée du pays des morts en lui donnant tous les attributs, banals et précieux, d'une vie vécue. C'était une idée très bizarre, même compte tenu des périodes extraordinaires et turbulentes que je traversais. J'ai lâché le pied de Polly et me suis rassis bien droit, étourdi et atterré. Il m'arrive parfois de penser que tout ce que je fais est le substitut d'autre chose et que toutes les entreprises dans lesquelles je me lance visent – en vain – à réparer un truc que j'ai pu faire ou que je n'ai pas achevé – ne me demandez pas d'explications. Dehors, dans la nuit, la pluie a recommencé à tomber, je l'ai entendue, murmure montant pareil à un brouhaha de voix feutrées dans le lointain.

Légèrement salé, le goût de ses orteils, quand je les suçais. Salé comme des larmes de sel.

Là-dessus, elle a bougé, ouvert les yeux, puis elle a glissé la main sous sa joue et soupiré.

« Tu sais ce qui m'a attiré en premier chez Marcus ? m'a-t-elle demandé. Sa mauvaise vue. C'est bizarre, non ? Le travail de précision qu'il fait depuis ses années d'apprentissage lui a abîmé les yeux. Tu sais que c'est pour ça qu'il a l'air si maladroit, et qu'il se déplace si lentement et prudemment ? C'était émouvant de voir la manière dont il touchait les choses, dont il s'habituait à elles, comme si c'était pour lui le seul moyen d'être sûr de ce qu'il faisait. C'était ainsi qu'il me touchait aussi, de façon à peine perceptible, juste du bout des doigts. »

Elle a soupiré de plus belle. Ses cheveux sentent toujours un peu les biscuits moisis ; avant, j'adorais enfouir mon visage dedans et humer cette douce odeur de fauve. Elle a remué, tendu les jambes sous les couvertures, puis s'est mise sur le dos, la main sous la nuque, et m'a regardé avec calme. Sa position lui tirait légèrement la commissure des yeux et la faisait briller, ce qui donnait à ses traits un style étonnamment laqué et oriental.

« Dis-moi pourquoi tu t'es sauvé », a-t-elle voulu savoir.

Je n'ai pas tenté de répondre, me suis borné à hausser les épaules et à remuer la tête. Elle a tordu la bouche en une grimace.

« Tu ne peux pas avoir imaginé à quel point tu allais m'humilier – du moins, je l'espère, sinon tu es un monstre pire encore que ce que je pensais. »

Je lui ai dit que je ne voyais pas où elle voulait en venir – bien entendu que si – et elle a refait la même moue.

« Ah oui ? Regarde tout ce à quoi tu étais arrivé, tout ce que tu avais obtenu, tout ce que tu avais fait et regarde ce que moi j'étais, femme d'horloger qui passais mes jours dans un coin paumé et sans espoir. »

C'était exprimé avec tant d'âpreté que ça m'a renversé, moi qui avais tellement lâché pied que je ne pouvais apparemment pas lâcher davantage. J'ai pourtant opiné en essayant de donner l'impression que j'avais compris et qu'elle avait ma compassion. Ce geste, ça m'a frappé, était une manière intelligente, dans ce cas, de baisser la tête à plusieurs reprises. Je trouve cependant que la honte, même très vive, est toujours relativement détachée, comme si elle s'accompagnait d'une clause dérogatoire. Mais peut-être n'est-ce que moi, peut-être suis-je incapable d'éprouver vraiment de la honte. Après tout, il y a tant de choses dont je suis incapable. Polly me considérait à présent avec une sorte de scepticisme triste, presque souriant.

« Je t'ai pris pour un dieu », m'a-t-elle lancé.

Bien sûr, j'ai aussitôt songé à Dionysos qui, prenant en pitié la pauvre Ariane abandonnée, l'arrache à Naxos et la rend immortelle, qu'elle l'ait voulu ou pas ; les tout-puissants de l'Olympe ont toujours eu un faible pour les jeunes femmes en détresse. Mais ils nous ont tous quittés, ces dieux, pour gagner leur crépuscule. Et je n'étais pas un dieu, chère Polly ; j'étais à peine un homme.

Aujourd'hui, à cet instant précis, en cette fin d'après-midi, tandis que mon stylo gribouille des pattes de mouche sur ces pages futiles, quelque part sur la Colline du bourreau un oiseau solitaire chante, j'entends son chant passionné, limpide, joyeux. Les oiseaux chantent-ils si tard dans l'année ? Peut-être eux aussi ont-ils leurs bardes, leurs rapsodes, leurs poètes solitaires qui ne connaissent pas de saison pour dire la désolation et se lamenter. Le jour décline, la nuit tombe, je vais bientôt devoir allumer ma lampe. Pour l'heure, cependant, je reste ici, assis dans le crépuscule d'octobre, à ruminer sur mes amours, mes pertes, mes péchés véniels. Que va-t-il advenir de moi, de mon cœur sec, aride ? Pourquoi le demandé-je, me demandez-vous ? Ne comprenez-vous pas encore, même après tout ça, que je ne comprends rien ? Voyez comment j'avance à tâtons, en aveugle dans une demeure où toutes les lumières flamboient.

Le jour décline.

Tandis que je suis accroupi ici, à agiter vainement mon aile diaphane, j'ai envie de laisser tomber ce *Traité sur l'amour* et de le faire suivre d'une bonne vingtaine de pages blanches.

Nous avons parlé durant la seconde moitié de cette nuit-là ou disons que Polly a parlé tandis que je faisais de mon mieux pour l'écouter. Parlé de quoi ? De l'habituel sujet, le triste et furieux habituel sujet. Elle s'était assise bien droite pour mieux m'invectiver et, son pyjama n'étant pas adapté au froid ambiant, s'était enroulée dans l'édredon – là, dans le tipi de la lumière de la lampe, on devait ressembler à deux Peaux-Rouges

194

engagés dans d'interminables pourparlers unilatéraux et acrimonieux. J'ai eu la tentation de la prendre dans mes bras, toute piloutée qu'elle était, mais je savais qu'elle ne me le permettrait pas. Voilà encore une autre de mes versions de l'enfer, où je suis assis de toute éternité dans une chambre glaciale sous une couverture trop légère pendant qu'on peste contre mon manque de sentiment humain élémentaire, mon indifférence à la souffrance d'autrui, mon refus d'offrir la plus petite miette de réconfort, mon insensibilité, ma négligence, mes cruelles trahisons – en un mot, ma simple incapacité à aimer. Tout ce qu'elle disait était vrai, je l'admets, et en même temps tout était abusif, faux. Mais quel aurait été l'intérêt de discuter avec elle ? Le problème est que, dans ses affaires, c'est une dispute sans fin : quelle que soit la profondeur à laquelle les débatteurs descendront, il y aura toujours une autre profondeur à sonder. En matière de casuistique, rien ne vaut un couple d'amants querelleurs sur le point de se séparer et cherchant chacun à incriminer la partie la plus fautive. Il n'y avait pourtant pas trop matière à débat cette nuit-là. Et en réalité mon silence, selon moi extrêmement patient, ne faisait qu'attiser la colère de Polly.

« Seigneur, tu es impossible ! a-t-elle crié. Autant parler à cet oreiller ! »

La scène s'est cependant terminée sur une trêve pas totalement déplaisante quand Polly, épuisée par sa propre rhétorique et l'effilochage progressif de son fatras d'accusations à mon encontre, a capitulé, éteint la lampe, s'est recouchée, puis m'a permis de m'allonger à son côté, pas sous les couvertures, non, mais dessus, bien emmailloté façon chenille dans le cocon rugueux de ma couverture. Et donc on s'est reposés là, relativement ensemble sur son lit d'une étroitesse impossible, à écouter la pluie tomber sur le monde. J'ai senti Polly glisser dans le sommeil et l'ai imitée peu après. Néanmoins, il n'a pas fallu longtemps pour que le froid humide me réveille de nouveau. La pluie avait cessé et tout était silencieux à part le doux bruit régulier de la respiration de Polly. Elle devait faire un mauvais rêve – il lui aurait été difficile d'en faire un bon, compte tenu de tout ce qui s'était passé cette nuit-là –, car de temps à autre elle poussait un petit gémissement de gorge digne d'un enfant qui pleure dans son sommeil. Les rideaux étaient tirés et j'ai vu par la fenêtre que le ciel était dégagé, que les étoiles brillaient, vives et tremblotantes, comme suspendues au bout d'un mince fil invisible. Je sais que l'obscurité d'avant l'aube est censée être l'heure la plus lugubre de la journée, mais moi je l'adore et j'adore être réveillé à ce moment-là. C'est toujours tellement calme alors, rien ne bouge dans l'attente du grand rugissement du soleil. À présent, malgré l'épaisseur de l'édredon, je sentais battre le cœur de Polly allongée contre moi et son souffle me caressait la joue, légèrement fétide, familier, humain. J'ai remarqué une étoile filante et, presque aussitôt après, en une rapide succession, deux autres encore. Zip zip zip. Puis, surgissant de biais à l'est, un dirigeable est apparu avec une discrétion majestueuse : d'un pâle bleu-gris, il se détachait sur le riche noir pourpre du ciel, avec, accrochée en dessous à la manière d'un canot de sauvetage, sa cabine dotée de fenêtres éclairées, et volait paisiblement à une altitude modeste ; malgré sa forme grotesque de saucisse, j'ai vu en lui un objet d'émerveillement, un fragile vaisseau silencieux qui filait vers l'ouest en emportant sa cargaison de vies.

Oh, Polly. Oh, Gloria.

Oh, Poloria !

Au matin, nous avons eu droit à une autre série de scènes comiques qui n'ont fait rire personne. Dans notre intérêt commun, je ne dirai rien du petit déjeuner mutique, sinon que le clou du repas a été un énorme pot de porridge noir de suie et que Barney le chien, qui s'était toqué de moi, est venu s'affaler sous la table à mes pieds, ou sur mes pieds en réalité, lâchant par phases des rafales de pets sournois dont la puanteur a manqué me faire vomir dans mon bol. Après, je me suis enfermé une demi-heure dans la salle de bain que j'avais été infichu de dénicher la nuit précédente, peut-être parce qu'elle était juste à côté de ma chambre. Exiguë, triangulaire et dotée d'une unique fenêtre étroite à son extrémité pointue, elle disposait d'une baignoire sabot à la porcelaine ébréchée et jaunie et d'un énorme et majestueux cabinet équipé d'un siège en bois aux allures de joug de carriole sur lequel j'ai passé un long moment à déféquer, les coudes sur les genoux, tout en contemplant un vaste vide apathique. Une fois devant le lavabo, j'ai constaté que la fenêtre offrait la même vue sur les étables, la colline et les arbres que celle que j'avais découverte de la chambre de Polly à l'étage inférieur. Il n'y avait pas un nuage dans le ciel et une pâle lumière inondait la cour en contrebas. N'ayant rien apporté avec moi, j'ai dû me raser tant bien que mal à l'aide d'un coupe-choux au manche nacré déniché au fond d'un placard voisin de la baignoire. Une fêlure zébrait en diagonale le miroir accroché à un clou au-dessus du lavabo et, tout en me râpant la peau – frustrant, mais sans doute préférable, la lame était émoussée –, je me suis fait la réflexion déconcertante que je ressemblais à une des *Demoiselles d'Avignon*, l'odalisque du milieu, celle au visage saillant qui arbore un allègre petit chignon sur le haut du crâne, je dirais.

Quel triste ridicule que le mien, quelle ridicule tristesse que la mienne.

Quelque part à proximité, dans les étables en bas sans doute, un âne s'est mis à braire. Je n'avais pas entendu un âne braire depuis... depuis je ne sais combien de temps. Que croyait-il proclamer ? Pour la plupart des créatures sur terre, quand on fait retentir ainsi sa voix solitaire, c'est qu'on n'a qu'une seule chose en tête, mais se pourrait-il que ces braiments de glotte – quel son vraiment étonnant – soient un cri d'amour et de désir ? Si tel est le cas, qu'en pense la demoiselle âne ? Pour ce que j'en sais, peut-être sonnent-ils à ses oreilles pointées comme le lai le plus tendre du troubadour. Quel monde, Seigneur, quel monde, et moi là-dedans, vieil âne braillard que je suis.

J'ai passé le reste de la matinée à jouer l'esquive, soucieux d'éviter une autre confrontation, même en plein jour, avec la fêlée que Polly a pour mère. De même n'avais-je pas envie de rencontrer son père, dont je craignais qu'il ne me pousse gentiment mais inéluctablement dans un coin et n'exige de moi, à sa manière effacée, que je m'explique sur mes intentions précises à l'égard de sa fille, une femme mariée avec laquelle j'avais, soit dit non pas en passant, vingt bonnes années de différence. Des intentions ? Avais-je des intentions ? En ce cas, je n'avais sûrement plus d'idées claires sur ce qu'elles avaient pu être, si tant est que j'en aie jamais eu. Je me suis dit que je m'étais délivré de Polly, que j'avais quitté le navire et pagayé furieusement dans ma fuite nocturne juste pour me retrouver, à l'aube, en train de patouiller désespérément dans son sillage, le peintre – le peintre ! – entortillé autour de la barre du gouvernail de ma frêle barque, aux nœuds gonflés par l'eau salée, durs et noueux comme du chêne des marais. Lorsqu'elle s'était endormie, pourquoi ne m'étais-je pas levé, pourquoi n'avais-je pas fui son lit, comme j'avais fui auparavant, en voleur, en authentique voleur au cœur de la nuit ? Pourquoi étais-je toujours là ? Qu'est-ce qui me retenait ? Quel était ce nœud de bois que je ne pouvais défaire ? Quant à Polly, au cours de la matinée, elle ne m'a guère prêté attention, bien sûr, prise qu'elle était par la délicate tâche d'être mère et fille en même temps. Lorsqu'à l'occasion nous nous retrouvions contraints et forcés face à face, elle ne me jetait qu'un regard tourmenté et passait en me bousculant et en marmonnant avec impatience dans ses dents. Le résultat, c'est que j'ai commencé à me sentir singulièrement détaché, non seulement de Grange Hall et de ses habitants, mais de moi aussi. On aurait cru que j'avais été déséquilibré et qu'il fallait constamment que je me raccroche à l'air pour ne pas dégringoler. Drôle de sensation. Et là soudain, je repense à un autre âne d'il y a longtemps, dans mon enfance perdue. Une plage couleur de ciment, une journée couverte et d'un éclat blanchâtre aveuglant ; sur le sable ricochent vigoureusement des voix d'enfants et les hurlements joyeux des baigneurs en train d'affronter les vagues. L'âne s'appelle Neddy ; son nom est marqué sur un panneau en carton. Il porte un chapeau de paille avec des trous pour laisser passer ses incroyables oreilles. Solidement planté sur ses petits sabots impeccables, il mâchonne quelque chose. Il a de grands yeux brillants qui me fascinent – j'imagine qu'il doit pouvoir englober tout l'horizon. Face à tout ce qui l'entoure, il déploie une vaste indifférence. Je refuse de le monter, parce qu'il me fait peur. Je ne suis pas dupe de ces animaux et de leur simulacre d'apathie : je vois dans leur œil la lueur qu'ils essaient vainement de cacher ; tous savent sur moi quelque chose que j'ignore. Mon père, la respiration bruyante, m'attrape rudement par les épaules et m'ordonne de me mettre à côté de Neddy, de faire au moins ça afin qu'il puisse me prendre en photo. Ma mère me presse la main en secret, nous sommes complices. Puis, tandis que mon tatillon de père appuie enfin sur le bouton, que l'obturateur cliquette, Neddy bouge lourdement son arrière-train et se penche alors contre moi, non, se penche sur moi ; je perçois son poids solide et ferme, je sens l'odeur sèche et brune de sa fourrure et, l'espace d'un moment, je suis déboussolé, comme si, d'un coup de coude, le monde, la nature, le grand dieu Pan en personne m'avaient fait perdre mon axe. Et, ce matin-là à Grange Hall, j'éprouvais de nouveau cette sensation, alors que j'errais à travers la maison en quête de mon moi déboussolé.

Il y avait une autre raison, plus immédiate et prosaïque, au sentiment que j'avais d'avoir été mis sur la touche. Même si le père de Polly connaissait le Prince, pour reprendre son surnom, depuis de nombreuses années, c'était la première fois que Son Altesse lui rendait visite, si bien que la maisonnée, en proie à une anticipation énervée, était en émoi. Déjà, Janey avait mal pris une suggestion concernant ce qu'elle pourrait servir à déjeuner et s'était enfermée pour bouder dans la cuisine. Pa Plomer, quoique apparemment vague et absent comme à son habitude, semblait émettre un bourdonnement aigu et continu et devait avoir les mains à vif à force de se les frotter. Seule sa femme planait au-dessus de l'excitation générale, sereine derrière un sourire entendu.

Le bruit des roues sur les gravillons accompagné par les aboiements sonores de Barney a annoncé l'arrivée princière. Polly et son père se sont dirigés vers la porte principale afin d'accueillir leur noble visiteur tandis que je restais en retrait dans le vestibule, me sentant l'âme d'un sinistre assassin aux aguets cachant une bombe sifflante sous son manteau. Freddie conduisait un break de chasse, véhicule vieillot et haut sur pattes qui ressemblait davantage à un tracteur de catégorie supérieure qu'à une voiture. Il est descendu de son siège et a traversé l'allée en ôtant ses gants à crispins avec son habituel sourire triste et forcé. Il était vêtu d'un manteau en lainage vert algue avec une courte cape en tweed, d'une casquette à visière et de caoutchoucs par-dessus une paire de chaussures vernies aussi mignonnettes que des souliers de danse. Il s'habille en prince, ça, je le lui accorde.

« Ah, bonjour, bonjour », a-t-il murmuré en retirant sa casquette et en prenant gravement la main de Polly, puis celle de son père, penchant tour à tour vers eux son long visage étroit et découvrant en une grimace chevaline ses dents un rien jaunies.

En portant son regard un peu plus loin, il m'a repéré, Gavrilo Princip en personne, rôdant dans une zone d'ombre. Nous ne nous étions pas revus depuis notre rencontre devant les chiottes, ce jour lointain de la fête de Hyland Heights où il m'avait servi cette critique involontairement pertinente de mes dessins, et j'ai deviné qu'il avait encore une fois oublié qui j'étais. Polly nous a présentés. Souriant et haletant, Barney toupinait entre nos jambes. Nous avons enfilé le couloir tous les quatre, le chien sur nos talons. Pas un mot, et tous conscients de la panique devant l'abîme des mondanités. Quel drôle de truc que les interactions entre humains.

Le repas a été servi sous la haute voûte brunâtre de la salle à manger, à une longue table brunâtre. La table, éraflée et piquetée de petits trous, affichait les marques de l'âge et j'ai passé mon temps à effleurer le bois pour apprécier son contact soyeux et patiné. J'aime les objets ainsi lissés et adoucis par les années. Tout ce que nous avons, ce sont des surfaces, des surfaces et la pitoyable intériorité du moi, un fait trop souvent et trop facilement oublié, par moi aussi bien que par n'importe qui. Derrière deux hautes fenêtres, je voyais le ciel où le vent rassemblait les nuages nouveau-nés laineux et les poussait devant lui en troupeau. Curieux que d'avoir l'œil et l'envie de peindre et de ne pas pouvoir m'y consacrer. Je me tiens voûté devant le monde, à l'image d'un vieillard fébrile figé dans la contemplation impuissante d'une jeune fille nue et effrontément consentante. Remords et chassie, tel est mon lot, pauvre peinturlureur peiné que je suis.

La conversation, je pense pouvoir le dire honnêtement, n'a rien eu de fluide. Le temps et ses caprices nous ont permis de tenir un moment – leur ont permis de tenir, devrais-je dire, étant donné que dans l'ensemble je me suis contenté d'une présence silencieuse. Je suis un boudeur, vous l'aurez compris à présent ; c'est encore un autre de mes traits de caractère peu attirants. Le père de Polly et le Prince discutaient à bâtons rompus de poètes obscurs et morts depuis longtemps – obscurs pour moi en tout cas. Pip martelait sa chaise haute et babillait – stupéfiant le vacarme qu'une si petite créature est capable de produire –, souriant à la cantonade, ravie et charmée de nous avoir tous réunis là pour assister à son récital. Oui, l'heure ne devrait plus trop tarder où elle se heurtera à la dure réalité et prendra conscience qu'elle n'est pas le centre du monde. La science nouvelle, si je la comprends bien, nous enseigne que chaque minuscule particule se comporte comme si elle était – et en un sens elle l'est – le point axial autour duquel tourne toute la création. Bienvenue dans la course de la race humaine, coureur.

202

Quel bonhomme, ce cher vieux Freddie. Je pouvais à peine détacher mes yeux de lui, de son costume exquis, sans doute fait sur mesure par des nains prisonniers d'un des ateliers clandestins des Hauts d'Alpinia, du foulard en soie bleu roi qu'il porte en guise de cravate, de la discrète petite épingle à son revers indiquant son appartenance aux chevaliers rose-croix ou à la confrérie de Wotan ou à quelque consistoire choisi et secret de la même farine. Ajoutez à cela ses joues exsangues, sa charpente phtisique, son dos voûté et las, l'infinie tristesse de son regard et qu'avez-vous sinon la silhouette même de l'aristo fin de race ? Comment le dépeindrais-je, si on me le demandait ? Un casque en fer de guingois au bout d'un bâton peint. Il a un problème de pellicules, à ce que je remarque – son col est toujours saupoudré de petites particules blanchâtres ; on croirait qu'il se dépouille de lui-même, régulièrement, furtivement, via cette pluie incessante de squames blancs cireux. Bien que toute son attention fût dirigée vers les Plomer, *Vater und Tochter*, son regard dérivait vers moi à l'occasion, lourd de suppositions hésitantes. La mère de Polly aussi me manifestait un intérêt plus vif qu'elle ne l'avait fait jusqu'alors et m'observait d'un œil pensif, tel un visiteur de musée qui tourne autour d'une pièce particulièrement énigmatique afin de l'observer sous tous les angles. Sans doute qu'il flottait 'encore, quelque part dans les cavernes labyrinthiques de ce qui passait chez elle pour de la conscience, l'image récente d'une forme obscure drapée dans une couverture et accomplissant un acte hautement suspect depuis une fenêtre plongée dans le noir total. Quant à Polly, elle paraissait à présent aussi distante de moi que sa mère et, pour la première fois depuis longtemps, je me suis surpris à me languir de Gloria. Enfin, pas exactement de Gloria, mais de tout ce qu'elle représentait, le foyer, en d'autres termes l'univers connu qui, sans être un bosquet de délices, m'avait somme toute pas mal convenu à sa façon pendant de nombreuses années. À l'époque où j'étais un écolier ronchon, je pratiquais souvent l'école buissonnière sans trop tenir compte du fait que, chaque fois, le moment venait, en général autour de midi, où s'émoussait le charme d'être libre pendant que les autres étaient captifs ; malgré moi, je me mettais à regretter la salle de classe poussiéreuse avec ses particules de craie dans l'air, l'impitoyable cadran de la grande horloge au mur et même le débit rasoir du professeur, et je finissais par rentrer d'un pas traînant chez moi où ma mère, sachant fort bien ce que j'avais fabriqué, consentait à avaler mes mensonges. C'est tout moi, pas de force morale, pas de suite dans les idées, pas de cran.

Gloria. Une fois de plus, je me suis demandé, je me le demande toujours, pourquoi elle n'était pas venue me chercher à la maison de gardien. Même elle n'aurait pas été fichue de deviner où j'avais maintenant atterri, ici avec les Plomer et leur Prince.

« Ah ! » s'est soudain écrié Freddie, nous faisant tous sursauter, y compris la mère de Polly qui a haussé les sourcils et battu des paupières.

Il m'a fixé d'un air qui, chez lui, passait pour de l'animation.

« Je sais qui vous êtes, a-t-il poursuivi. Pardonnez-moi, depuis tout à l'heure, j'essaie de me rappeler. Vous êtes ce fameux peintre, Oliver.

— Orme, ai-je murmuré. Oliver est mon...

— Oui, oui, Orme, bien sûr. »

Formidablement content d'avoir retrouvé la mémoire, il a abattu les mains sur la table devant lui et s'est rejeté en arrière avec un grand sourire.

M. Plomer s'est éclairci la gorge en produisant une sorte de long trille de basse.

« M. Orme, a-t-il déclaré d'une voix un tantinet trop forte, comme si c'était nous qui étions durs de la feuille, est un grand admirateur des poètes. »

Il s'est tourné vers moi de manière encourageante, comme pour me donner la parole.

« N'est-ce pas, monsieur Orme ? »

Qu'étais-je supposé dire ? Imaginez une bouche de carpe ébahie et un œil qui tourne sauvagement en tous sens. Attribuant peut-être la légère tension de ce moment à une rebuffade muette à son encontre, Pip s'est mise à hurler.

« Polly a besoin d'être changée, a annoncé Mme Plomer en contemplant benoîtement la fillette écarlate.

— Oh, voilà, voilà », a fait M. Plomer en se penchant par-dessus la table, découvrant son dentier dans un sourire désespéré à l'adresse de sa petite fille.

C'est extraordinaire ce qu'un enfant braillard peut provoquer dans une pièce. On se serait cru dans la section des primates d'un zoo, quand un des grands mâles se met à hurler, en appui sur les poings, retrousse les lèvres et que tous les animaux des cages alentour poussent alors des cris et des sons incompréhensibles. Pendant que Pip hurlait, on s'est tous agités, la mère de Polly exceptée, on a bougé, parlé ou même levé les mains sous le coup d'une impuissance inquiète. Même Janey s'est manifestée, qui s'est encadrée sur le seuil, armée d'une cuillère en bois, telle une vision sinistre de la déesse du châtiment. Exaspérée, Polly s'est levée de son siège dans un bond de gros poisson, s'est pratiquement jetée sur l'enfant qu'elle a arrachée à sa chaise haute, et toutes deux ont quitté précipitamment la pièce. Quant à moi, j'ai trotté en chancelant à leur remorque, Jack après sa Jill, comme dans la chanson.

Dieu sait pourquoi, je viens de me dire que ce vieux Freddie est probablement plus jeune que moi. Ça me fait un petit choc, je peux vous le garantir. Pour être franc, j'oublie toujours que je ne suis plus un gamin ; je ne suis pas vieux-vieux, mais je ne suis pas non plus le jeune insouciant pour qui je me prends si souvent. À tort. À quoi pensais-je donc pour, à mon âge, tomber amoureux de Polly et provoquer un tel gâchis ? Autant demander pourquoi je vole – pourquoi je volais, je veux dire –, pourquoi j'ai arrêté de peindre ou pourquoi, tant que j'y suis, j'ai commencé. On fait ce qu'on fait et c'est en sang et chancelant qu'on émerge du magasin de porcelaine.

Quand je suis arrivé dans le couloir, Polly n'était visible nulle part. Guidé par les hurlements de l'enfant, j'ai marché jusqu'à un petit cagibi ouvert sur deux pièces bien plus grandes. Cet espace minuscule était dominé par une paire de portes blanches en vis-à-vis et, entre elles, par une grande fenêtre à guillotine donnant sur la pelouse et l'allée sinueuse qui menait au portail et à la route. Sous la fenêtre, il y avait une banquette rembourrée où Polly s'était assise, le bébé sur les genoux. Mère et fille étaient également bouleversées, toutes deux pleuraient, plus ou moins vigoureusement, le visage cramoisi et bouffi. Polly m'a fusillé du regard et a poussé un cri sourd d'angoisse et de colère ; elle avait les yeux brillants et humides et sa bouche formait un rectangle ouvert aux bords affaissés. On comprend pourquoi Pablo, la brute, s'est si souvent mis en quatre pour les faire pleurer.

Je n'ai pas eu le temps de placer un mot que Polly a commencé à me critiquer avec une violence qui, même dans ces circonstances, m'a paru injustifiée. Elle a démarré en me demandant pourquoi j'étais venu ici. J'ai cru qu'elle parlait de Grange Hall, mais quand j'ai

206

protesté que c'était elle qui avait insisté pour que je l'accompagne chez elle – c'était ce qu'elle avait dit, vous vous en souvenez ? –, elle m'a coupé avec impatience.

« Pas ici ! En ville, je veux dire ! Tu aurais pu t'installer n'importe où, tu aurais pu rester dans cet endroit, Aigues je ne sais quoi, avec les 'flamants, les chevaux blancs et tout le bataclan, mais non, il a fallu que tu reviennes tout saccager. »

Dans son énervement, elle hochait violemment la petite sur ses genoux, comme une salière géante, si bien que la pauvre mioche roulait des yeux pas possibles et que ses sanglots se voyaient compressés en une série de gargouillis et de hoquets. L'ombre soudaine d'un nuage a traversé la fenêtre, mais une minute plus tard la lumière blafarde a resurgi. Quoi qu'il se passe, j'ai toujours un œil rivé sur le monde au-delà.

« Polly, ai-je bredouillé en tendant vers elle des mains implorantes, Polly chérie...

— Oh, tais-toi ! »

C'est tout juste si elle n'a pas crié.

« Ne m'appelle pas comme ça, ne m'appelle pas chérie ! Ça me donne envie de vomir. »

La petite Pip ne pleurait plus et me fixait avec une intensité rêveuse. Tous les enfants ont le regard détaché de l'artiste ; soit ça, soit l'inverse.

Puis le ton de Polly a changé.

« Qu'est-ce que tu penses de lui ? » m'a-t-elle lancé sur le ton de la conversation ou presque.

Déconcerté, j'ai froncé les sourcils. Qui ?

« M. Hyland ! m'a-t-elle répondu sèchement avec un mouvement brusque de la tête. Le Prince, comme tu le surnommes ! »

J'ai reculé d'un pas. Je ne savais pas quoi dire. La question renfermait-elle un piège, était-ce une sorte de test ? J'avance en funambule dans la vie, même si j'ai l'air de me retrouver toujours au milieu de la corde, là où elle a le plus de mou, là où elle est la plus élastique.

« Il est très timide, non ? a-t-elle insisté. Hein ? Si si. »

Elle m'a décoché un regard noir, comme si je l'avais contredite.

Dehors, la lumière du soleil s'est éteinte une fois de plus dans un clic muet, puis est revenue prudemment ; au loin, une ligne d'arbres nus gesticulants inclinaient leurs branches de biais sous le vent.

Polly a soupiré.

« Qu'est-ce qu'on va faire ? » a-t-elle marmonné.

Il n'y avait plus de colère dans sa voix, semblait-il, juste de la contrariété et de l'impatience.

L'enfant a appuyé la tête contre le sein de sa mère et s'y est blottie jalousement en me lançant un regard haineux et somnolent. Je le redis, les enfants en savent plus qu'ils n'en ont conscience.

J'ai demandé à Polly si elle comptait retourner auprès de Marcus. Je n'avais pas plus tôt formulé ma question que j'ai compris que je n'aurais pas dû. En fait, j'avais compris avant même de poser la question qu'il valait mieux m'abstenir. Il y a quelque chose ou quelqu'un en moi, une sorte de nigaud téméraire caché dans les interstices de ma personnalité présumée – que suis-je sinon un fatras d'affects involontaires ? –, qui a toujours besoin d'aller fourrer son doigt dans le nid de guêpes.

« Retourner auprès de lui ? » a répété Polly d'un ton sardonique, comme s'il s'agissait là d'une idée nouvelle, qui ne l'avait encore jamais effleurée.

Elle a jeté un regard de côté, apparemment plus hésitante qu'autre chose, et m'a répondu qu'elle ne savait pas ; que c'était possible ; que de toute façon elle doutait fort qu'il la reprenne et que, dans cette éventualité, elle n'était pas sûre d'avoir envie d'être reprise, comme un article abîmé qu'on retourne à la boutique où on l'a acheté. À l'évidence, je n'apparaissais nulle part dans ses considérations. Pourquoi aurait-il fallu que j'y sois ?

La fatigue m'a saisi, une incommensurable fatigue, et Polly m'a fait de la place à côté d'elle sur la banquette, si bien que je me suis assis en me penchant mollement en avant, les mains sur les genoux, à fixer le sol sans le voir. La gamine dormait à présent et Polly la berçait, berçait. Dans une fente du cadre de la fenêtre, le vent, distante voix immémoriale, se lamentait. Quand viendra pour moi l'heure de mourir, j'aimerais que ce soit en un moment pareil à celui-ci, figé, une fermata dans la mélodie du monde, où tout s'arrête et s'oublie. J'aimerais m'en aller doucement, en basculant dans le vide sans un murmure.

Pourquoi suis-je revenu tout saccager ? m'a-t-elle demandé. Quelle question.

J'ai entendu un bruit de pas qui approchaient et j'ai sauté sur mes pieds, empli de culpabilité. Pourquoi cette culpabilité ? C'est un état général. La petite Pip, toujours nichée contre le sein de Polly, a bougé elle aussi et s'est réveillée. Tiens, encore un truc à propos des enfants : vous pouvez tirer un coup de pistolet tout près d'eux sans les troubler le moins du monde, mais rangez ledit pistolet dans votre poche et essayez de sortir subrepticement de la chambre, et ils vont se mettre à brailler et à mouliner des bras à la manière d'un marin naufragé. Pip avait l'oreille particulièrement fine, ainsi que je l'avais appris en une occasion désastreuse où Polly l'avait amenée à l'atelier et avait essayé de la faire dormir pendant que nous faisions furtivement l'amour sur le canapé. Elle avait bien fini par céder au sommeil, recroquevillée dans une flaque de soleil, sur un tas de housses de protection incrustées de taches de peinture, jusqu'au moment où Polly, vulnérable, les paupières frémissantes et la gorge palpitante, avait laissé échapper un infime couinement ; en jetant alors un coup d'œil par-dessus mon épaule, j'avais vu la petite se redresser brutalement, comme un pantin au bout d'une ficelle, et fixer avec une solennelle stupeur la créature nue et monstrueusement enchevêtrée en laquelle sa maman et le vilain ami à sa maman s'étaient transformés allez savoir comment.

Les pas, doux et indistincts, étaient ceux de M. Plomer. En nous voyant là, moi montant la garde tel ce pauvre vieux Joseph à un bivouac durant la fuite en Égypte, et Polly en train de bercer l'enfant avec, dans son dos, la fenêtre et la journée ventée, il a hésité. La petite Pip, qui avait envie d'être portée, a tendu des bras impatients vers son grand-père qui lui a caressé la joue distraitement.

« Ma chérie, a-t-il lancé à sa fille, je me demande si tu as vu le petit livre que je t'ai montré hier soir – le volume de poèmes. Je veux le rendre à M. Hyland à qui il appartient, mais je ne le trouve nulle part. »

En fin d'après-midi, la pluie est revenue avec une ardeur redoublée et je suis allé faire un tour. Oui, oui, je sais ce que j'ai dit sur la promenade et ses mérites, mais en cette circonstance je tolérais mieux d'être dehors que dedans. On avait lancé de grandes fouilles afin de retrouver le livre de Freddie et convoqué deux servantes pour s'y joindre sous la houlette de Janey. Jusqu'à cet incident, elles avaient dû être confinées dans une pièce des régions les plus basses de la maison, car il a fallu qu'elles surgissent, gloussantes et rougissantes, pour que je prenne conscience de leur existence. Meg et

Molly formaient un duo effacé aux doigts rougis et aux cheveux relevés en chignon. Il y avait eu beaucoup de claquements de talon dans l'escalier, de voix résonnant bruyamment de pièce en pièce, et nombre de volumes reliés de rouge avaient été présentés avec espoir à M. Plomer, qui chaque fois avait tristement hoché la tête. « Je ne vois pas où il est passé, ne cessait-il de répéter d'un ton de plus en plus énervé. Je ne vois vraiment pas. »

Agacé par toute cette agitation et y voyant une raison, voire un prétexte pour m'éloigner, j'ai intercepté Janey dans le couloir et lui ai demandé si je pouvais emprunter un vêtement de pluie. Polly, une fois de plus fâchée contre moi parce que j'avais refusé de prendre part aux recherches, m'a surpris à la porte principale, en train de filer, et m'a lancé un regard noir et blessé.

« Papa se fait un sang d'encre, m'a-t-elle lancé d'un ton accusateur, et M. Hyland s'est froissé et menace de partir parce qu'on n'arrive pas à remettre la main sur ce satané bouquin – et toi, tu vas te balader ! Prends Pip avec toi au moins. »

J'ai répondu que j'aurais adoré emmener la petite, bien sûr, bien sûr, sauf qu'il pleuvait, regarde, et sortant vivement sur le perron luisant, j'ai refermé derrière moi et me suis éclipsé.

J'ai descendu l'allée, en pataugeant assez joyeusement sous la pluie et en sifflotant « The Rakes of Mallow ». Je crois que la fuite est vraiment tout ce dont je me languis, tout étant lié à la simple perspective de jouir de ma liberté. Janey m'avait trouvé un splendide chapeau, une sorte de suroît avec un rabat sur la nuque et un élastique passant sous le menton, ainsi qu'un ciré qui m'arrivait presque aux chevilles. Elle avait aussi déniché une paire de solides bottes noires ; elles m'allaient parfaitement, ce qui, me suis-je dit, ne pouvait être qu'un signe d'encouragement de la part des divinités domestiques auxquelles revient la tâche d'arranger ce genre de petites congruences heureuses. Je m'étais également muni d'une canne, choisie parmi toute une collection rangée dans un pied d'éléphant qui décorait le vestibule. Allez, Olly, me suis-je dit, avance et revendique la liberté de la route.

En un sens, la pluie invalidait totalement l'éventuel côté utilitaire d'une promenade et du coup, en cheminant, je me suis senti libre de regarder ce qui m'entourait avec un vif intérêt. Il y avait ici un champ de choux, dont chaque feuille grossière et parcheminée était semée de joyaux de pluie tremblotants. Les branches humides des arbres étaient presque noires, or en dessous elles présentaient une teinte plus pâle, gris sombre ; quand le vent soufflait, elles laissaient tomber avec fracas de grosses gouttes ici et là, ce qui m'a rappelé les funérailles de mon père où le prêtre ne cessait de plonger, dans un seau en argent, un machin en métal tarabiscoté court, épais et doté d'un pommeau perforé, avec lequel il aspergeait d'eau bénite le cercueil ainsi que les gens présents les plus proches de lui. Des feuilles en décomposition crissaient et se tortillaient sous mes lourdes bottes. Une goutte froide a trembloté au bout de mon nez, je l'ai essuyée et une minute plus tard une autre s'est reformée. Tout cela était étonnamment agréable et réconfortant. Je pense être au fond un organisme simple doué de désirs simples que je ne cesse de compliquer sottement jusqu'à ce qu'ils me mettent dans des pétrins impossibles.

J'ai été heureux finalement que notre enfant soit une fille. C'est vrai que j'avais désiré un garçon. Cependant, il y a quelque chose à la fois d'absurde et d'un peu grotesque dans le spectacle d'un père et de son fils, surtout quand ils ont une ressemblance marquée. C'est comme si le père avait cherché à créer une créature à son image, un modèle réduit fidèle, mais qu'un manque de qualification et une maladresse généralisée ne lui avaient permis de produire qu'une parodie s'incarnant dans cet homoncule chancelant. Ma petite fille était très jolie, oh oui, et, pour ce que j'en ai vu en tout cas, elle ne ressemblait absolument pas à son papa sphéroïde, livide et constellé de taches de rousseur. J'étais particulièrement sensible à sa lèvre supérieure, laquelle avait tout à fait la forme de ces mouettes stylisées que les enfants dessinent au crayon et arborait en son milieu une petite bulle de chair, presque incolore, presque transparente en effet, qui me ravissait, je ne sais trop pourquoi. Comme je me rappelle bien son visage, ce qui est une affirmation stupide étant donné que tout visage, surtout celui d'un enfant, subit un processus de changement et de développement progressif mais constant, si bien que ce que je charrie dans ma mémoire ne peut être qu'une version d'elle, ou une généralisation d'elle, que j'ai façonnée pour ma convenance personnelle, en guise de souvenir évanescent. J'ai des photographies d'elle, bien sûr, mais les photos d'enfants n'ont aucun intérêt. Je crois que c'est à cause de la naïveté avec laquelle ils fixent l'objectif, sans cet éclair de vanité, d'attitude défensive, d'agressivité si révélateur dans un portrait d'adulte.

Je n'ai jamais essayé de la peindre, ni de son vivant ni après. Tout de même, il me semble voir une trace d'elle dans tel ou tel de mes tableaux – pas une ressemblance, non, non, mais une certaine, comment dirais-je, une certaine douceur de ton qui lui fait écho, une certaine tendresse dans la couleur, la forme ou simplement l'inclinaison d'une ligne, ou même une perspective s'estompant dans l'infini. Ils laissent si peu de traces, nos disparus ; un soupir dans l'air et les voilà partis.

Qu'est-ce que mon père pensait de moi, je me le demande, qu'éprouvait-il pour moi, son benjamin ? De l'amour ? Le revoilà, ce mot difficile. Je suis sûr qu'il me chérissait vraiment, ne formulons pas les choses de manière plus appuyée que ça, mais ce n'est pas ce que je veux dire. Qu'avait-il espéré de la vie en général ? Quoi que ce fût, je suis certain que ça n'avait pas pu s'incarner ni en moi ni en personne d'autre d'ailleurs. Longtemps après la mort de mon père, Gloria m'a dit qu'un jour, sans préambule ni raison, il l'avait prise à partie et lui avait dit avec force, colère même, que lui aussi aurait pu devenir peintre, comme moi, si sa famille avait eu les moyens de lui donner une éducation et une formation. Ça m'a surpris. Si les autres sont des puzzles, un parent est un mystère insondable. J'ai enjambé les deux miens ou plutôt je leur suis passé dessus, comme je serais passé sur les pierres d'une rivière, cette rivière profonde, enflée me séparant de la berge lointaine où j'imaginais que se déroulait la vraie vie. Comment avait-il dit cela, ai-je demandé à Gloria, sur quel ton, avec quelle expression ? Pour toute réponse, elle m'a opposé un de ses sourires doux, compatissants, non dénués d'affection.

Quand je suis arrivé au portail au bout de l'allée, la pluie s'était arrêtée, ce qui m'a plutôt déçu. Je m'étais vu volontiers bravant les éléments, vieux loup de mer piégé sur le plancher des vaches, avec mon suroît et mes bottes de sept lieues, indifférent à la pluie et à la tempête. Quand j'ai cessé de peindre, j'ai remarqué qu'il me fallait constamment me sonder, me tapoter du doigt pour ainsi dire, afin de vérifier que j'étais toujours une personne de quelque substance au moins et souvent, ne recueillant en retour qu'un son creux, je me mettais à m'imaginer un autre rôle, une autre identité même. Par exemple, celle de l'amant de Polly m'allait bien,

214

tout comme celle du fils ingrat, du faux ami, et même de l'artiste raté. Les versions que j'invoquais n'avaient pas à être impressionnantes, bonnes ou décentes, ni alimenter mon estime personnelle, du moment qu'elles paraissaient réelles, du moment qu'elles pouvaient passer pour réelles, c'est-à-dire authentiques pour moi, je présume. Authentique : encore un terme qui m'inquiète toujours. Ce qu'il y avait de notable dans cette stratégie où j'établissais de nouveaux moi, c'était que les résultats ne me semblaient pas très différents de la manière dont les choses s'étaient déroulées pour moi auparavant, à l'époque où je peignais encore et ne doutais pas de mon moi essentiel, ou du moins ne me rendais pas compte que j'en doutais. C'est un truc bizarre que d'être soi. Mais bon, ce doit être bizarre d'être n'importe qui, j'en suis sûr.

Après le portail, j'ai tourné sur la route et marché sur le bord herbeux détrempé, perdu dans mes pensées sans suite. L'asphalte mouillé devant moi luisait dans la lumière de cette fin de journée. De temps à autre, un oiseau, dérangé par mon passage, jaillissait d'une haie et filait en rase-mottes en poussant de stridents cris d'alarme. On nous parle d'une multitude d'autres mondes que nous ne verrons jamais, mais qu'en est-il des mondes que nous voyons vraiment, le monde des oiseaux et des bêtes, qu'est-ce qui pourrait être plus différent de nous que ceux-là ? Et pourtant, nous appartenions à ces mondes-là autrefois, il y a longtemps, et batifolions dans ces prés heureux, nous en avons toutes les preuves, même si j'ai du mal à y croire. J'ai davantage tendance à penser que nous sommes arrivés spontanément, que nous avons surgi d'une racine de mandragore peut-être, programmés malgré nous à arpenter la terre en battant des paupières, autochtones stupéfaits.

Je n'avais pas déjeuné à midi, et malgré tout je n'avais pas faim. Le ventre sait quand il ne va rien avoir, il se calque sur les vieux chiens et s'installe pour dormir. Il en est ainsi, je trouve, de la créature et son bien-être, de sorte que tout n'est pas mauvais et que Dieu mesure parfois le vent à brebis tondue.

Là-dessus, il s'est passé quelque chose de très étrange – aujourd'hui encore, je ne sais qu'en penser, ni même si ça s'est bel et bien produit. J'ai commencé à entendre devant moi une cacophonie musicale, de plus en plus bruyante jusqu'à ce qu'au détour d'un virage apparaisse une petite tribu de gens attifés de vêtements orientaux, que j'ai pris pour des marchands, des camelots ou quelque chose de ce genre. Je me suis arrêté, me suis collé près de la haie et les ai regardés avancer lentement dans le crépuscule de plus en plus sombre en une procession d'une demi-douzaine de caravanes peintes en bleu et en rouge vif, aux toits noirs incurvés, tirées par de robustes petits chevaux pareils à ces jouets mécaniques que nous recevions en cadeau de Noël, narines frémissantes et blanc des yeux brillant. Des hommes minces et basanés portant de longues robes et des sandales ornées – des sandales par ce temps ! – marchaient d'un pas souple et chaloupant à côté des montures dont ils tenaient les rênes, tandis que dans la pénombre des caravanes leurs femmes dodues et voilées contemplaient le paysage en silence. À l'arrière suivait une kyrielle d'enfants dépenaillés qui jouaient une musique stridente, dissonante et monocorde sur des fifres, des cornemuses et de petits tambours à doigts de couleurs vives. Je les ai regardés passer, les hommes avec leur visage étroit et balafré et les femmes, ce que j'en voyais, tout en œil énorme et bordé de kohl et les mains tatouées d'arabesques compliquées au henné. Personne ne m'a remarqué, même les enfants n'ont pas jeté un coup d'œil dans ma direction. Peut-être ne m'ont-ils pas vu, peut-être ai-je été le seul à les voir. Et donc ils sont passés, troupe bigarrée et tintinnabulante sur la route humide et ombragée. Je les ai suivis du regard jusqu'à ce que je les perde de vue. Qui étaient-ils, qu'étaient-ils ? Existaient-ils au moins ? Étais-je tombé à une croisée d'univers, avais-je pénétré brièvement dans un autre monde, loin de celui-ci dans l'espace et le temps ? Ou avais-je simplement imaginé tout ça ? Était-ce une vision ou un rêve éveillé ?

J'ai continué à marcher, indifférent à la nuit qui tombait, déconcerté par cette rencontre hallucinatoire et cependant étonnamment euphorique. Peu après, les phares d'un véhicule approchant derrière moi ont éclairé tout le feuillage alentour. Je me suis arrêté et me suis remis sur le bas-côté herbeux, mais au lieu de me dépasser la chose a ralenti et s'est arrêtée en frissonnant. C'était l'absurde guimbarde haute sur pattes de Freddie Hyland et voilà que Freddie en personne me regardait à présent depuis son habitacle.

« Je pensais bien que c'était vous, a-t-il déclaré. Puis-je vous raccompagner ? »

Comment fait-il ça, comme réussit-il ça, cette sonorité grave, patricienne, de sorte que les paroles les plus simples qu'il prononce attestent du poids des générations ? Après tout, il n'était jamais que Freddie Hyland, que mes frères tyrannisaient dans la cour de l'école en lui piquant son cartable pour s'en servir comme d'un ballon de foot. Je me demande s'il se souvient de ce temps-là.

Ma première impulsion a été de le remercier de sa proposition bienveillante et de la décliner poliment – m'accompagner où ? –, mais je me suis soudain surpris à contourner le capot de la machine palpitante, à franchir le faisceau des phares et à m'installer sur le siège passager. Freddie m'a accordé son lent sourire mélancolique. Il portait sa cape et sa casquette à visière. Teuf teuf et on a démarré. L'énorme volant était placé à l'horizontale, comme dans un bus à l'ancienne, si bien que Freddie était obligé de se pencher par-dessus, dans le style d'un croupier qui fait tourner sa roulette, tout en consacrant un complexe jeu de pieds à ses pédales de plancher. Il conduisait sans se presser, sagement. La route devant nous ressemblait à un interminable tunnel qui nous happait inexorablement, nous et la lumière de nos phares. Freddie m'a demandé si c'était bien en ville que je souhaitais me rendre et, sans réfléchir, j'ai répondu que oui. Pourquoi pas ? Autant là qu'ailleurs. J'étais de nouveau en cavale.

J'ai demandé à Freddie s'il avait croisé la caravane venue de l'Est. Il ne m'a pas répondu, s'est contenté de hocher la tête et a souri de nouveau, de manière énigmatique, j'ai trouvé, les yeux rivés sur l'asphalte.

« La ville, c'est là que vous êtes né, non ? » m'a-t-il lancé au bout d'un petit moment.

À la lueur du tableau de bord, son visage ressemblait à un long masque verdâtre, aux orbites vides et à la bouche pareille à une mince entaille noire. Je lui ai parlé de la maison de gardien, que nous louait son cousin, le bien nommé Urs le bourru. Là encore, il n'a fait aucun commentaire. Peut-être y a-t-il pour lui une nette bande de référence, délimitée il y a longtemps, de sorte qu'il se refuse à prendre en compte tout ce qui n'entre pas dedans.

« Il n'y a aucun endroit que je considère comme chez moi, a-t-il ajouté pensivement. D'accord, je suis ici, mais je ne suis pas d'ici. Les gens se moquent de nous, je sais. Et pourtant cela fait cent ans que mon grand-oncle a débarqué et qu'il a acheté les terres où il a

218

construit sa maison. Personnellement, j'ai toujours pensé que nous n'aurions pas dû changer de nom. »

Il a freiné devant un renard qui traversait la route en courant, la queue basse et le museau, noir, pointé en l'air.

« Connaissez-vous Alpinia ? s'est-il enquis en me jetant un regard en coin. Ces pays, ces régions – la Bavière, l'Engadine, Gorizia –, peut-être que mon chez-moi est là-bas. »

Nous avons repris de la vitesse et le moteur a grondé avec un bruit de ferraille. J'ai eu l'impression de sentir un souffle très froid, comme si une rafale de vent était descendue des hauteurs enneigées. Mon chapeau était par terre à mes pieds, ma canne d'épine noire entre mes genoux.

« Nous, dans notre famille, étions des Regensbourgeois, a dit encore le Prince à sa façon lasse, de la ville de Regensburg, autrefois. J'en rêve souvent, du fleuve, du pont de pierre, de ces curieuses tours mauresques avec ses nids de grues au sommet. Peut-être qu'un jour je retournerai là-bas, sur les terres des miens. »

J'observais les arbres qui se dressaient brutalement dans la lumière des phares et tout aussi brutalement rebasculaient dans l'obscurité derrière nous. Vous vous souvenez, à l'époque où nous étions enfants, quand ce qui allait devenir Alpinia était encore un embrouillamini de peuples en guerre, de ces offres gratuites au dos des boîtes de cornflakes ? On découpait x coupons qu'on envoyait à une adresse à l'étranger et, quelques jours ou quelques semaines plus tard, on recevait un cadeau par la poste. Quelle excitation de penser qu'un inconnu quelque part, une jeune fille peut-être, avec du vernis à ongles écarlate et des cheveux permanentés, se munissait d'un coupe-papier, sortait votre lettre, la tenait, la tenait véritablement entre ses doigts, la lisait, cette lettre qu'on avait écrite, puis la repliait avec des craquements et la remettait, aussi blanche et apprêtée qu'un lin amidonné, dans son enveloppe à l'odeur si évocatrice de colle et de pulpe de bois ! Et puis il y avait l'objet luimême, le cadeau, un jouet en plastique bon marché qui cassait au bout d'une journée ou deux, mais constituait néanmoins un objet sacré, un talisman rendu magique simplement – simplement ! – du fait qu'il venait d'ailleurs. Aucun adepte du culte du cargo n'aurait pu vivre la ferveur mystique que j'ai éprouvée le jour où mon précieux paquet m'est tombé du ciel. Je l'ai déjà dit, mais je vais me répéter : c'est ça la fonction du vol, c'est que le plus trivial des objets volés se voit transfiguré en quelque chose de nouveau et d'extraordinairement précieux, quelque chose qui...

Je savais bien que j'allais en venir au vol, le sujet n'est jamais loin de mes pensées.

Holà, allez-vous crier, descends une minute de ton joli dada et explique-nous ceci : comment se fait-il que Polly Pettit née Plomer, que tu as subtilisée à son mari et que tu as cherché à installer parmi les étoiles, comment se fait-il qu'elle ait perdu son aura de déesse si soudainement ? Car ton intention, nous le savons tous, c'était de la diviniser et rien de moins. D'accord, je l'admets, j'ai bien essayé d'assumer la tâche d'ordinaire allouée à Éros – oui, Éros –, la tâche de conférer une lumière divine au banal. Mais non, non, j'avais plus que ça en tête et ce n'était rien de moins qu'une transformation totale, l'argile faite esprit. Plaisirs, délices, extases de la chair, de telles choses ne signifient rien, presque rien pour un homme comme moi. Trans-ceci et trans-cela, toutes les transes, voilà ce que je recherchais, la métamorphose des choses, de tout, par la force de la concentration qui est, ne vous méprenez pas, la force des forces. Le monde serait tellement l'objet de mon attention passionnée qu'il éclaterait et rougirait follement sous le feu de la prise de conscience. À certains moments, je m'en souviens, Polly s'est dérobée à moi et s'est couverte de ses mains, telle Vénus sur sa moitié de coquillage.

« Ne me regarde pas comme ça ! » me disait-elle, souriante et néanmoins renfrognée, effrayée devant moi et mon œil dévorant.

Et elle avait raison d'être effrayée, car j'étais résolu à l'absorber entièrement. Et quelle était la source secrète de cette envie pressante ? Les folles exigences démesurées de l'amour, le furieux désir de l'amant ? Sûrement pas, à mon avis sûrement pas ! C'était l'esthétique : tout a toujours été une démarche esthétique. C'est ça, Olly, vas-y, lève les mains en l'air et dis qu'on ne te comprend pas. Ça ne te plaît pas, hein, quand le doigt approche la vérité de trop près ? Pauvre Polly, n'était-ce pas ce que tu pouvais lui faire de pire que d'essayer de lui imposer d'être ce qu'elle n'était pas, ne serait-ce qu'à tes yeux ? Et regarde-toi à présent, étonnamment de mèche avec le Prince aux épaules neigeuses pour la fuir une fois de plus. Quel faux-jeton, quel faux-jeton éhonté et pétri d'illusions sur toi-même tu fais.

Ah oui, rien de tel que le fouet soyeux du remords pour apaiser une mauvaise conscience.

Où en étais-je, où en étions-nous ? On roulait, oui, Freddie et moi, dans la soirée de plus en plus sombre. On est arrivés en ville à l'heure où les magasins fermaient. Toujours un moment un peu triste, surtout en automne. Freddie m'a demandé où il pouvait me déposer. Ne sachant que répondre, j'ai dit à la gare, premier endroit qui m'est venu à l'esprit. Il a paru surpris et a cherché à savoir si je partais en voyage, si je m'en allais. J'ai dit que oui. Je ne sais pas pourquoi j'ai menti. Peut-être avais-je vraiment l'intention de partir, d'être parti, ça aurait été un bon moyen d'éliminer la nouille dans le potage de tout le monde. Il a jeté un coup d'œil sur mon ciré et ma canne d'épine noire, mais s'est gardé de tout commentaire. Il réfléchissait, cependant, je le voyais, et j'ai eu l'impression de percevoir un soupçon d'animation insolite dans son comportement. Qu'est-ce qui pouvait bien l'exciter ?

La gare était plongée dans l'obscurité quand nous nous sommes arrêtés devant et je suis descendu lourdement du véhicule. Freddie est reparti au milieu des bouffées de fumée bleu foncé que crachait par saccades le pot d'échappement de cette absurde machine.

Que faire à présent ? J'ai marché sur le quai en me cramponnant à mon chapeau de chalutier. C'était une nuit froide et venteuse et la grosse mer à ma gauche avait la noirceur brillante du cuir verni tandis que de temps à autre un oiseau blanc fendait l'obscurité dans un silence spectral. C'était à peine si mon cerveau fonctionnait – telle est peut-être la raison d'être des promenades : engourdir l'esprit et calmer ses spéculations tourmentées – et mes pieds, de leur propre volonté, m'a-t-il semblé, m'ont détourné du port, de sorte que, peu après, je me suis retrouvé sans trop de surprise devant la blanchisserie et la porte de l'escalier escarpé menant à l'atelier. Je me suis fait la réflexion que je pouvais y passer la nuit et dormir sur le canapé, ce bon vieux fidèle. J'étais en train de chercher mes clés dans mes poches quand une silhouette a émergé de la pénombre du porche de la blanchisserie. Effrayé, j'ai bondi en arrière, puis j'ai vu que c'était Polly. Elle portait un béret et un grand manteau noir trop large pour appartenir à son père, qui avait dû être abandonné par un gigantesque yeoman de ses ancêtres. Sa brusque apparition m'a perturbé. Je lui ai demandé comment elle était arrivée là et j'ai noté le chevrotement aigu et paniqué de ma voix. Ignorant ma question, elle a exigé que j'ouvre la porte immédiatement, car elle était morte de froid, a-t-elle déclaré. Nous avons monté l'escalier d'un pas lourd et en silence ; comme bien souvent, je songeais à la potence.

Dans l'atelier, la grande fenêtre du plafond projetait une cage de lumière compliquée sur le sol. J'ai allumé une lampe. Il m'a paru faire plus froid ici que dehors, même si, dans mes bottes empruntées, j'avais les pieds désagréablement chauds et moites. J'ai jeté un coup d'œil circulaire sur tous ces détails familiers, le vasistas, la table avec ses pots et ses pinceaux, les toiles rangées face au mur. Je me suis senti plus détaché que jamais de cet endroit et curieusement mal à l'aise aussi, comme si j'avais grossièrement interrompu les activités intimes d'une tierce personne. Dans son manteau géant, Polly avait les yeux rivés au sol et les bras noués autour du torse. Ayant retiré son béret, elle l'a jeté sur la table. En la regardant, je me suis rappelé comment, au bon vieux temps, j'enroulais une grosse mèche de ses cheveux autour de ma main, puis tirais sa tête en arrière et plongeais mes dents de vampire dans sa pâle et douce gorge d'une vulnérabilité excitante. Je lui ai proposé un peu de cognac pour qu'elle se réchauffe, mais me suis souvenu que Marcus et moi avions terminé la bouteille. De nouveau, je lui ai demandé prudemment, timidement comment elle était venue ici.

« En voiture, voyons, a-t-elle répliqué sur un ton de mépris hautain. Tu n'as pas vu la voiture dans la rue ? Bien sûr que non. À part toi, tu ne remarques jamais rien. »

Je songe souvent avec perplexité et un vague désarroi à mes tableaux, ceux qui se trouvent dans des galeries, mineures pour la plupart, partout dans le monde, de

Reykjavik à la Nouvelle-Galles du Sud, de Novy Bug aux Portland, ces jumeaux hélas séparés, l'un sur la côte de l'Oregon, l'autre sur celle du Maine. Dans mon esprit, les tableaux ont une existence liminaire, flottante. Ils s'apparentent à des images entrevues en rêve, saisissants et néanmoins dénués de substance. Je sais qu'ils ont un lien avec moi, je sais que c'est moi qui les ai produits, pourtant je n'ai pour eux aucun sentiment existentiel – qu'ils soient loin ne me touche pas. C'était pareil à présent avec Polly. Allez savoir pourquoi, elle avait perdu quelque chose d'essentiel à mon œil extérieur, mais plus encore à mon œil intérieur. Quel était le mystère le plus grand : qu'elle ait été pour moi ce qu'elle avait été avant ou qu'elle ait cessé de l'être ? Cependant, elle était là, devant moi, inévitablement elle-même. Et c'était vrai bien sûr, elle était enfin elle-même, pas ce que j'avais fait d'elle. Qu'ils sont ennuyeux et ennuyants, ces brusques éclairs de clairvoyance. Mieux vaut peut-être ne pas en avoir et s'accrocher à une rustrerie primordiale.

J'ai commencé à lui présenter des excuses pour m'être sauvé une fois encore, mais j'avais à peine ouvert la bouche qu'elle m'a agressé avec fureur.

« Comment as-tu pu ? » m'a-t-elle lancé.

Le menton rentré et l'air accusateur, elle m'a fixé d'un œil blessé, furibond.

« Comment as-tu pu nous humilier ainsi ? »

Nous ? Voulait-elle parler de nous deux, elle et moi ? Il m'a semblé que non, pas du tout. La terreur a vibré en moi, à la façon d'une corde de boyau sur laquelle on a tiré d'un coup sec. J'ai bredouillé que je ne voyais pas ce qu'elle voulait dire. J'étais parti faire une promenade – elle m'avait vu franchir la porte d'entrée, après tout. Je lui ai parlé de ma rencontre, si c'en était une, avec l'étrange caravane d'individus à la peau basanée, puis de l'arrivée de Freddie Hyland qui, à sa manière princière, m'avait proposé de me raccompagner, ajoutant que j'avais pensé profiter de l'occasion pour faire un saut à l'atelier et m'assurer que tout était...

Elle m'a sauté à la figure.

« Où est-il ? » m'a-t-elle demandé d'une voix très forte.

Elle me criait presque dessus et un peu de salive a atterri sur mon poignet ; c'est étonnant ce que la bave refroidit vite, une fois crachée.

« Quoi ? me suis-je écrié en bonimenteur effrayé. Où est quoi ?

— Tu sais très bien quoi. Le livre – son livre. Le livre de poèmes de je ne sais qui. Il est où ? »

J'ai répété que je ne voyais pas ce qu'elle voulait dire, que je n'avais aucune idée de ce dont elle parlait. Ma voix était à présent légère, larmoyante, trébuchante en quelque sorte, c'était la voix du coupable qui proteste de son innocence. S'est ensuivi l'inévitable numéro de duettistes alternant entre accusations et dénis. J'ai fulminé, regimbé, mais à la fin elle a refusé d'écouter mes jérémiades plus longtemps, a hoché la tête, puis, les yeux légèrement clos et les sourcils arqués, elle a levé la main pour m'imposer le silence.

« Tu l'as pris, a-t-elle affirmé. Je le sais. Maintenant, rends-le. »

Oh là là. Oh là là là là. Il me semble souvent que ma vie n'est pas un processus d'avancées, comme le veut le temps, mais de constantes retraites. Je me vois repoussé par une foule de poings furieux, ma lèvre saigne, j'ai le manteau déchiré, je trébuche dans de pitoyables gémissements sur un pavage brisé. Pourtant, ce qui m'a le plus saisi, je pense, dans cette circonstance, ça n'a pas été la rage et l'indignation de Polly, pourtant très impressionnantes, mais l'aversion simple, évidente qu'elle me manifestait, le profond dégoût que lui procurait apparemment ma seule présence. Elle avait l'air de s'être repliée sur elle-même, comme quelqu'un qui se distancie d'un truc sale. C'était nouveau ; c'était totalement nouveau.

« Allez, donne-le-moi, a-t-elle ajouté d'un ton de policier coriace, la main tendue, paume ouverte. Je sais que tu l'as. »

Oui, je le voyais bien ; du coup, j'ai senti se contracter en moi quelque chose qui avait la taille et la texture fripée d'un ballon pas totalement dégonflé.

« Comment le sais-tu ? ai-je demandé en vieux rat à l'affût d'une lézarde pour s'échapper.

— Pip me l'a dit. Elle t'a vu le prendre.

— Qu'est-ce que tu racontes ? Pip ? me suis-je écrié. Elle ne parle pas !

— À moi, si. »

Là, ça m'a carrément démonté. La petite m'avait-elle réellement vu prendre le livre, avait-elle réellement réussi à me trahir ? Si c'était le cas, et je devais le croire, ou du moins l'accepter, alors c'était cuit. J'ai plongé la main sous mon ciré, bataillé pour extirper l'ouvrage de ma poche de veste et le lui ai remis.

« Je ne faisais que l'emprunter, ai-je expliqué dans un gémissement de petit garçon boudeur pris à chaparder les cadeaux d'un anniversaire.

— Ah, a-t-elle répliqué avec un dédain furieux. Comme tu as emprunté tous les autres trucs, je suppose ? »

Je l'ai regardée avec attention. Mon cœur cognait à présent dans un crépitement syncopé.

« Quels autres trucs ?

— Tous les trucs que tu nous as piqués ! a-t-elle ricané en rejetant la tête en arrière. Tu crois qu'on ne sait pas que tu voles ? Tu nous prends tous pour des aveugles et des crétins, par-dessus le marché ? »

Elle a ouvert le livre et l'a feuilleté.

« Tu ne parles même pas allemand ! » a-t-elle remarqué en hochant la tête sous le coup d'une tristesse amère.

Elle était donc là finalement, l'heure du jugement, et elle survenait de manière tellement inattendue. À ma connaissance, je n'avais encore jamais été pris sur le fait, jamais durant toutes mes années de filoutage. Gloria, à ce que j'avais supposé, devait avoir des soupçons – on ne peut pas cacher grand-chose à une épouse –, mais j'étais persuadé qu'elle ne m'avait vraiment jamais vu voler quoi que ce soit et, quand bien même ça aurait été le cas, en un sens, ça n'aurait pas compté. Mais que j'aie été démasqué par Polly, qu'elle ait été tout du long au courant de ma manie, voilà qui était un grand choc, une grande humiliation, encore que ces deux termes soient inadéquats pour décrire mon état. J'avais l'impression d'avoir été agressé physiquement ; on aurait dit qu'on m'avait planté dans les tripes un bâton qu'on remuait violemment ; j'ai cru une seconde que j'allais vomir sur place. On m'avait pris quelque chose ; à présent, c'était moi qui avais perdu quelque chose de secret et de précieux. Quand je l'avais remis à Polly, le petit volume à la reliure rouge qui avait palpité dans ma poche avec une sombre plénitude érotique avait perdu de sa vitalité, s'était vidé, autre malheureux ballon dégonflé.

Une chose que je pense pouvoir affirmer sans risque : je ne volerai plus.

Mais il y avait plus – oui, plus ! –, car Polly elle-même avait subi à mes yeux une autre transformation, une transformation définitive. Elle était là devant moi dans ce grand manteau grossier, sans maquillage, les cheveux décoiffés par le béret, les mollets à nu et les pieds bien plantés sur le sol, de sorte qu'elle ressemblait, je ne sais pas, à une sculpture, un personnage à la base d'un poteau totémique, une effigie tribale que personne ne vénérait plus. En tant que déité, la déité de mes désirs, elle avait été parfaitement intelligible, ma propre petite Vénus à moi nichée au creux de mon bras ; à présent, telle qu'elle était véritablement, elle-même et rien de plus, créature humaine de chair, de sang et d'os, elle était terrifiante. Mais ce qui me terrifiait, ce n'était pas sa colère, les récriminations qu'elle me lançait, la lèvre retroussée de mépris. Ce que je percevais le plus vivement chez elle, c'était une franche indifférence. Et là, à la fin, à la fin des fins, j'ai compris qu'elle m'avait quitté pour de bon.

Pour de bon ? Pour de mal.

Ça a été l'épilogue, si on peut parler d'épilogue, étant donné l'indestructible continuum qu'est le monde. Oh, forcément, ça a continué encore quelque temps, là, dans l'atelier, les explosions de colère redoublées et les flots de larmes, les accusations et les dénégations, les comment as-tu pu et comment ai-je pu, les ne me touche pas et les t'as pas intérêt, les cris d'angoisse, les excuses bégayées. Mais, derrière, je voyais bien que ça lui était égal et qu'elle faisait ça juste pour la forme, qu'elle se pliait au rituel obligatoire. Si je pense à la haute estime dans laquelle elle me tenait avant ! Elle m'avait pris pour un dieu, elle l'avait dit, vous vous rappelez ? Quand elle m'avait vu pour la première fois, dans l'atelier de Marcus, le jour où j'avais apporté la montre de mon père à réparer – elle est ici sur la table devant moi à présent et tictaque sur un rythme accusateur –, elle était allée à la bibliothèque, m'avait-elle confié par la suite, pour emprunter un ouvrage sur mon travail – la monographie de Morden, j'imagine, un bouquin insignifiant en dépit de son épaisseur – et s'était assise près de la fenêtre de son salon où, après l'avoir installé sur ses genoux, elle avait passé les doigts sur les reproductions en imaginant que la surface de ce beau papier brillant, c'était moi, ma peau.

« Que je me sens bête de te raconter des trucs pareils ! En as-tu la moindre idée ? » m'a-t-elle lancé doucement, d'un ton las.

J'ai baissé la tête sans rien répondre.

« Et tout du long tu n'étais qu'un voleur, a-t-elle ajouté, un voleur, et tu ne m'as jamais aimée. »

Encore une fois, j'ai gardé le silence. Parfois, c'est indécent de parler, même moi je l'admets.

La lumière de la lampe brillait sur le sol à nos pieds, la lumière des étoiles brillait à la fenêtre au-dessus de nos têtes. Nuit, vent de nuit et ballet de nuages. Un véritable orage, dehors et dedans. Ô monde, ô monde mondifiant, dont une si grande part m'est aujourd'hui perdue.

Quand Polly a fini par n'avoir plus rien à dire et qu'elle s'est tournée vers la porte avec un dernier mouvement triste de la tête, j'ai cédé à une sorte de panique tardive et tenté de l'empêcher de partir. Elle s'est arrêtée une seconde, a considéré ma main sur son bras avec un léger dégoût, froide comme une héroïne de théâtre, puis elle s'est écartée de moi et elle est sortie. Je suis resté indécis, le cœur palpitant, le sang en ébullition. Je me faisais l'effet d'être comme quelqu'un qui, se baladant sur un quai au crépuscule, a soudain l'idée de sauter sur le pont d'un bateau à l'instant précis où il largue les amarres et qui, debout à la proue et en proie à une incrédulité étourdissante, regarde disparaître peu à peu le pays connu, ses toits et ses flèches, ses rues tortueuses,

ses falaises lisses, ses marges sablonneuses, tout cela s'amenuisant et s'estompant à mesure, s'estompant d'autant plus dans la lumière tombante du soir, tandis que derrière lui, dans le ciel au loin, de mauvais nuages bleu-noir font une apparition tumultueuse.

III

Quel temps merveilleux nous avons eu pour les funérailles, oui, une journée positivement somptueuse. Que
le monde peut être sans cœur. C'est idiot de dire ça,
bien sûr. Le monde n'a pour nous aucune empathie
– combien de fois faudra-t-il que je me le rappelle ? –,
nous ne pénétrons même pas son entendement, sinon
peut-être sous la forme d'un parasite tenace, du genre
de ceux qui ont infesté le myrte de Gloria. Nous
sommes fin novembre et pourtant l'automne est de
retour, les journées sont habillées d'une lumière dense
et brillante comme de la confiture d'abricots, il flotte
dans l'air de lourdes fragrances de fumée et de pourriture, et tout luit de reflets fauves ou bleutés. La nuit,
les températures dégringolent et au matin les roses,
encore fleuries, s'ourlent de givre ; surgit alors le soleil
et, l'espace d'une heure, elles pleurent, tête baissée.
Malgré des vents violents un peu plus tôt dans la saison,
les dernières feuilles ne sont pas encore tombées. Au
moindre zéphyr, les arbres bruissent d'excitation, de
vraies jeunes filles se trémoussant dans leurs soieries. Il
y a cependant une pointe de noirceur alentour, le monde
est assombri, obscurci, semble-t-il, par la mort. Au-
dessus du cimetière, le dôme du ciel avait l'air plus

incurvé que d'habitude et affichait une teinte plus intense que d'ordinaire – bleu céruléen, cyan, ou juste bleuet ? – et l'hostie transparente de la pleine lune, fantôme du soleil, était posée juste au-dessus de la flèche d'un pin pourpre. Quand il y a un enterrement, je ne sais jamais où me mettre et il faut toujours que je finisse par piétiner la dernière demeure d'un malheureux. Aujourd'hui, je me suis caché au milieu des pierres tombales, bien en retrait. Notez, je me suis arrangé pour pouvoir voir les deux veuves – car elles sont deux ou tout comme – qui, plantées de part et d'autre de la fosse, évitaient de se regarder. Elles paraissaient très austères et spectaculaires avec leurs chapeaux noirs à bord tombant, Polly accompagnée d'une petite Pip nettement plus grande – qu'est-ce que ça grandit vite ! –, la mine suffisante et fâchée – les enfants détestent vraiment les enterrements –, et Gloria, la main pressée sous son cœur, comme, peut-être, la *Victoire de Samothrace* ou tout autre grand personnage endommagé et magnifique. Il n'y avait pas de cercueil, juste une urne renfermant les cendres, mais ils avaient quand même creusé une fosse, sur l'insistance de Polly, paraît-il. L'urne m'a fait penser à la lampe merveilleuse d'Aladin. Quelqu'un aurait dû la frotter, on ne sait jamais. Encore mon penchant pour les blagues de mauvais goût, vous voyez, ça ne me quittera jamais. Ils ont enterré l'urne avec les cendres. D'une certaine façon, ça m'a paru malvenu.

J'ai constamment un tic-tac dans la tête. Je suis ma propre bombe à retardement.

Je me rends compte subitement que ce que j'ai toujours fait, c'est laisser mon œil se promener au-dessus du monde comme le temps, en pensant que je le faisais mien, ou plus, que je le faisais moi, alors qu'en réalité je n'avais pas plus d'effet sur lui que le soleil, la pluie, l'ombre d'un nuage. Au-dessus de l'amour aussi, bien sûr, lequel œuvre à transformer, à transfigurer, chair faite forme. Tout ça en vain. Le monde, les femmes sont ce qu'ils ont toujours été et seront, en dépit de mes efforts les plus acharnés.

Nous avons traversé une sacrée épreuve, vraiment. Je bouge, quand je bouge, dans un état d'hébétude stupéfiée. C'est comme si j'avais passé toute ma vie devant un miroir en pied à regarder les gens circuler, devant et derrière moi, et que quelqu'un m'ait à présent brutalement attrapé par les épaules en m'obligeant à pivoter : Regarde ! Le voilà, le monde non réfléchi des gens et des choses, tandis que, moi, je n'étais nulle part visible. Comme si c'était moi le défunt.

Oui, c'est une sacrée épreuve que nous avons traversée. Je ne sais pas si mon cœur est suffisamment en forme pour que je revienne sur tout ça ou sur tout ce qui paraît important là-dedans. En termes de durée, ce n'est pas grand-chose, quelques semaines tout au plus, encore qu'il semble s'être écoulé une éternité. Je pense que je nous dois bien ça, à nous quatre, que je nous dois d'apporter une sorte d'exposé, de consigner une sorte de testament. Quand j'étais jeune – j'avais à peine une vingtaine d'années mais j'étais déjà bouffi d'une solide ambition –, j'ai vécu une expérience mémorable un soir tard, que je saurais à peine décrire, et peut-être serait-il préférable que je ne m'y risque pas. Je n'avais pas bu, mais j'avais l'impression d'être à demi ivre. Je m'étais mis au travail aux premières lueurs du jour et ne m'étais arrêté que bien après minuit. Je travaillais beaucoup trop à l'époque, de sorte que je me mettais dans des états d'engourdissement douloureux et peu réjouissants qui parfois se distinguaient mal du désespoir. C'était extrêmement difficile de respecter les règles – quoi qu'on en dise, je n'étais pas un iconoclaste –, tout en bataillant pour les briser et les dépasser. La plupart du temps, je n'avais pas idée de ce que je faisais, et j'aurais aussi bien pu peindre dans le noir. L'obscurité était l'ennemi, l'obscurité et la mort, ce qui est pratiquement la même chose quand on y réfléchit, même s'il est vrai que je parle d'une certaine forme d'obscurité. Je travaillais très vite, avec une grande fébrilité, toujours terrifié à l'idée de ne pas vivre assez longtemps pour terminer ce que j'avais commencé. Il y avait des jours où le voyou de l'escalier débarquait directement dans la pièce, puis se postait à côté de moi devant le chevalet, plein d'audace et d'insolence, et me filait des coups de coude tout en me murmurant des trucs suggestifs à l'oreille. Attention, ce n'était pas un symbole, c'était la mort elle-même, l'extinction véritable que j'anticipais au quotidien. J'étais le roi des hypocondriaques, constamment fourré chez le médecin avec une douleur ici, une boule là, convaincu d'en être au stade terminal. On me répétait avec une exaspération croissante que je n'étais pas mourant, que j'étais en bonne santé, en parfaite santé, mais il était hors de question que je me laisse abuser, de sorte que je cherchais un deuxième, un troisième, un quatrième avis dans ma quête, toujours déçue, d'une sentence de mort. Qu'est-ce qui était en jeu ? De quoi avais-je peur au fond ? Peut-être pas de la mort, mais de l'échec. Trop simple, ça, je pense. N'empêche, pour alimenter et entretenir une obsession aussi morbide, il devait y avoir un truc qui ne tournait pas rond chez moi.

Mais revenons-en à cette nuit, après une longue journée de travail épuisante. À l'époque, je m'étais embarqué dans un truc historique, sur quoi déjà ? Oui, Héliogabale, je m'en souviens, Héliogabale, ce petit jeune imbu de lui-même. Pendant des mois, il m'a fasciné, avec sa tête extraordinaire en forme de grenade mûre prête à exploser et à projeter ses graines dans toutes les directions. À la fin, je l'ai transformé en Minotaure, Dieu sait pourquoi ; vous voyez ce que je veux dire à propos d'obscurité. Où est-ce que j'habitais à l'époque ? Dans cette tanière septique sur Oxman Lane que me louait la mère de Buster Hogan ? Disons que c'était là, ça n'a aucune importance. C'était long-temps avant Gloria – ai-je mentionné de combien d'années elle est ma cadette ? – et je cavalais après une fille qui ne voulait pas de moi, une autre nana du harem de Hogan, justement. Beaucoup d'eau sous ce pont, n'allons pas nous y noyer. J'étais donc là, des fourmis dans le bras du pinceau et les jambes pareilles à des troncs d'arbres pétrifiés à force d'être resté debout si longtemps devant la tête brillante d'Hélio quand soudain m'est apparue, disons-le, la vraie nature de ma vocation, si tant est qu'on puisse utiliser ce terme. Il fallait que je sois un représentant – non, pas *un*, il fallait que je sois *le* représentant, le seul et unique. C'est ainsi que cela m'a été présenté – présenté, oui, car elle m'a vraiment semblé venir d'ailleurs, cette injonction, cet ordre. Au début, ça m'a dérouté, c'est le mot. La Vierge elle-même, surprise dans ses dévotions par le jeune aux ailes diaphanes venu s'agenouiller devant elle, n'aurait pu être plus déconcertée que je l'ai été cette nuit-là. Qui ou quoi fallait-il que je représente, et comment ? Là-dessus, j'ai songé aux grottes de Lascaux et à cette fameuse empreinte de main préhistorique sur la paroi. Ce serait moi, ce serait ma signature, notre signature à tous, la marque stylisée de la tribu. Ce n'était pas une bonne nouvelle, devrais-je dire. Ce n'était ni bon ni mauvais. En un sens, ça n'avait même pas de rapport avec moi, pas directement. Des cerfs et des aurochs bondiraient de mon pinceau et qu'aurais-je à en dire ?

Je ne serais jamais que le moyen. Cependant, pourquoi moi ? Qu'est-ce que j'en ai à faire de la tribu, et la tribu, qu'est-ce qu'elle en a à faire de moi ? C'était ça la question, je présume : je n'étais personne et le demeure. Juste le moyen, le moyen moyen, *Niemand der Maler*.

Je vois ces jours-ci, ces jours actuels comme un après-guerre. Cette sorte de calme épuisé qui s'est installée a une odeur persistante de cordite et nous qui ne sommes pas morts affichons une mine choquée de survivants. Mon second retour à la maison, il y a à peine quelques semaines, a été une démarche de paix. C'est comme ça avec moi. Je ressemble à un artilleur qui aperçoit de temps en temps au milieu des tourbillons de fumée du canon un paysage dévasté où chancellent des blessés aveuglés, qui toussent et pleurent. Parfois, on est obligé de se rendre et d'avancer sur le champ de bataille, le mouchoir au bout du mousquet. Au début, je veux dire les premiers temps de mon retour à la maison, je me sentais l'âme d'une personne déplacée, d'un réfugié, pourrait-on presque dire. Après la débâcle de Grange Hall et l'épouvantable confrontation avec Polly qui s'est ensuivie – échauffourées sanglantes de partout –, j'ai passé plusieurs jours caché dans l'atelier, à dormir tant bien que mal sur le canapé souillé d'amour où il m'était impossible de trouver le sommeil et où je ne parvenais à grappiller que des parenthèses de somnolence agitée. Oh, ces aubes blêmes où je gisais sous la grande lucarne, empalé sur le tissu pelucheux usé, tel un papillon piqué sur un étaloir, à contempler les rideaux de pluie et la ronde des mouettes dont j'écoutais les piaillements malheureux. C'était pire quand je me retournais sur le ventre, car j'avais alors le visage plaqué contre le velours vert usé qui sentait si fort Polly.

238

Me manquait-t-elle ? Oui, mais d'une manière qui me plonge dans la perplexité. Ce que j'en suis venu à ressentir quand je l'ai perdue, quand je l'ai libérée, n'a pas été la brûlante explosion d'angoisse à laquelle on aurait pu s'attendre, mais plutôt une sorte de nostalgie peinée étonnamment semblable à celle qui m'habitait dans mon enfance quand, assis près de la fenêtre, par exemple, un soir d'hiver, le menton sur le poing, j'observais la pluie s'écrasant contre la rue, tel un corps de minuscules danseurs de ballet, où chaque goutte esquissait une pirouette momentanée avant de faire le cygne mourant qui s'effondre sur lui-même. Vous vous souvenez, vous vous souvenez de ce à quoi elles ressemblaient, ces heures à la fenêtre, ces rêveries crépusculaires auprès du feu ? Ce que je désirais ardemment, c'était quelque chose qui n'avait jamais existé. Je ne cherche pas là à nier ce que j'éprouvais avant pour Polly, ce qu'elle signifiait avant pour moi. Seulement, maintenant, quand mon esprit la cherchait, il se refermait sur du rien. Je pouvais me rappeler, et je peux encore me rappeler, la moindre petite chose à son sujet, dans les détails les plus vifs et les plus douloureux – le goût de son haleine, la chaleur du petit creux à la base de sa colonne vertébrale, le reflet mauve et moite de ses paupières lorsqu'elle dormait – mais de la Polly essentielle il ne demeurait qu'un spectre, aussi insaisissable qu'une femme entrevue en rêve. Ce que je veux dire, c'est que la perte de mon amour pour Polly, de son amour pour moi a été – attendez, je cherche. Ah, inutile, j'ai perdu le fil. Mais l'amour, en tout cas, pourquoi est-ce que je continue à me tracasser à ce sujet, tel un chien qui mordille ses plaies ? L'amour, en effet.

Traité sur l'amour, version abrégée
Tout amour est amour de soi

239

Là, c'est bon ?

Incapable de rester longtemps à l'atelier, je descendais en douce pour aller acheter les quelques trucs indispensables à ma survie, revenais au trot, puis me tassais devant la table encombrée pour boire mon lait à même la bouteille et grignoter des croûtes de pain et des bouts de fromage, comme le vieux Ratty, mon copain et mascotte de l'époque de la maison de gardien. Il n'y avait pas de Maisie Kearney à proximité pour me préparer des sandwichs sous le manteau. En plus, il faisait très froid. Le chauffage, pour ce qu'il valait, semblait être totalement en panne et, sans les vapeurs chaudes de la blanchisserie qui se faufilaient à travers les lattes du plancher, je serais peut-être mort – peut-on mourir de froid alors qu'on est à l'intérieur ? Et puis il n'y avait rien à faire, à part ruminer, au milieu de ce qui s'apparentait aux ruines de ma vie ; les toiles empilées contre les murs avaient l'air de se détourner honteusement de moi. Comme vous pouvez vous y attendre, les conditions de vie étaient très primitives. Ne me posez pas de questions sur l'hygiène. Je n'avais même pas de brosse à dents ni de chaussettes propres et, allez savoir pourquoi, je ne pensais jamais à m'en procurer lors de mes excursions au pas de charge dans les magasins. Très gentiment, Mme Bird, la femme du blanchisseur, est venue à mon secours. Caché derrière le montant de la porte, je lui ai confié mes vêtements serrés en un ballot, et elle les a lavés, séchés et repassés pendant que je soupirais et éternuais à l'étage, emmitouflé dans une couverture. Ça a été un moment difficile, le nadir même, dirais-je, sauf que le pire était à venir.

Dans mon désespoir, j'ai envisagé de retourner à la maison de gardien et de m'y terrer un moment, mais on

240

ne peut pas revisiter les scènes de l'enfance à l'infini ; comme tout le reste, le passé s'use, s'épuise.

Quoi qu'il en soit, j'étais en cavale depuis trois ou quatre jours quand Gloria a débarqué. J'ignore comment elle a su que j'étais à l'atelier ; l'instinct conjugal, j'imagine. Ou peut-être Mme Bird lui a-t-elle dit que j'étais là. Mme Bird a une certaine expérience en la matière, car M. Bird est un coureur de jupons notoire qui s'envole fréquemment sans crier gare. J'étais en train de nettoyer des pinceaux qui n'en avaient pas besoin quand on a frappé. Je me suis figé, puis j'ai aperçu mon reflet, les yeux ronds de peur, dans le grand miroir à côté de la porte des toilettes. Je savais que ça ne pouvait pas être Mme Bird : elle ne se serait pas présentée sans m'avoir averti. Seigneur, se pouvait-il que ce soit Polly revenant m'engueuler une fois de plus, ou le Prince peut-être, ce vieux Freddie au regard triste, pour me gifler avec les gants à crispins dont il s'équipait pour conduire et me reprocher de lui avoir fauché son précieux ouvrage ? Je suis allé sur la pointe des pieds à la porte et j'ai plaqué l'oreille contre le bois. Que m'attendais-je à entendre ? Une voix rageuse, un craquement de jointures et le tap-tap impatient d'un pied ou peut-être même le bruit sourd d'une matraque contre une paume calleuse ? Au fond, j'ai toujours eu peur de l'autorité, surtout de celle qui vient cogner à ma porte au beau milieu d'un après-midi par ailleurs sans histoire.

Quand elle n'est pas tout à fait à l'aise et se sent obligée de prouver qu'elle a du caractère, Gloria adopte une sorte de comportement bravache que j'ai toujours trouvé attachant en même temps qu'un peu regrettable et, je dois l'avouer, légèrement embarrassant. Bien entendu, je ne lui montre pas que je vois clair dans sa posture – ça ne marcherait pas : tant qu'à vivre sa vie, il faut s'autoriser, à soi et aux autres, ses petits subterfuges. Elle est donc entrée dans l'atelier d'un pas nonchalant, presque la main posée insouciamment sur la hanche – quand je l'imagine, c'est toujours comme ça que je la vois, la main sur la hanche –, et elle m'a décoché au passage un de ses petits sourires les plus ironiques, les plus entendus, les plus méprisants. Même dans le meilleur des cas, c'est une femme peu loquace, en quoi elle diffère notablement de moi, ainsi que vous devez vous en être rendu compte. Ce silence, cet air qu'elle a de garder ses opinions pour elle-même – et d'en avoir beaucoup – est le trait de caractère qui m'a attiré en premier lieu vers elle, il y a longtemps. Je présume que ça lui prêtait un côté sibyllin. Aujourd'hui encore, j'ai toujours le sentiment qu'elle abrite délibérément un grand secret. Je l'ai déjà dit ? À présent, je vois tout ça comme une répétition. Je pense l'avoir déjà dit aussi. Comment cela va-t-il se terminer ? j'aimerais le savoir. Le barbouilleur dans une cellule capitonnée, camisole de force et menotté au lit, marmonnera-t-il à l'infini d'un ton monocorde ce seul mot : Moi moi moi moi moi moi moi moi moi moi *moi* ?

Gloria s'est arrêtée au milieu de la pièce, a pivoté, puis, figée dans sa pose de mannequin, tête rejetée en arrière, menton relevé, pied en avant, elle a lancé un coup d'œil autour d'elle.

« C'est donc ici que tu te caches à présent », a-t-elle dit.

Me cacher ? Me cacher ? Elle cherchait à me provoquer. Ça m'était égal. J'étais surpris par la joie que j'éprouvais à la revoir, malgré tout, malgré la claque que j'allais forcément recevoir d'une minute à l'autre. Cependant, il y avait dans son comportement quelque

242

chose de presque ludique, quelque chose de l'ordre du flirt même. C'était très déconcertant, mais j'étais heureux de ce semblant de chaleur, quel qu'il soit.

Oui, c'est ici que j'étais, ai-je répliqué de manière un peu hautaine, histoire de défendre ma dignité ou ce qu'il en restait. J'avais besoin de temps pour réfléchir, examiner les options qui s'offraient à moi, arriver à certaines décisions.

« Je pensais que tu serais venue me chercher plus tôt », ai-je ajouté.

Ça a déclenché un petit rire pincé.

« Genre maman te ramène à la maison après l'école ? » m'a-t-elle lancé.

En tout, j'étais parti un peu plus d'une semaine, d'abord à la maison de gardien, puis brièvement à Grange Hall, puis ici. Qu'avait-elle fait pendant ce temps ? À en juger par son air critique et son attitude cassante, elle n'avait sûrement pas attendu mon retour, assise à la fenêtre avec une bougie allumée.

J'aurais pu compter sur les doigts d'une main le nombre de fois où elle était venue à l'atelier, de sorte que ça me faisait drôle de la voir là. Elle portait son grand manteau en laine blanche. Je déteste ce manteau : il a un énorme col qui fait penser à un abat-jour à l'envers d'où sa tête émerge, très haute, comme si elle avait été tranchée très proprement. Elle m'a considéré froidement, toujours avec un sourire de reproche amusé qui n'était guère plus qu'une entaille à un coin de sa bouche. Eh bien, je devais avoir piteuse allure.

« Tu te laisses pousser la barbe ? m'a-t-elle lancé.

— Non, c'est juste comme ça. »

Le matin même dans le miroir, j'avais remarqué avec un frisson que ma barbe hirsute était tissée d'argent.

« On dirait un clochard. »

C'était l'effet que je me faisais, lui ai-je dit. Elle m'a observé en silence en décrivant un demi-cercle à partir du bout de son talon haut. J'ai repensé à la bouteille de cognac vide que Marcus avait laissée tomber par terre. Qu'était-elle devenue ? Je ne me rappelais pas l'avoir ramassée. Quelle vie furtive, étrange que celle des objets à la dérive.

« Perry a rappelé, a-t-elle ajouté en plissant les yeux avec une allègre méchanceté. Il menace de débouler. »

Perry Percival, mon marchand, mon ancien marchand. J'ai la conviction qu'elle l'a convoqué, juste pour me contrarier. Même si Perry a bel et bien l'habitude de tomber des nues – littéralement ou presque, puisqu'il a son propre aéroplane, un mignon petit avion agile et vif, avec un fuselage argent et le bout des hélices peint en rouge. Si c'est vraiment elle qui lui a demandé de venir, que compte-t-elle qu'il fasse, qu'il se métamorphose en une réplique volante de ma muse ailée ? Elle pense que mon incapacité à peindre est un simulacre, l'expression d'une complaisance irresponsable. Je n'aurais jamais dû épouser une jeune femme. Au début, ça n'avait pas d'importance, mais ça en a de plus en plus. Cette brusquerie dédaigneuse qu'elle a, c'est insupportable à mon âge.

Une pluie douce tombait sur le carreau au-dessus de nos têtes. J'aime beaucoup ce genre de pluie. Je la plains, à ma façon sentimentale ; on croirait vraiment qu'elle cherche à dire quelque chose et n'y arrive jamais.

Gloria a sorti un mince étui argent de la poche de son manteau, l'a ouvert d'un clic du pouce, puis s'est choisi une cigarette qu'elle a allumée avec son petit briquet doré. Quelle créature merveilleusement vieux jeu, à la fois glaciale et chaleureuse, comme une vamp des films d'antan.

J'avais terriblement besoin d'un verre et j'ai repensé avec une amère envie à cette fichue bouteille de cognac vide.

Lorsqu'elle allume une cigarette, Gloria inhale la fumée très rapidement entre ses dents en produisant un bruit sifflant qui pourrait évoquer une petite exclamation de douleur. La dernière fois qu'on s'était parlé, même si on ne peut pas trop dire ça, c'était le jour où elle m'avait téléphoné à la maison de gardien. Avait-elle discuté avec Marcus entre-temps ? Bien sûr que oui. Ça m'était égal. Y a-t-il chez les autres aussi une plaine intérieure aride, un Quart Vide, où règne une froide indifférence ? Il m'arrive de penser que chez moi cette région est le siège de ce qu'on appelle ordinairement le cœur.

Marcus lui aura tout dit. C'est tout juste si je n'ai pas entendu Gloria me le lancer, en laissant les mots gonfler dans sa gorge et en leur donnant une vibration théâtrale : Il m'a tout dit.

Elle s'est tournée, a traversé la pièce et s'est emparée de plusieurs choses qui traînaient sur la table, un pinceau durci par la peinture, un tube de blanc de zinc, une petite souris de verre, puis les a reposées. En la regardant, j'ai vu subitement, au loin mais distinctement, de même que, paraît-il, les patients se voient parfois sur la table d'opération, la juste mesure de la pagaille que j'avais causée, j'ai tout vu dans toute son horreur, l'opération mortellement ratée, le chirurgien qui jure, l'infirmière en larmes, et moi flottant juste sous le plafond, les bras croisés, une cheville chevauchant l'autre, évaluant les dégâts en contrebas et incapable de rien ressentir. L'anesthésie générale, tel est l'état dans lequel j'ai toujours ambitionné de vivre.

Je lui ai demandé si elle allait bien. À cette question, elle a ouvert encore plus grand ses grands yeux bleus.

« Qu'est-ce que tu veux dire, si je vais bien ?

— Juste ça. Ça fait un moment que je ne t'ai pas vue. »

Là, elle a ricané.

« Un moment ! »

Sa voix n'était pas tout à fait ferme.

« Gloria.

— Quoi ? »

Elle m'a fusillé du regard, puis elle a écrasé son mégot sur une de mes palettes encroûtées de peinture en hochant la tête avec colère, comme si elle avait enfin réussi à se confirmer un truc qui la tarabustait.

J'ai dit que j'avais envie de rentrer à la maison. C'est seulement en le disant que j'ai compris que c'était vrai, que ça l'avait été tout du long. À la maison. Oh, Seigneur !

Ça a donc été aussi simple que ça : moi, la queue entre les jambes, de retour à la niche. J'ai eu l'impression d'être à peine parti. Ou, non, ce n'est pas tout à fait vrai ; en réalité, ce n'est pas du tout vrai, je ne sais pas pourquoi j'ai dit ça. Un après-midi, il y a des années, quand on vivait à Cedar Street, Gloria et moi, on revenait en voiture de quelque part à la campagne et on a été pris dans un violent orage d'été, séquelle d'un ouragan venu de l'Atlantique qui, déjouant toutes les prévisions, avait tout renversé sur son passage et causé de gros dégâts sur les routes. Il y avait eu des inondations et des arbres abattus et on avait dû faire quatre ou cinq détours compliqués, qui avaient rallongé notre voyage de plusieurs heures. Quand on a fini par arriver à la maison, on était dans l'état d'euphorie tremblante d'enfants à la fin d'une fête d'anniversaire sans parents où a régné une joyeuse pagaille. La maison aussi, bien qu'elle n'ait souffert que de quelques tuiles brisées,

246

avait un air échevelé, étourdi : on aurait juré qu'elle s'était trouvée prise sous l'orage comme nous, qu'elle avait bataillé contre le vent et la pluie et que, même si elle avait recouvré son équilibre, elle ne serait plus jamais tout à fait la même après cette folle aventure. C'est ainsi que j'ai cru voir Fairmount quand Gloria m'y a ramené, au terme de mon bref mais tempétueux batifolage.

On s'est réinstallés du mieux possible, non pas, dirais-je, dans notre vie d'avant, mais dans quelque chose qui, aux yeux d'un inconnu, aurait paru très ressemblant. Je ne sortais pas. Je n'ai pas vu Polly, bien sûr, et certainement pas Marcus, et je n'ai pas eu non plus de leurs nouvelles. On ne mentionnait pas leurs noms à la maison. Moi, je pensais au Prince, à sa poésie et au fragment que le père de Polly avait récité. Monde, invisible ! J'avais le sentiment que quelque chose m'avait été révélé, offert, à moi en particulier. N'était-ce pas ce pour quoi j'avais toujours lutté, n'était-ce pas le projet fou auquel j'avais consacré ma vie, l'occultation du monde ?

Après en être parti, je me suis vraiment abstenu de retourner à l'atelier, pour des raisons pas aussi évidentes qu'on pourrait le croire.

Peu après est apparu, comme j'en avais été menacé, l'inévitable Perry Percival. Il a posé son avion près de l'estuaire, sur la route de la famine que nul n'empruntait plus et que le fermier propriétaire des champs alentour, espérant s'enrichir, avait transformée en un aéroport de fortune à l'époque où tout le monde volait encore. C'était une matinée venteuse et la petite machine, ruant et brimbalant, a émergé en bourdonnant d'un nuage bleu de plomb, le bout de ses hélices rouge de rouge à lèvres étincelant sous la lumière blafarde, puis a touché terre avec une délicatesse de papillon et roulé gaîment un moment avant de s'arrêter dans un hoquet. Gloria et moi attendions sous l'abri du hangar en bois qui faisait autrefois office de grange. Perry, son casque en cuir à la main, est descendu coquettement du cockpit. Les deux fils sous-dimensionnés du fermier Wright, vêtus de salopettes couleur carton et dont l'un trimballait un jeu de cales, se sont rués vers l'appareil autour duquel ils ont toupiné pour vérifier ceci et tapoter cela. Perry, telle une chrysalide compacte, s'est défait de sa tenue de pilote tout en avançant vers nous d'un pas sautillant, dévoilant par étapes, de la tête aux pieds, comme par un tour de passe-passe, son moi court sur pattes, rondouillard et impeccablement habillé dans toute sa gloire gris tourterelle aux reflets chatoyants. Je suis certain que dans les profondeurs de l'enfer, où lui et moi finirons probablement notre vie ensemble, Perry se débrouillera pour dégoter un tailleur décent. Là, il portait une chemise en soie bleue et une cravate en soie bleu électrique. J'ai remarqué ses chaussures en suède noire ; il aurait sûrement gagné à emprunter les caoutchoucs de Freddie Hyland.

Il nous a salués de loin, s'est approché et dressé sur la pointe des pieds pour donner un petit baiser à Gloria. Pour moi, il n'a eu qu'un froncement de sourcils désapprobateur, d'où j'ai compris que Gloria devait lui avoir raconté mes dernières escapades.

« J'ai (il a remonté sa manche et consulté une montre presque aussi grosse que sa main) quelques heures devant moi. Je dois être à Paris à huit heures pour dîner avec… bon, peu importe. »

C'est une règle chez Perry que d'être toujours en route pour un autre endroit autrement plus important que celui où il se trouve. Chaque fois que je le rencontre, je suis toujours aussi impressionné par la magnificence hautaine qu'il affecte. Il n'a pas d'âge, est très petit avec des membres courtauds, comme les miens mais en plus courts encore, et un ventre en forme de bel œuf de Pâques coupé dans le sens de la longueur. Il a une tête d'une largeur disproportionnée, qu'on pourrait croire façonnée dans du mastic bien malaxé, et un visage large et lisse, légèrement blafard et toujours grisâtre et luisant. Ses yeux sont pâlots et protubérants et, quand il cille, ses paupières s'abaissent brusquement comme deux pièces en métal moulé. Il est d'une brusquerie qui frise l'irritation et traite tout ce qu'il croise sur son chemin comme un désagrément. J'ai de l'affection pour lui en principe, bien qu'il ne manque jamais de m'agacer.

On s'est tournés vers la voiture. Perry s'est placé entre Gloria et moi, un bras sur son dos, l'autre sur le mien, et nous a entraînés à sa remorque alors qu'il nous poussait légèrement devant lui, tel un chef d'orchestre à la fin d'un concert triomphal qui fait la part belle à ses solistes sous un tonnerre d'applaudissements. Il sentait l'huile de moteur et une eau de Cologne de prix. Le vent de l'estuaire ébouriffait tout sauf ses cheveux qu'il avait commencé à teindre, je l'ai remarqué ; ils étaient tirés en arrière et lui couvraient le crâne à la manière d'une brillante couche de gomme-laque soigneusement appliquée.

« Ces crétins de contrôleurs aériens ont essayé de m'interdire d'atterrir ici, a-t-il maugréé. Maintenant, ils vont penser que je me suis écrasé, bien sûr, ou que je suis tombé à la baille. »

Il a un accent snob raffiné teinté d'un léger grasseyement écossais – son père était haut placé dans l'église de Kirk of Canongate – et un zézaiement franc extrêmement discret qu'il tient de sa mère mérovingienne. Très fier de ses nobles origines, le Perry.

249

Derrière nous, Orville et Wilbur se démenaient pour aller garer l'avion dans la grange, l'un poussant, l'autre tirant.

Dans la voiture, je me suis installé à l'arrière, avec le sentiment d'être le vilain garçon qui a été puni. Le soleil avait disparu et de lumineux rideaux de pluie ultrafine tombaient en biais dans les rues. Durant le trajet, Perry, juché de traviole sur le siège avant, tournait sa tête ronde et impeccable dans tous les sens en notant tout avec une fascination effarée ponctuée d'exclamations et de soupirs.

« C'est ton nom, là, que j'ai vu au-dessus de cette boutique ? » m'a-t-il lancé.

Je lui ai expliqué que c'était l'imprimerie de mon père et que mon atelier se trouvait à l'étage – mon ancien atelier, n'ai-je pas précisé. Perry s'est alors totalement retourné pour me regarder un long moment en hochant la tête avec tristesse.

« Tu es rentré au bercail, Oliver, a-t-il marmonné. Je n'aurais jamais cru ça de toi. »

Gloria a lâché un petit rire.

J'ai rencontré Perry Percival pour la première fois en Arles, je crois, à moins que ce ne fût à Saint-Rémy ? Non, c'était en Arles. J'étais très jeune. J'étais descendu de Paris à la fin de cet été prétendument studieux et je me promenais avec morosité dans les pas des grands maîtres qui jamais, j'en avais la morne conviction, ne m'inviteraient à les rejoindre devant leur chevalet sur les pentes du mont Parnasse. C'était jour de marché et il y avait de l'animation dans la ville. Je me divertissais en circulant d'un café bondé à un autre, en fauchant les pourboires que les clients avaient laissés sur les tables avant de partir. J'étais devenu un adepte de ce sport – quelle dextérité il fallait –, et même les garçons aux yeux les plus perçants ne me repéraient pas quand j'évoluais parmi eux, accompagné par un tintement assourdi et révélateur. Bien que sans le sou, je ne prenais pas cet argent parce que j'en avais besoin ; sinon, j'aurais essayé de m'en procurer autrement. C'est au café de la Paix – je ne sais pas pourquoi je me souviens du nom –, alors que j'empochais une poignée de centimes, qu'en levant la tête j'ai remarqué, au-delà de la porte ouverte, au fond de la pénombre brunâtre de la salle, l'œil vif de Perry fixé sur moi. Aujourd'hui encore, j'ignore s'il avait compris ce que j'étais en train de trafiquer ; si c'est le cas, il ne me l'a assurément jamais dit, je présume donc qu'il ne m'avait pas vu. Mon instinct a été de fuir – n'est-ce pas toujours mon instinct ? –, mais à la place je suis entré dans l'établissement, me suis approché de Perry et présenté ; quand on est près d'être démasqué, l'effronterie est la meilleure défense, tous les voleurs vous le diront. Je n'avais pas encore une once de réputation, mais Perry avait dû entendre mon nom quelque part, car il a affirmé connaître mon travail, ce qui était un mensonge éhonté, que j'ai néanmoins choisi de croire. Il portait la tenue classique du nordiste en vacances dans le Sud – chemise à manches courtes en coton, short kaki aux jambes ridiculement larges, indécentes en fait, sandales et, le malheureux, de grosses chaussettes de laine – et réussissait cependant à donner une impression de hauteur arrogante. Vous me voyez ici me mélangeant aux touristes et autres racailles, proclamait son comportement, mais pendant que nous bavardons, mon domestique me prépare cravate et smoking dans ma suite du Grand Hôtel des Bains.

« Oui, oui, a-t-il déclaré d'une voix traînante. Orme, je connais vos travaux, je les ai vus. »

Il m'a invité à m'asseoir et nous a commandé deux verres de vin blanc. Dire que de cette rencontre fortuite est née une des plus significatives et – etc., etc.

Je m'arrête ici pour dire que je ne me suis jamais fait à la condition d'exilé. Je ne pense pas que quiconque s'y fasse, sincèrement. Il y a toujours quelque chose de suffisant, de complaisamment conscient de son image chez l'expat', ainsi que ce dernier aime à se présenter, à sa manière désinvolte, avec sa veste en lin trop large, son chapeau de paille fatigué et sa femme tout en muscles et décolorée par le soleil. Et pourtant, quand on est parti loin un certain temps, on ne revient jamais tout à fait. C'est l'expérience que j'en ai, en tout cas. Même quand j'ai quitté le Sud pour revenir ici, mon port d'origine, où j'aurais dû me sentir le plus moi-même, il me manquait quelque chose, une part vacillante et néanmoins intrinsèque. C'était comme si j'avais laissé mon ombre derrière moi.

Perry est-il un tricheur ? À le voir et à l'entendre, il n'y a pas grand doute, mais examinez n'importe quelle âme d'assez près et vous verrez vite les fissures. Même s'il est peut-être un poil escroc, il a l'œil. Plantez-le devant un tableau, surtout un tableau en cours de réalisation, et il se fixera sur une ligne ou une tache de couleur, hochera la tête et fera un petit tchi–tchi avec sa langue. « Voilà le cœur de cette affaire, dira-t-il en pointant le problème, et il ne bat pas. » À mon sens, il ne se trompe jamais et je ne compte pas le nombre de toiles exsangues que j'ai poignardées avec le bout pointu d'un pinceau sur la foi de ses critiques sévères. Après, il m'engueulait d'avoir gâché tout ce travail et me balançait avec raison que ça n'aurait pas été la première fois qu'il aurait proposé à la vente, ni moi d'ailleurs, une œuvre qui avait des défauts. Ce genre de pique me touchait en profondeur et vivement, je peux vous le dire. Bref, si je suis la pelle, lui est le fourgon, c'est sûr.

« Comment va ton ami ? lui a demandé Gloria. Je n'arrive pas à me rappeler son nom. Jimmy ? Johnny ?

— Jackie, a répondu Perry. Jackie le Jockey. Oh, il est mort. Une horrible affaire. »

Il a roulé un œil affligé.

« Ne pose pas de questions. »

Il a rêvassé un moment.

« Vous avez entendu parler de tous ces nouveaux méchants microbes qui nous arrivent du cosmos, non ? »

Gloria souriait à la pluie qui s'écrasait sur le pare-brise.

« Qui dit ça, Perry ? » a-t-elle lancé en me regardant dans le rétroviseur.

Perry a haussé les épaules et les sourcils tout en abaissant les coins de sa grande bouche, ce qui, l'espace d'un instant, lui a donné une ressemblance stupéfiante avec la reine Victoria dans ses dernières années.

« Les scientifiques, a-t-il déclaré avec un geste dédaigneux. Les médecins. Tous les gens informés. »

Il a reniflé.

« Quoi qu'il en soit, les microbes ont eu Jackie, d'où qu'ils soient venus, et il est mort. »

Pauvre Jackie, j'ai repensé à lui. Jeune, basané, beau dans un style assez ravagé. Des yeux énormes, toujours un peu fiévreux, et une masse de boucles, brillantes comme du graphite, qui lui dégringolaient sur le front ; pensez à Bacchus, le jeune malade du Caravage, en moins étoffé tout de même. Ce n'était pas un jockey – je ne sais pas comment ce surnom lui était venu, bien que je doive pouvoir avancer un avis si je songe à l'étymologie du terme. Comme moi, c'était un barboteur ; contrairement à moi, il volait pour l'argent. Perry et lui ont été ensemble pendant des années et formaient un tandem des plus improbables. Je devrais préciser que, en plus de sa ribambelle de catamites, dont Jackie a été le dernier que j'ai connu, Perry avait aussi, et a toujours, une épouse. Elle s'appelle Pénélope, quoiqu'on la connaisse, aussi invraisemblable que ça puisse paraître, sous le nom de Penny. C'est une grande femme musclée, implacable, dont j'ai toujours eu un peu peur. Bizarre, pourtant : quand on a perdu la petite, c'est auprès de Perry et de sa formidable bourgeoise que Gloria a été chercher aide et assistance. Ça, je n'ai jamais pu le comprendre. Elle est restée avec eux un mois voire plus, à faire je ne sais quoi, à pleurer je suppose, tandis que je mijotais dans mon jus, seul à Cedar Street, à lire une énorme étude sur Cézanne et à boire tous les soirs à en perdre la tête.

À propos, Cézanne a toujours été un sujet de discorde entre Perry et moi, un os, encore que ledit nonos ne doive plus renfermer beaucoup de moelle à l'heure qu'il est. Perry estime que le maître d'Aix est sans rival, pour toutes les mauvaises raisons possibles, je pense, alors que moi, je ne l'ai jamais apprécié. Je vois certes sa grandeur, mais simplement je n'aime pas les choses qu'elle a produites. Je vous avoue que, même si je ne le dis pas, je suis d'accord avec le vieux bougre sur certains sujets, comme lorsqu'il soutient que l'émotion et tout le tintouin n'ont pas à s'exprimer directement dans le travail mais doivent émaner de la forme la plus pure, tel un parfum. Pour ça, je lui donne raison – voyez mes propres œuvres, les unes après les autres, au fil des années. On a dit que j'étais froid, parce qu'on était trop obtus pour percevoir ma chaleur.

Quand on est arrivés à la maison, Perry a lâché son casque en cuir d'aviateur sur la table du vestibule, où il s'est lentement effondré à la manière d'un ballon de foot dégonflé, a collé sa combinaison sur le dos d'une chaise, puis s'est retiré pour une longue session dans les toilettes du rez-de-chaussée dont a émané une vibrante puanteur corsée qui allait mettre un bon quart d'heure à se dissiper. Puis, allégé et rafraîchi, il a débarqué, l'air affairé, dans la cuisine où Gloria était en train de préparer le pot d'infusion qu'il lui avait demandé. Il a tiré un siège et s'est assis le plus près possible du poêle en frottant ses petites mains blanches et impeccables.

« J'ai tellement froid, nous a-t-il confié. Mon sang est très fluide. J'ai commencé à me faire transfuser régulièrement, je vous l'ai dit ? Je vais dans un endroit à Coire. »

Gloria, qui remplissait d'eau la théière, a éclaté de rire.

« Oh, Perry, s'est-elle écriée d'un ton ravi, tu es devenu un vampire !

— Très amusant », a répondu Perry, guindé.

Devant sa tisane, il a parlé de tout et de rien, qui vendait, qui achetait, le comportement du marché ; à l'entendre, on aurait pu penser qu'il clabaudait sur les dernières transactions sur le Rialto ou qu'il évaluait l'état du négoce de la soie dans la vieille Cathay. Puis, il s'est interrompu au milieu de ces cancans pour me regarder avec sévérité.

« Le monde t'attend, Oliver », m'a-t-il lancé en agitant le doigt.

Ah oui ? Eh bien, qu'il attende.

Gloria a préparé une omelette en jetant le jaune des œufs, à la requête de Perry, pour n'utiliser que les blancs. C'était sa dernière tocade, il ne mangeait que des aliments sans couleur, blanc de poulet, pain de mie tranché, riz au lait et assimilé. De même refusait-il de boire autre chose que du thé. C'est vraiment un *type* merveilleux, comme il aurait dit en claquant la langue et les lèvres dans le style français qu'il se donne. Pour moi, il représente aujourd'hui l'essence même d'un monde perdu, abandonné, d'un lieu distant et pittoresque, pareil au fond d'un Fragonard ou bien à un paysage onirique et crépusculaire à la Vaublin, univers que je connais bien mais dont je sais par bonheur que je n'y retournerai jamais.

« Et comment va le travail ? » m'a-t-il demandé en entrant dans le vif du sujet.

Il était assis au bout de la table, une serviette coincée dans le col de son exquise chemise irisée bleu libellule. Il a scruté mon visage impassible et poussé un soupir.

« Je présume que tu travailles à un nouveau chef-d'œuvre, d'où ce long silence. »

C'est sa façon de parler, je vous assure.

« C'est pour ça que je suis ici après tout, pour examiner l'état de l'édifice. »

La base s'effrite, Perry, la base s'effrite.

« Olly est toujours en congé sabbatique, il a décroché du boulot, lui a expliqué Gloria. De la vie aussi. »

Je lui ai lancé un regard blessé, mais n'avait-elle pas raison sur moi, ma vie et la manière dont je la vivais ? La vérité, je pense, c'est qu'au départ je n'ai jamais commencé à vivre. J'ai toujours été sur le point de m'y mettre. Enfant, je me disais que je vivrais une fois grand. Ensuite, ça a été la mort de mes parents que j'ai attendue en secret, persuadé que ça déclencherait ma naissance, et mon accession à ma véritable identité. Après, ça a été l'amour, ce serait lui qui réglerait le truc, quand une femme, n'importe laquelle, se présenterait et ferait de moi un homme. Ou bien le succès, la richesse, des sacs de billets de banque, les acclamations des gens, autant de façons de vivre, d'être enfin intensément vivant. Et donc j'ai attendu, d'année en année, d'un décor à l'autre, que le grand spectacle démarre. Puis le jour est venu où j'ai compris que ce fameux jour ne viendrait pas et j'ai renoncé à attendre.

Ça vient juste de me revenir : la nuit dernière, ce rêve de nouveau, où j'ai la forme d'un serpent géant qui essaie d'avaler le monde et s'étouffe dessus. Qu'est-ce que ça peut bien signifier ? Comme si je ne le savais pas. Toujours aussi malhonnête.

Perry a consulté sa montre encore une fois et s'est renfrogné : la France attendait, la France et son compagnon de dîner, trop important pour qu'on pût le nommer.

Après le déjeuner, Perry et moi sommes allés à pied à l'atelier. Il n'y était encore jamais allé, j'y avais veillé. Pourquoi est-ce que je l'y emmenais à présent – que pouvais-je lui montrer, sinon des échecs élaborés ? J'ai dû lui prêter un pardessus, d'une longueur grotesque pour ses petits bras. La pluie avait cessé, le ciel était couvert et les rues avaient un éclat humide. Perry, les mains noyées dans les manches de mon manteau, a jeté un regard méprisant sur le pitoyable tableau alentour. Les maisons, les boutiques, les rues elles-mêmes donnaient l'impression de vouloir se dérober devant lui.

« Tu as conscience de la manière dont tu te ridiculises, hein, a-t-il insisté, en te cachant dans cet endroit absurde et en prétendant ne plus pouvoir peindre ? »

Me cacher : encore ce verbe sournois. Je n'ai rien répondu – que dire ?

Une fois à l'atelier, il s'est laissé choir dans un angle du canapé en mal d'amour et s'est plaint de nouveau du froid.

« Eh bien, montre-moi quelque chose, m'a-t-il lancé, fâché.

— Non. »

Il m'a décoché un regard blessé.

« Alors que j'ai fait tout ce trajet en avion ? »

J'ai riposté que je ne lui avais pas demandé de venir.

Il s'est levé, l'air morose, a scruté la pièce, puis s'est dirigé vers les toiles posées contre le mur. J'aurais pu jurer que son petit nez exsangue frémissait. Le comportement qu'il adopte dans son métier est un mélange calculé de mépris et d'impatience résignée. Sur tout ce qui se présente à son regard, tout, il oppose d'emblée un œil blasé, comme pour dire : Oh, quelle est encore cette épouvantable camelote que vous me montrez là ? Je ne suis pas dupe : il est toujours à la recherche de quelque chose à vendre. Bref, il s'est saisi de ce grand machin pas terminé, mon dernier effort avant de sombrer dans le silence – ça, c'est du silence ? me demandez-vous – et l'a brandi en rejetant la tête en arrière et en grimaçant comme devant une mauvaise odeur.

« Hum, a-t-il dit, c'est nouveau.

— Au contraire.

— Je veux dire, c'est un nouveau départ.

— Non. C'est le terminus.

— Ne sois pas ridicule. »

Il a emporté la toile et l'a placée sous le flot de lumière qui tombait de la fenêtre.

« Tu vas finir ça ? »

Au contraire, j'ai dit, c'est elle qui m'a fini. Il n'écoutait pas.

« De toute façon (reniflements), je peux la vendre en l'état. »

J'ai bondi du canapé et je l'ai poursuivi à travers la pièce, mais il m'avait vu venir et s'est empressé de mettre la toile de côté tout en me décochant une moue boudeuse par-dessus son épaule. J'ai essayé de récupérer mon tableau, mais Perry s'est carapaté au petit trot ; j'ai réessayé et l'ai harponné. Il s'est ensuivi un corps à corps inconvenant, avec force ahanements bruyants et grognements étouffés. Il a fini par céder. Je lui ai repris sèchement la toile, l'ai soulevée bien haut au-dessus de ma tête avec l'intention de la fracasser sur quelque chose. Cependant, ainsi que vous le diront tous ceux qui ont jamais tenté d'accrocher un tableau, ce sont des objets foutrement encombrants, grands, plats et fragiles, et j'ai dû me contenter de le balancer vers un angle de l'atelier où il a atterri dans des craquements gratifiants assez proches d'un bruit d'os qui se brisent.

« Nom d'un chien ! s'est écrié Perry, haletant. Tu perds la boule ? »

Je repense encore à ce fameux rêve du monde coincé dans mon gosier. On dit d'un bébé qui réclame son biberon à grands cris qu'il anéantirait le monde et ses créatures s'il le pouvait. J'avais écrabouillé mon tableau. Qu'étais-je alors, un créateur ou un destructeur ? Et est-ce que je m'en souciais ?

« Attends une minute, a poursuivi Perry en prenant un ton faussement fraternel, qu'est-ce qui ne va pas au juste, vas-tu me le dire ? »

J'ai éclaté de rire, lâché une sorte de hi-han sauvage. Âne, mon frère ! Perry ne s'est pas laissé démonter.

« Tout ça, c'est à cause d'une femme ? a-t-il insisté en essayant de ne pas paraître exagérément incrédule. Je me suis laissé dire que tu aurais une liaison, ou plutôt tu avais. C'est ça, le problème ? Dis-moi que non. »

Une des choses que je regrette profondément du temps où je peignais, c'est une certaine qualité de silence. À mesure que ma journée de travail avançait et que je m'enfonçais de plus en plus dans les profondeurs de la surface peinte, le bavardage du monde cédait, telle la marée qui reflue, et me laissait au centre d'un grand vide de silence. C'était plus qu'une absence de sons : on aurait cru qu'un nouveau médium avait surgi, m'avait enveloppé, quelque chose de dense et de lumineux, un

259

air moins pénétrable que l'air, une lumière qui était plus que la lumière. Au milieu, j'avais l'air d'être en suspens, à la fois en transe et à vif, sensible à la moindre nuance, aux plus subtils jeux de pigments, de traits et de formes. Sensible ? Était-ce cela la vie finalement sans que je l'aie reconnue ? Oui, une forme de vie, mais pas suffisante pour me permettre de dire que je vivais.

Je souhaitais à présent que Perry s'en aille, juste qu'il s'en aille, qu'il reprenne la voie des airs, et me laisse, seul et tranquille, ici. J'étais si fatigué ; je suis si fatigué.

Du bout de sa chaussure, Perry explorait à tâtons les débris de mon malheureux tableau. Ils formaient un tas dans un coin, enchevêtrement de bois et de toile déchirée, mon ultime chef-d'œuvre. Ça m'a rappelé le cerf-volant géant que, dans mon enfance, ma mère avait commandé pour moi à Joe Kent, le cordonnier bossu, qui l'avait fabriqué avec des baguettes de bois et du papier kraft dans son atelier aux allures de caverne sur Lazarus Lane. L'engin s'étant révélé trop lourd pour voler, je l'avais jeté sur le gazon et piétiné de rage quand il avait refusé de voler. Oui, briser des choses représentait pour moi un des petits réconforts de la vie – peut-être pas si petits –, je le vois clairement aujourd'hui.

« Tu n'as rien du tout à me montrer ? » a poursuivi Perry, d'un ton à la fois penaud et plaintif en louchant de nouveau vers les toiles poussiéreuses entassées contre les murs.

Non, ai-je répondu, je n'ai rien. De même qu'on voit le mercure d'un thermomètre descendre dans sa colonne, je voyais bien qu'il perdait courage. De nouveau, il a consulté sa montre, plus ostensiblement cette fois-ci.

« C'est vraiment dommage de détruire un tableau », a-t-il marmonné.

Les plaisirs de l'acquisition sont bien connus – dixit le voleur, l'ancien voleur –, mais qui évoque jamais la joie tranquille qu'on éprouve une fois qu'on lâche prise ? Toutes ces tentatives ratées empilées là, j'aurais volontiers sauté dessus à pieds joints aussi, comme j'avais sauté à pieds joints sur le cerf-volant inutile de Joe Kent. Quand Perry partirait, ma dernière prétention au statut de peintre s'évanouirait avec lui – ce n'est pas une prétention, mais vous comprenez ce que je veux dire –, ce serait un sac de sable de plus que j'aurais lesté du panier. Vous voyez les pensées d'ascension et de vol enivrant qu'engendre mon imagination avec ces tropes figuratifs ? Et en effet quand, une heure plus tard, Gloria nous a emmenés, Perry et moi, au champ de Wright, que Perry s'est attaché dans son beau petit avion impeccable et qu'il a commencé à rouler sur la piste herbeuse, j'ai éprouvé une soudaine envie de courir à sa remorque au milieu du crépuscule, de m'accrocher à une aile, de me hisser sur le siège derrière lui et de l'obliger à m'emmener avec lui en France. Je nous ai imaginés là-haut, dans notre vol de nuit vrombissant, suspendus au-dessus d'épaisseurs de ténèbres bleu-gris, les nuages en contrebas semblables à de gros plis de fumée et au-dessus de nos têtes un ciel piqueté d'innombrables étoiles. Disparaître ! Disparaître.

Plantés à côté du hangar, Gloria et moi avons regardé l'avion grimper dans l'air enténébré jusqu'à ce qu'il s'évanouisse dans un nuage, le même peut-être que celui d'où nous l'avions vu descendre le matin même. Le suaire de silence qui s'était abattu sur le champ de plus en plus sombre évoquait en un sens des distances désertées, des chagrins oubliés. Loin au fond du hangar, une ampoule nue brillait tandis qu'un des garçons Wright martelait consciencieusement quelque chose dans de mélancoliques tintements métalliques. La nuit se refermait autour de nous. J'ai frissonné et Gloria, glissant son bras sous le mien, a pressé étroitement mon coude contre ses côtes. Avait-elle perçu ma désolation et était-ce un réconfort qu'elle m'offrait ? Nous nous sommes éloignés. J'ai songé à Perry sortant d'un pas décidé des toilettes après une dernière incursion dans les lieux : il massait ses mains humides et m'avait lancé un regard désapprobateur, déçu. Oui, il se lavait les mains de moi. Il n'avait pas besoin de se tracasser : personnellement, je m'étais déjà lavé les mains de mon soi-disant moi.

Un jour, durant une de mes promenades sans but à travers la ville – oui, malgré moi, je suis devenu un sacré marcheur –, je me suis arrêté pour dire bonjour à ma sœur. Elle s'appelle Olive. Je sais, ils sont délirants, ces noms. Je n'ai pas souvent de raisons de lui rendre visite et je n'en avais pas ce jour-là. Elle habite une petite maison sur Malthouse Street. Cette voie étroite, à peine plus large qu'une allée, est pentue à un bout comme à l'autre, mais bombée au milieu, là où se trouve sa maison, et cela, associé au fait que, pour une raison que j'ignore, le trottoir devant chez elle est très haut, me donne toujours l'impression qu'on ne peut arriver chez Olive qu'après une bousculade forcenée, comme si c'était un sanctuaire, un avant-poste légendaire dont on aurait délibérément compliqué l'accès. Tout au bout de la rue se dresse la malterie, depuis longtemps à l'abandon, une bâtisse trapue en granit gris-rose avec des fenêtres basses à barreaux et de grands tirants de renforts rouillés en forme de médaillons incrustés aux murs. Quand j'étais petit, c'était un endroit à éviter. Il s'en dégageait toujours une âcre et désagréable odeur d'orge en fermentation qui me piquait les narines et des bruits de galopades désordonnées montaient de l'intérieur où, telles des loutres, les rats, à ce qu'Olive s'amusait à me raconter, nageaient allégrement dans les profondes cuves de grains.

La taille d'Olive fait paraître encore plus petite cette toute petite maison. Ma sœur est beaucoup plus grande que moi – ce n'est certes pas difficile –, se déplace lentement, en courbant le dos, apparaît sur un seuil ou au pied de l'escalier la tête projetée en avant et les bras ballants derrière elle, de sorte qu'en la voyant se déplacer on la croirait toujours à deux doigts de basculer en avant. De nous quatre, c'est elle qui ressemble le plus à mon père et, à mesure que les années passent et que ses rares traits féminins perdent de leur singularité, la ressemblance est de plus en plus marquée. Bien entendu, à l'école, on la surnommait Olive Oil. Quel contraste emblématique nous devions offrir, elle et moi, à l'époque : sceptre et orbe, Laurel et Hardy, Double-patte et Patachon. Dans sa jeunesse, ses outrances et ses révoltes lui avaient valu une certaine réputation – elle portait une veste et une cravate, comme un homme, et pendant un temps elle fumait même la pipe –, mais au fil des ans tout cela s'est ramené à de simples excentricités. La ville compte des tas d'Olive, de tous genres et variétés.

« Tiens, tiens, mais c'est le génie de la famille », s'est-elle exclamée.

Après que j'avais frappé, elle avait prudemment sorti la tête par la porte d'entrée et m'avait fixé avec les grands yeux bleu-violet de ma mère – les miens aussi – qui, chez elle, sont d'une grâce incongrue. Elle avait revêtu un tablier par-dessus un cardigan marron ; sa jupe était remontée de travers sur les deux protubérances que forment ses hanches. Il faudrait que quelqu'un la présente à la mère de Polly, elles feraient un tandem joliment assorti, telles les beautés en porcelaine de Miss Vandeleur, mais dans un style diamétralement opposé.

« Qu'est-ce qui t'amène à te commettre avec le bas peuple ? »

Elle a toujours eu la langue acérée, notre Olive.

« Entre donc », a-t-elle ajouté.

Elle m'a précédé dans le couloir et a agité derrière elle sa main de la taille d'un battoir, histoire de m'inviter à avancer. Puis elle a éclaté d'un rire glaireux.

« Dodo sera ravie de te voir. »

L'intérieur sentait le bois fraîchement coupé et le vernis. Le dernier hobby de ma sœur, j'allais le découvrir, consistait à tailler et assembler des crucifix miniatures.

Dans la cuisine, une cuisinière à bois brûlait avec un rugissement sourd et il régnait une atmosphère chargée et étouffante. Ici, où l'air semblait avoir été utilisé à l'envi, se mêlaient des senteurs de thé bouilli et d'encaustique associées à une puanteur goudronnée émanant du poêle, ce qui m'a immédiatement rappelé mon enfance. Une table rectangulaire recouverte d'une toile cirée à motifs occupait la majeure partie de la pièce ; elle se dressait là sur ses quatre pieds carrés, têtue comme une mule, et il fallait la contourner laborieusement et avec prudence, car elle avait des coins pointus capables de vous flanquer un méchant petit coup. Des ustensiles cabossés et noircis étaient accrochés au-dessus de la cuisinière et sur le rebord de la fenêtre trônait un pot à confiture orné de fleurs qui, bien qu'en plastique, paraissaient près de se faner. Le plafond était bas, de même que la fenêtre au cadre métallique qui ouvrait sur une cour cimentée et un bout de jardin mal entretenu et désolé. J'ai toujours trouvé bizarres les fenêtres, on dirait que ce n'est qu'une concession de dernière minute aux gens incarcérés et que, si on les fixe assez longtemps, on pourra distinguer la trace des barreaux manquants.

« Regarde qui est là, Dodo, a lancé ou plutôt crié Olive. Le frère prodigue ! »

Dodo, dont j'ai oublié le nom complet si tant est que je l'aie jamais connu – Dorothy machinchose, je présume –, est la compagne de ma sœur depuis des années. C'est une petite costaude avec un étroit visage pointu de bouvreuil et un regard perçant qui vous déconcerte son monde. Une concoction de cheveux d'un blanc pur et tirebouchonnés lui chapeaute fièrement la tête, tel un halo en sucre filé. Je l'ai saluée avec méfiance. Elle manifeste à mon égard, pour des raisons que je ne peux vraiment que supputer, une réprobation profonde, amère et obstinée. Il m'est avis que son œil voit dans les tréfonds de mon âme. Elle a été receveuse d'autobus jusqu'à ce qu'on la mette à la retraite d'office – un trou dans les recettes de ventes de tickets, si je me rappelle bien ce qu'Olive m'a confié, dans un accès de franchise inhabituel.

Olive a dégagé pour moi une des chaises rangées contre la table, dont les pieds ont raclé le sol aux dalles rouges irrégulières, et une fois de plus le passé m'a tiré son chapeau. Pour sa part, Olive s'assied rarement, elle ne cesse de naviguer de-ci de-là, telle une large et maigre créature des arbres au dos voûté. Elle a produit un paquet de cigarettes qu'elle gardait quelque part sur elle, en a allumé une, a tiré une bouffée, puis s'est penchée en avant, les mains en appui sur la table, et s'est offert une longue séance de toux déchirante et au bout du compte satisfaisante, m'a-t-il semblé.

« Regarde-toi, a-t-elle fini par me sortir, haletante, en m'enveloppant de ses yeux larmoyants aux bords inférieurs rougis et affaissés. Regarde dans quel état tu es – qu'est-ce que tu as fabriqué ? »

Résolu à garder mon calme, j'ai répondu platement que j'allais très bien, merci.

« On dirait pas », a-t-elle répliqué dans un grognement rauque.

Dodo, coincée dans un petit fauteuil à dossier droit à côté de la cuisinière, m'observait avec une lueur vengeresse dans l'œil ; elle est un peu sourde et croit toujours qu'on parle d'elle. Les années qu'elle a passées debout dans les autobus lui ont valu des jambes énormément enflées, de sorte qu'elle a pratiquement perdu la faculté de marcher et qu'il faut l'aider dans tous ses déplacements. Je n'arrive pas à imaginer comment Olive, dont les jambes sont à peu près aussi charnues que celles d'un héron, et les articulations tout aussi compliquées, parvient à extraire son amie de sa chaise et à la manœuvrer dans l'espace confiné de leur maison de pain d'épice. Je leur ai un jour proposé de payer de ma poche – elle était bien remplie à l'époque – un logement plus spacieux où toutes deux pourraient s'installer et j'ai eu droit en retour à un regard d'appréhension terrible. Olive a travaillé pendant de nombreuses années comme employée chez Hyland & Co., à la scierie, avant qu'elle ne ferme. Quant à Dodo, je pense qu'elle a un petit pécule caché – l'argent des tickets encore une fois, j'en suis certain. Elles se débrouillent, bon an mal an. Olive protège farouchement ce qu'elle estime avec fierté être son indépendance.

« Et ta fameuse épouse, a-t-elle ajouté en revenant à l'assaut, comment va-t-elle ? »

Gloria aussi allait bien, ai-je répondu, très bien. À cela, Olive a fait : « Euh ! » avant de jeter à Dodo une œillade assortie d'un sourire en coin et même, si je ne me trompe, d'un semblant de clin d'œil. On dirait que les langues ont tricoté, en ville.

« Elle vient pas nous voir, a déclaré bruyamment Dodo en s'adressant à moi. Non, elle vient pas ici. »

Ai-je mentionné que Dodo est originaire du Lancashire ? Ne me demandez pas comment elle a atterri par ici.

« Je sais même pas si je la reconnaîtrais, a-t-elle hurlé d'un ton plus chagrin que jamais, cette Mme Orme.

— Allez, allez, Dodo, a marmonné Olive sur le mode du reproche, mais l'œil pétillant de joie, comme si elle passait un caprice à une enfant difficile mais adorée. Allez, allez. »

Je me suis assis sur la chaise droite en décrivant un angle bizarre avec la table encombrée, les mains sur mes genoux, forcément écartés pour ménager de la place à ce melon mou et ballant qui me sert d'abdomen. Je n'aime pas être gros, ça ne me va pas du tout, mais j'ai beau faire, on dirait que je ne peux pas perdre de poids. Encore, notez que je ne fasse pas grand-chose pour. Peut-être que je devrais essayer le régime incolore de Perry Percival. Mon père, pour s'amuser, me surnommait Jack Sprat, alors que je lui avais expliqué à maintes reprises, avec un mépris glacial mais d'une voix tremblante, que c'était Jack Sprat qui ne mangeait pas de gras, qu'il était donc mince, contrairement à sa femme, obèse. Curieux et curieusement atypiques chez lui, ces éclairs de cruauté qu'il me faisait subir, mon père, et dont certains avaient le pouvoir de me faire pleurer. Peut-être n'était-ce pas intentionnel. Ma mère ne lui a jamais reproché ses moqueries, ce qui me pousse à croire à son innocence. Dans l'ensemble, je le crois innocent et je pense ne pas me tromper.

« Faire un pique-nique dehors par ce temps ! a braillé Dodo plus bruyamment encore, à la manière d'un crieur public. Franchement ! »

Que c'est bizarre de se dire que je ne me verrai jamais de dos. C'est sans doute préférable – imaginez un peu le dandinement –, n'empêche. Je pourrais arranger des miroirs, sauf que ce serait tricher. De toute façon, j'aurais conscience de me regarder, et cette conscience, ce type de conscience, conduit toujours à la fabulation ou au moins à des idées fausses. Est-ce vrai ? Dans ce contexte, ça l'est, le contexte où je me regarde moi-même. Le fait est que je ne me verrai jamais moi-même, de dos ou de face, en ronde-bosse, si l'on peut dire – fort à propos, dans mon cas –, et certainement pas comme les autres me voient. Je suis incapable d'être naturel devant un miroir ; je suis incapable d'être naturel où que ce soit, bien entendu, mais là encore moins. J'approche mon reflet à la manière d'un acteur qui entre en scène – ne le faisons-nous pas tous ? C'est vrai, à l'occasion, par accident, je surprends une vision de moi dans la devanture d'un magasin lors d'une journée ensoleillée, dans un miroir obscur sur le palier d'un escalier ou même dans le miroir avec lequel je me rase un matin alors que je suis engourdi de sommeil ou assommé par les abus de la nuit précédente. Que j'ai l'air angoissé dans ces moments-là, cauteleux, on dirait qu'on m'a surpris en train de commettre un acte vil et honteux. Mais ces rencontres visuelles inopinées ne sont pas bonnes non plus : le je non préparé n'est pas plus convaincant qu'un autre. La conclusion inévitable étant, d'après ma lecture de la chose, qu'il n'y a pas de je – je l'ai déjà affirmé avant, et d'autres aussi, je ne suis pas seul –, que le je auquel je pense, cette flamme de bougie droite et ferme qui brûle perpétuellement en moi, est une illusion, un feu inepte. Ce qui reste de moi alors n'est guère plus qu'une série de poses, une concaténation d'attitudes. Ne vous méprenez pas à mon sujet, je trouve cette idée revigorante. Pourquoi ? Déjà parce qu'elle me multiplie, qu'elle me situe au milieu d'une infinité d'univers de mon cru, où je peux être tout ce que l'occasion et la situation exigent, un véritable Protée auquel personne ne s'accrochera suffisamment longtemps pour l'obliger à avouer. Avouer quoi exactement ? Voyons, tous les actes vils et honteux dont je suis coupable, bien sûr.

Un jour, alors que j'étais en proie à un accès d'autoflagellation coupable particulièrement vigoureux, Polly m'a lancé, non sans une pointe d'impatience, que je n'étais pas aussi mauvais que je le pensais. J'aurais pu lui faire remarquer, mais m'en suis abstenu, que ce qu'elle voulait dire en réalité, c'était qu'elle ne me trouvait pas aussi mauvais qu'elle le pensait. Il n'y a pas de limite à la finesse avec laquelle le rasoir Orme est capable d'œuvrer. Gloria, en sophiste involontaire, m'a dit un jour : « Sois honnête au moins et reconnais que tu es un menteur. » Ça, ça m'a occupé pendant pas mal de jours ; et je médite encore là-dessus.

J'ai jeté un coup d'œil autour de moi. Le rebord de l'évier était ébréché, les robinets en laiton piquetés de taches vertes. J'ai lorgné sur une bouilloire noircie, une théière ternie, le vaisselier avec ses tasses et ses assiettes – la crédence, on disait avant – et, à ma grande consternation et avec une suffisance horrible, sans le vouloir, je me suis senti chez moi.

Olive m'a demandé si une tasse de thé me ferait plaisir. Je lui ai répondu que je prendrais bien un verre. J'avais intensément conscience de la sinistre surveillance à laquelle Dodo me soumettait – ça me rendait nerveux.

« Je ne pense pas qu'on ait de l'alcool », a déclaré Olive en fronçant les sourcils.

On aurait dit que je lui avais réclamé une pinte de laudanum ou une pincée de moly. Elle a fourragé bruyamment dans les placards.

« On a une bouteille de bière brune, a-t-elle marmonné d'un ton dubitatif. Dieu sait depuis combien de temps elle est là. »

Je l'ai regardée verser le machin brun noirâtre dans un verre embrumé de toutes parts par des années de crasse. Mousse jaunâtre aux allures d'écume de mer, goût de fiel. J'ai aussitôt repensé à mon père qui se prenait une pinte le soir, rien qu'une. Quelquefois le moi, le fameux moi inexistant, est capable de pleurer de lui-même, en son for intérieur et sans bruit.

Appuyée contre l'évier, Olive m'a regardé boire. Un bras croisé sur sa poitrine concave, elle fumait une autre cigarette.

« Tu te souviens comment je te préparais un bon coco ? a-t-elle poursuivi. Un œuf à la coque coupé en petits morceaux avec des miettes de pain et du beurre dans une tasse – tu te souviens ? Je te parie que non, je parie que tu as oublié. Je te connais, tu ne te rappelles que ce qui t'arrange. »

C'était dit avec la patience amusée dont elle me traite habituellement. Elle me considère, je pense, comme une sorte de charlatan candide qui a maîtrisé de bonne heure un ensemble d'astuces au rabais mais efficaces et s'en est débrouillé, depuis lors, pour duper tout le monde sauf elle, tout en demeurant, comme mon père avant moi, essentiellement innocent ou juste carrément bouché.

« Ah oui, a-t-elle continué, tu as oublié qui s'occupait de toi quand tu étais petit et que maman s'en allait courir la prétentaine. »

Elle a éclaté de rire en voyant ma tête. Deux centimètres de cendre de cigarette ont dégringolé sur le devant de son tablier ; j'ai toujours l'impression que la cendre, quand elle tombe comme ça, devrait produire un son proche du grondement d'une avalanche au loin.

« Tu n'étais pas au courant, hein, pour maman et ses rigolos ? Il y a beaucoup de choses que tu ne savais pas, que tu ne sais pas, alors que tu te crois très malin. »

Elle s'est penchée, a ouvert la cuisinière pour pousser une bûche dans le brusque enfer de la bouche de l'appareil, puis a refermé la porte en métal de son pied d'une bonne trentaine de centimètres.

Dodo continuait à m'observer avec opiniâtreté de ses petits yeux noirs et vifs d'oiseau.

« Et lui, l'a rien vu du tout », a-t-elle lâché avec dédain et indignation.

Elle a porté son regard d'Olive à moi et retour, la bouche crispée en une grimace de provocation boudeuse.

Cette fois-ci, Olive l'a ignorée.

« Viens avec moi dehors, je vais te montrer mon atelier », m'a-t-elle dit en me tirant par la manche.

Elle a laissé tomber son mégot dans l'évier où il a produit un sifflement qui m'a semblé résonner à mon oreille avec une note spécifiquement méprisante.

On s'est frayé un chemin à travers le jardin. Sous un arbre rabougri, triste et squelettique, un nuage de mouches minuscules, dorées sous la lumière glacée, ne cessaient de monter et descendre énergiquement, tel le mécanisme véloce d'un complexe moteur à air. Merveilleuses petites créatures, être dehors et si actives aussi tard en saison. Où iraient-elles à l'arrivée des grands froids ? Je les imaginais laissant le moteur ralentir tandis qu'elles se retiraient lentement dans l'abri clairsemé de l'herbe d'hiver et s'y allongeaient, menues particules d'or terni éparpillées, dans l'attente du printemps. Pur fantasme, bien sûr ; elles mourraient, c'est tout.

« Tu continues toujours tes histoires ? » s'est enquise Olive.

Le sentier était accidenté et boueux et il fallait que je fasse attention à ne pas glisser dans une flaque d'eau ou trébucher.

« Mes histoires ? Qu'est-ce que tu veux dire par mes histoires ? Ce sont des tableaux que je fais – que je faisais. Je suis peintre. J'étais.

— Oh. Je croyais que c'étaient des histoires.

— Eh bien, non. Ce n'était pas ça. »

Elle a hoché la tête, pensive.

« Pourquoi ? m'a-t-elle demandé.

— Quoi ?

— Pourquoi as-tu arrêté ? De peindre des tableaux ou autre chose.

— Je ne sais pas.

— Oh, bon, c'est du pareil au même de toute façon. »

Voilà, dirais-je, un échange parfaitement typique entre ma sœur et moi. Je ne sais pas si elle comprend les choses délibérément de travers pour m'ennuyer ou bien si elle est vraiment en train de s'embrouiller – elle a dix bonnes années de plus que moi. Et, bien sûr, le quotidien avec Dodo ne stimule guère l'agilité mentale.

Comment interprète-t-elle la vie, ma sœur dégingandée et peu flattée par la nature, je me le demande, et d'ailleurs l'interprète-t-elle de quelque manière que ce soit ? Elle a sûrement une idée, une opinion, de ce que c'est que d'être un être sensible vivant sur cette terre. C'est une question que je me pose souvent à propos d'autres gens, pas seulement d'Olive. Quand elle avait environ dix-sept ans, elle a eu le béguin pour un gars qui ne partageait pas ses sentiments. Je ne me souviens pas de son nom ; ce que je me rappelle, c'est un pignouf souriant avec des dents tordues et une banane. Je l'ai vue pleurer pour lui le jour où elle a dû finalement admettre qu'il ne voulait pas d'elle. On était au

272

cœur de l'été. Elle était dans le salon. Il y avait un siège dans la pièce, dans la saillie de la fenêtre de devant, ce n'était jamais qu'un banc encastré, dur, inconfortable et recouvert d'un similicuir qui diffusait une odeur désagréable, un peu fécale et néanmoins étonnamment rassurante, telle l'odeur d'un vieil animal de compagnie. C'était là qu'Olive s'était jetée dans une pose curieuse, elle était carrément assise, ses grands pieds chaussés d'une paire de sandales roses – je les revois encore, ces sandales – plantés côte à côte sur le sol, mais le torse vivement tordu à partir de la taille et plaqué contre le banc recouvert de similicuir. Le front appuyé sur ses bras repliés, elle sanglotait. Ma mère était là aussi, agenouillée à côté d'elle ; elle caressait d'une main la tignasse rêche et emmêlée de sa fille où se voyaient déjà des traînées de gris, tandis que son autre main reposait sur l'épaule d'Olive. Le soleil qui coulait de la fenêtre les auréolait d'un grand éclat dur. Je n'ai pas oublié l'expression d'impuissance presque paniquée de ma mère. Même à mon jeune regard, la scène – mère de famille compassée réconfortant une jeune fille en pleurs – paraissait exagérée, vieillotte et trop colorée, comme une œuvre de Rossetti ou de Burne-Jones. Caché derrière la porte entrouverte, j'observais tout ça avec une intense fascination et une peur mortelle. Je n'avais jamais vu quelqu'un pleurer avec autant de passion, autant d'abandon naturel, sans honte ; soudainement, ma sœur était transfigurée en une créature qui avait valeur de mystérieux présage, victime sacrificielle exposée sur un autel dans l'attente du grand prêtre et de son poignard. Par la suite, j'ai longtemps été hanté par le sentiment d'avoir surpris quelque chose que je n'aurais pas dû voir, d'être maladroitement tombé sur un rituel secret que ma présence avait grossièrement pollué. Même un petit garçon, ou surtout un petit

273

garçon, est capable d'appréhender le surnaturel et c'est par le biais d'exemples de transgression et de terreur sacrée de ce type que sont nés les dieux, dans l'enfance du monde. Pauvre Olive. Je crois que ce jour-là a marqué la fin des espoirs qu'elle avait peut-être nourris de mener une vie ne serait-ce qu'à moitié satisfaite. D'où ensuite la pipe, la veste et la cravate, les grandes foulées un brin masculines, autant de moyens pour elle de dire merde à la terre entière.

Son atelier était une sorte d'appentis en pitchpin adossé au mur du fond du jardin. Il avait un toit en pente et une porte affaissée flanquée d'une fenêtre rectangulaire de part et d'autre. À l'intérieur, un établi en bois, aussi massif qu'un billot de boucher, auquel était attaché un énorme étau en métal noir de graisse. Une grosse couche de copeaux de bois crissant agréablement sous les pieds jonchait le sol. Ses outils étaient accrochés à une longue planche fixée au mur du fond et soigneusement rangés en fonction de leur utilité et de leur taille. Sur l'établi, il y avait ses boîtes à onglets, ses scies et ses marteaux miniatures, ses cales à poncer, ses tubes de colle et ses pots de vernis poisseux.

« C'était tout le matériel de ton père, m'a-t-elle expliqué avec un grand geste, tous ses outils et ses affaires. »

Elle parle toujours de notre père comme du mien, à croire qu'elle cherche à s'extraire de l'équation familiale. J'ai dit que je ne savais pas qu'il travaillait le bois pour le plaisir. Elle a hoché la tête pour me montrer à quel point je la désespérais.

« Il était toujours dans l'appentis, à jouer de la scie et du marteau. C'était sa façon de la fuir. »

Elle faisait allusion, ai-je supposé, à ma mère, à notre mère. Je me suis saisi d'une boîte à onglets et l'ai tripotée en fronçant les sourcils.

274

« Je parie, a-t-elle ajouté, que tu as aussi oublié que c'était moi qui montais les cadres en bois des toiles dont tu te servais pour tes peintures. »

Mes châssis – elle fabriquait mes châssis ? Si elle se souvenait de ça, pourquoi avoir prétendu croire que j'écrivais des histoires ? Elle a un sacré fond d'hypocrisie, ma sœur.

« Ah oui, notre maman a économisé une fortune grâce à moi, vu que rien ne t'était refusé, quoi que ça ait pu coûter. »

J'ai examiné la boîte à onglets d'encore plus près.

« Et je préparais aussi tes toiles avec de la colle en pâte pour papier peint et un gros pinceau. C'est effacé tout ça, tout le boulot que j'ai fait pour toi, complètement oublié ? Tu as de la chance – je regrette de ne pas avoir une mémoire comme la tienne. »

De minces planches de bois dur étaient entassées dans un coin et sur le bord de l'établi était accrochés une douzaine ou plus de Christs identiques, maintenus chacun par un tout petit clou enfoncé dans la paume d'une main, si bien qu'ils pendouillaient à la manière d'une rangée de nageurs en perdition faisant des moulinets désespérés avec les bras. Réalisés en plastique dur, ils avaient l'éclat moite et cireux de boules de naphtaline. Tous avaient une couronne d'épines en plastique et une brillante tache de peinture écarlate sur le côté gauche du torse, juste en dessous de la cage thoracique. À ma connaissance, Olive n'est pas très portée sur la religion ; à une autre époque, elle aurait probablement été condamnée au bûcher. Je l'ai visualisée dans son antre de sorcière, le soir, clouant ses poupées vaudoues sur leurs croix de bois en gloussant doucement par-devers elle.

« J'ai commandé de la peinture phosphorescente pour faire les yeux », a-t-elle ajouté avec simplicité, en plissant les lèvres et en tripotant une mèche de cheveux rebelles – à l'évidence, c'était pour elle une innovation particulièrement inspirée.

Je lui ai demandé ce qu'elle faisait des crucifix lorsqu'ils étaient terminés. Là, elle s'est montrée évasive.

« Je les vends, bien sûr », m'a-t-elle répondu, haussant une épaule osseuse et laissant l'autre retomber, histoire d'évacuer ma question avant de s'appliquer à choisir puis à allumer une autre cigarette.

Elle a jeté l'allumette encore enflammée sur les copeaux à nos pieds. Sincèrement curieux, je lui ai demandé à qui elle les vendait. Elle s'est remise à tousser et s'est appuyée sur l'établi, les épaules voûtées, en tapant doucement du pied. Une fois la crise passée, elle s'est redressée et, la main pressée contre la poitrine, a levé la tête en émettant une sorte de meuglement.

« Oh, il y a un magasin qui achète ce genre de trucs », m'a-t-elle dit en haletant.

C'était un bobard évident. J'ai dans l'idée qu'elle s'en débarrasse ou les utilise en guise de petit bois pour la cuisinière. Elle a pris une longue bouffée et a soufflé vers la fenêtre la fumée qui s'est transformée en une douce volute aux allures de citrouille aplatie ; une grande part du monde est informe alors qu'il paraît tellement solide. Olive, je l'ai vu, a vite cherché à changer de sujet.

« Comment va ton copain ? Le gars qui répare les montres.

— Marcus Pettit ?

— Marcus Pettit ? » a-t-elle criaillé en m'imitant.

Elle a fait une grimace idiote et agité la tête, ce qui m'a évoqué l'illustration de Tenniel où Alice a un cou démesurément long après qu'elle a mangé le champignon magique de la chenille.

276

« Combien de réparateurs de montres crois-tu qu'il y ait dans cette méga-métropole ? »

J'ai reposé la boîte à onglets et me suis éclairci la gorge.

« Je n'ai pas vu Marcus depuis un moment, ai-je répondu en fixant mes mains.

— C'est clair. »

Elle a lâché un rire rauque.

« Vous jouez à un drôle de petit jeu, ta clique et toi. »

Ma nuque s'était mise à me brûler. On n'est jamais trop vieux, je trouve, pour avoir le sentiment de se faire gronder comme un gamin.

« Je présume que tu n'as pas vu sa bourgeoise non plus depuis un moment. »

Je m'apprêtais à rétorquer bien sèchement quand elle a levé la main et penché la tête au bout de cette longue tige qu'est son cou pour analyser un bruit en provenance de la maison, qu'elle seule pouvait entendre.

« Oh, la voilà qui recommence », s'est-elle écriée sur un ton platement contrarié.

Elle a aussitôt déserté l'appentis et traversé le jardin au pas de course pour gagner la porte de derrière. Je l'ai suivie plus lentement. Je pense que j'étais encore cramoisi.

Dodo, dans son fauteuil, était en grande détresse : son petit visage était chiffonné, elle poussait des couinements d'oiseau et battait des mains et des pieds tandis que de grosses larmes de bébé lui mouillaient les yeux. Olive, qui se penchait sur elle en émettant des sons apaisants, m'a lancé un regard noir par-dessus son épaule.

« Ce n'est rien, m'a-t-elle dit en aparté, elle a juste ouvert les écluses. »

Puis, avisant de nouveau Dodo, elle a crié :

« Hein, Dodie, ce sont que les écluses, pas la grosse commission ? »

Elle s'est penchée davantage, a reniflé, puis m'a expliqué :

« Tout va bien, c'est juste un peu humide, rien de grave. »

Elle s'est redressée et m'a attrapé par le bras.

« Tu vas dans le couloir et tu attends », m'a-t-elle ordonné.

Le vent, qui s'était subitement levé, a gémi dans la cheminée et soulevé le couvercle de la cuisinière. Humiliée et craquant honteusement, Dodo sanglotait à cœur perdu.

« Va-t'en, va-t'en ! » a grogné Olive en me chassant.

Il faisait froid dans le couloir obscur. Un pâle rai de lumière teintée de rose qui tombait à travers le carreau rubis de l'imposte au-dessus de la porte d'entrée m'a ramené à l'esprit la rangée de Christs de travers et à moitié crucifiés dans l'appentis. Petit, je trouvais toujours effrayantes les statues d'église, leur façon d'être plantées là, pas tout à fait grandeur nature, leurs yeux tristes et baissés, leurs fines mains tendues, implorant avec lassitude quelque chose de moi que je ne pouvais deviner et qu'elles-mêmes semblaient avoir oublié depuis longtemps. La lampe du sanctuaire, constamment allumée, rouge comme le verre de la lunette au-dessus de la porte et me surveillant sans relâche, moi et mes manières de pécheur, m'inquiétait aussi. La nuit parfois, je m'éveillais et frissonnais en repensant à cet œil perpétuellement vigilant et pulsant dans le vaste vide sonore de l'église.

Dans le couloir à présent, une foule de choses du passé toupinait autour de moi, là et pas là, à l'instar d'un mot que j'aurais eu sur le bout de la langue.

De sourds bruits de lutte et de tension me parvenaient de la cuisine où Olive devait être en train de changer Dodo. J'entendais les cris larmoyants de la grosse petite bonne femme et les paroles de réconfort bourrues de ma sœur. Ce devait être de l'amour après tout, ai-je pensé, fragile et en demande d'un côté, pragmatique et brusque de l'autre. Pourtant, ce n'était pas quelque chose que je pouvais assumer : trop simple et dénué d'embellissement pour moi ; trop banal, au bout du compte.

Pourquoi n'ai-je pas quitté la maison à ce moment-là ? Pourquoi ne suis-je pas sorti pour m'éloigner à pas furtifs dans la liberté de l'après-midi ? Olive ne s'en serait probablement pas formalisée, elle n'aurait probablement même pas remarqué mon départ ; quant à la pauvre Dodo, elle aurait été heureuse, j'en suis sûr, d'être débarrassée d'un témoin de son humiliation. Qu'est-ce qui m'a retenu dans ce couloir, quels doigts d'un monde révolu m'ont-ils caressé, agrippé ? L'odeur du lino, celle du vieux papier peint, de la cretonne poussiéreuse et ce rai de lumière rougeoyante et sanctifiée posé sur moi. À ma grande surprise, j'ai senti des larmes me piquer les paupières. Pour quoi, pour qui pleurais-je ? Pour moi, bien sûr ; pour qui d'autre ai-je jamais pleuré ?

Peu après, j'ai été rappelé à la cuisine. Tout était comme avant, à part une forte odeur d'ammoniac, le teint écarlate de Dodo et ses yeux baissés. Je me suis rassis à la table. Le vent cognait contre la maison à présent, ébranlait les fenêtres, faisait craquer les chevrons et, sous ses assauts, la cuisinière recrachait des jets de fumée par de minuscules fentes autour de sa porte et des bords de son couvercle chauffé à vif. Peu à peu, je me suis senti absorbé par le rythme indolent de la pièce. Olive, occupée à préparer une nouvelle théière, m'ignorait et passait derrière moi comme si je n'étais qu'un obstacle vaguement embêtant qui avait toujours été là.

Je me surprends à repenser, sans raison, au myrte en pot de Gloria, celui qui a failli crever. Je continue à dire que c'est un myrte, mais je suis certain que ce n'en est pas un. Craignant un retour des parasites, Gloria a un jour décidé de couper toutes les feuilles. Elle s'y est employée avec un acharnement qui ne lui ressemble pas et m'a paru presque biblique ; la mâchoire résolue, elle a éliminé sans pitié jusqu'aux pousses les plus petites et les plus tendres. Une fois sa mission accomplie, elle a affiché une mine satisfaite, alors qu'elle semblait encore agitée par les répliques de sa vertueuse colère. Pour ma part, je n'ai pu que compatir avec le pauvre arbuste, qui, ainsi ratiboisé, avait l'air formidablement complexé et mortifié. À mon avis, Gloria me tient d'une certaine façon pour responsable du sort de ce malheureux, à croire que c'est moi qui ai amené les parasites à la maison, pas seulement en les transportant, mais en les produisant, énorme larve blanchâtre nantie d'une poche boursouflée qui aurait un beau jour explosé et répandu ses innombrables petits partout sur le protégé vert miniature et sans défense de madame. Il a passé tout l'automne sans feuilles et apparemment sans vie aussi jusqu'à la semaine dernière, où il s'est réveillé et s'est mis à sortir des bourgeons à un rythme stupéfiant – on aurait presque pu les voir grossir. Je ne sais trop que penser de cette profusion anormale à l'orée de l'hiver, mais peut-être aurais-je intérêt à ne rien penser du tout. Gloria n'a pas commenté la résurrection de la plante, bien que j'aie l'impression de déceler une lueur triomphale dans son œil, comme si elle se sentait exonérée ou, en un sens, vengée de quelque chose, de quelqu'un. Elle est d'une humeur très étrange, irritable, que je ne comprends pas du tout. C'est très dérangeant. Je passe mon temps à attendre que l'air se mette à vibrer, que le sol se dérobe sous mes pieds, alors que j'ai tendance à me dire qu'il ne peut pas y avoir davantage de tremblements de terre après tout ceux qu'il y a eu.

Je me suis penché vers la table, j'ai terminé mon fond de bière tiédasse où traînait encore un peu de mousse, reposé mon verre, puis j'ai déclaré qu'il fallait que j'y aille. Les épaules voûtées et marmottant de temps à autre un ou deux mots furieux entre ses dents, Dodo refusait toujours de me regarder, préférant fixer la cuisinière d'un œil noir. En fait, elles étaient bien assorties, elles avaient la même dégaine boulotte, et toutes deux se consumaient intérieurement, marmonnaient pardevers elles et balançaient de méchants jets de chaleur et de fumée. Je suis un parfait anthropomorphiste.

Olive m'a raccompagné à la porte et on est restés un moment côte à côte dans l'épaisse lumière dorée de cette fin d'après-midi. Le vent était tombé aussi soudainement qu'il s'était levé. De grosses feuilles fauves raclaient la chaussée et, dans un arbre quelque part, un vieux corbeau toussait d'une voix rauque et jurait intérieurement. Quelle mémoire j'ai pour retenir tant de choses aussi nettement ; je dois les imaginer. Les mains enfoncées dans les poches de mon pardessus, j'ai jeté un coup d'œil autour de moi en plissant les yeux. Tristes pensées de saison finissante. Puis, à ma grande surprise, je me suis entendu demander à ma sœur si je pouvais revenir la voir ; j'ignore ce qui m'avait piqué. Au lieu de répondre, Olive a souri et porté son regard au loin avec ce mouvement de côté qu'elle fait avec sa mâchoire inférieure lorsque quelque chose l'amuse.

« Tu n'as jamais su, hein, à quel point tu étais aimé, m'a-t-elle dit, jamais durant toutes ces années, et maintenant regarde-toi. »

J'ai voulu l'interroger – à quel point j'étais aimé, par qui ? –, mais elle a hoché la tête avec encore ce sourire triste et entendu. Elle a posé la main sur mon coude et m'a poussé, pas méchamment.

« Rentre, Olly. Rentre retrouver ta julie. »

Ou bien était-ce vie qu'elle avait dit ? – pas julie, mais vie ? Quoi qu'il en soit, je suis parti.

Cependant, je n'étais pas encore très loin lorsque j'ai entendu un cri et, en me tournant, j'ai vu Olive me courir après avec quelque chose à la main. En la voyant pédaler sur ce haut trottoir avec son tablier, son cardigan et ses vieux chaussons de feutre, j'ai constaté avec un grand choc qu'elle charriait avec elle toute une famille de ressemblances : mes parents étaient là, ma mère comme mon père, mon frère mort, moi aussi j'étais là, ainsi que mon enfant disparue, ma petite fille disparue, et des tas d'autres que je connaissais, mais ne reconnaissais qu'à moitié. C'est ainsi que les morts reviennent, via les vivants, pour nous entourer, pâles fantômes d'eux-mêmes et de nous.

« Tiens, m'a dit Olive, haletante, c'est un cadeau pour toi. »

Elle m'a fourré un crucifix en bois dans la main.

« Peut-être qu'il te portera chance et t'évitera d'en piquer un. »

Et elle a éclaté de rire.

La notion de fin, je veux dire la possibilité qu'il y ait une fin, voilà qui me fascine depuis toujours. Ce doit être la mortalité, la nôtre, qui nourrit ce concept. Je vais mourir, vous aussi, et il y a une fin, disons-nous. Mais même ça n'est pas certain. Après tout, en dépit de ce que les prêtres nous promettent, nul homme, nul fantôme n'est encore revenu de cette destination tristement célèbre pour nous parler des plaisirs ou autres qui nous y attendent, et il n'y a guère de risque qu'ils le fassent. Entre-temps, dans notre monde déchu, dans notre monde fini, il est impossible de terminer ce qu'on entreprend, on ne peut qu'interrompre, abandonner. En effet, que serait un achèvement ? Il y a toujours quelque chose en plus, un autre pas à risquer, un autre mot à prononcer, un autre coup de pinceau à ajouter. La composition de toutes les compositions est une composition en elle-même. Ah, mais attendez un instant. Il faut réfléchir à la boucle. Nouez les extrémités et l'affaire peut continuer éternellement, à tourner, tourner. Là, c'est sûrement une sorte de fin. D'accord, il n'y a pas d'arrêt final en tant que tel, pas de butoir auquel le train se heurterait. En tout cas, en dehors de la boucle, il n'y a rien. Enfin, bien sûr que si, il y a même beaucoup de choses, il y a presque tout, mais rien d'important par rapport à la chose qui tourne, étant donné qu'elle est complète en elle-même, en une infinité tournoyante qui lui est propre.

Merveilleux combien une injection de spéculation pure – peu importe la logique contestable –, glacée et aussi incolore qu'une piqûre d'opium, peut atténuer brièvement jusqu'à la pire affliction. Brièvement.

Quoi qu'il en soit, le prétexte de ce bref interlude de gymnastique mentale d'aujourd'hui était l'idée que, à chaque bout, à chaque extrémité, devrais-je dire, de la boucle particulière que je fais tourner entre mes doigts, et entre les vôtres – en vérité, il s'agit plus d'un jeu de ficelle que d'une boucle –, nous devrions avoir un pique-nique. Oui, un pique-nique, en fait des pique-niques, pas un mais deux. Revenez-en à la remarque que j'ai lâchée, oh, il y a une éternité, selon laquelle cette première rencontre dont j'avais souvenir entre nous quatre, soit Polly, Marcus, Gloria et moi, était une petite sortie dans un parc quelconque ; on y était allés ensemble un après-midi d'été où il avait plu par inter-mittences. J'en avais alors parlé comme d'une version du *Déjeuner sur l'herbe*, mais le temps, je veux dire, ces derniers temps, l'ont ramenée à quelque chose de moins audacieux. À la place, imaginez par exemple une scène de Vaublin, *mon semblable*, non, mon jumeau, pas en été cette fois mais en une autre saison, plus sombre, le parc crépusculaire avec ses masses d'arbres auburn sous de lourds amoncellements de nuages ves-péraux, abricot foncé, dorés, blanc gesso et, dans une clairière, voyez le petit groupe lumineux disposé sur l'herbe, un personnage grattant paresseusement une mandoline, un autre regardant pensivement au loin, le doigt pressé sur une joue fossetée – elle avait vraiment des fossettes, la Polly, à l'époque –, et, à l'avant-plan, une beauté blonde à chignon vêtue de soie à reflets dorés tandis que quelqu'un d'autre tout près, devinez qui, cherche à grappiller un baiser. Je bannis délibéré-ment la pluie, les moucherons, la guêpe que j'ai trouvée en train de patauger désespérément dans mon verre de vin. Ils ont l'air aussi convenables qu'il vous siéra, ces pique-niqueurs rassemblés là en petite bande, non ? Et pourtant, il y a chez eux quelque chose d'un rien dis-sonant, comme si cette mandoline ventrue avait une corde désaccordée.

À propos, vous vous êtes trompé sur l'identité secrète de l'embrasseur putatif. Honnêtement, ce n'était *pas moi* ! – pour rester sur le thème français que nous sem-blons favoriser aujourd'hui, du fait, je présume, de la soudaine apparition de Vaublin.

Jalousie. Voilà maintenant un sujet approprié pour une autre de mes dissertations dont je suis sûr que vous êtes totalement saturé à présent. Mais je n'ai découvert la jalousie que ces dernières semaines et ça reste une nouveauté, si je peux formuler ça ainsi. Le scandale du cœur, le sang en feu, une aiguille dans l'os, choisissez la formule qu'il bous plaira. Moi, je m'en vais vous conter tout net et sans vernis l'histoire de mon amour. Enfin, il y aura forcément une lichette de vernis, même si je vais essayer de me limiter à un fin badigeon. Comme toujours avec ces affaires – le mot juste ! –, on ne connaît jamais toute la vérité. Il y a toujours quelque chose qui est omis, passé sous silence, supprimé, une date habilement falsifiée, un rendez-vous présenté comme autre chose, un coup de fil qu'on a failli entendre et qui s'interrompt brutalement au milieu d'une phrase. De toute façon, si on devait se voir offrir la vérité pleine et entière, sans vernis, on ne l'accepterait pas, étant donné qu'après le premier mouvement de soupçon, tout se teinte d'incertitude, baigne dans une lueur vert de bile. Ce n'est que lorsqu'il m'a fallu subir l'idée de ma bien-aimée, d'une de mes bien-aimées – de mes deux bien-aimées ! –, pressée chair contre chair et transpirante contre un autre que moi que j'ai compris enfin la signi-fication du terme « obscène » et perçu sa majesté écra-sante, tout en robe et mitre. Oui, dès lors que cette crapule a pointé le bout de sa vilaine petite tête, serrée dans son casque puce brillant, il n'y a plus eu moyen d'éviter son œil terrible et triomphant.

C'est Dodo, justement, qui avait semé le premier léger doute. Son allusion à un pique-nique, formulée sans réfléchir, du moins m'avait-il semblé sur l'instant, s'était néanmoins fichée dans mon esprit à la façon d'une petite graine dure et pointue, laquelle n'avait pas tardé à développer une vrille entortillée, pousse originelle de ce qui allait devenir une fleur toxique, luxuriante et nauséabonde. Je me suis mis à arpenter les ruelles de la ville, à cheminer d'un pas lourd dans mon long manteau, les mains serrées dans mon dos – imaginez Bonaparte sur l'île d'Elbe –, soucieux,

285

réfléchissant, calculant et surtout ratissant mes souvenirs à la recherche d'indices à même d'alimenter ma conviction de plus en plus ferme qu'il se passait des choses dont je n'avais jusqu'à présent rien su ou devant lesquelles je m'étais aveuglé. Qu'est-ce qu'il y avait eu, qu'est-ce qu'il y avait réellement eu entre nous quatre, ce jour lointain dans le parc sous le soleil et la pluie ? Avais-je donc été tellement occupé à découvrir Polly et à me la réserver pour l'avenir, à la façon dont une araignée – Seigneur ! – emballe une mouche vert paon à l'éclat somptueux, pour ne pas remarquer qu'il se déroulait ailleurs quelque chose d'équivalent ? Le problème, quand on repense ainsi à des événements antérieurs, qu'on essaie de démêler le passé emmêlé, c'est que tout se découple – ha ! – et la moitié des efforts que j'avais à faire consistait simplement à me mettre au pas avec moi-même et aller tout droit là où je n'avais aucune envie d'arriver. Même les fils de ma syntaxe en viennent à s'embrouiller.

« Disons, a déclaré Gloria en choisissant ses mots, je l'ai remarqué, avec une grande pondération, que nous avons établi une entente. Ni toi ni moi n'avons parlé de ça ce jour-là, le jour du pique-nique, et on a continué ainsi longtemps, des années ; nous n'y sommes venus que lorsqu'il y a eu suffisamment de provocation.

— Suffisamment de provocation ? ai-je bafouillé. Comment ça ? »

Les choses que mon imagination m'impose ! – c'est la soudaine apparition de Bonaparte deux paragraphes plus haut qui me pousse à présent à me voir, dans cette confrontation capitale, attifé d'une redingote, de culottes blanches moulantes et d'un gilet croisé en toile à voile encore plus moulant et tellement tendu sur mon petit ventre rondelet qu'il donne à mes joues un éclat apoplectique tandis que je me pavane devant ma femme miraculeusement sereine, mon front bombé barré d'une mèche grasse, et que la Grande Armée se bouscule à la porte en ricanant. En réalité, la porte était en verre et il n'y avait personne dehors. Nous étions dans le jardin d'hiver, lequel n'était guère qu'une vaste serre érigée pour le plaisir du public par des ancêtres philanthropiques de Freddie Hyland au sommet d'une autre des modestes collines de la ville – de là, en regardant vers l'est, nous pouvions voir, au-delà d'un bon kilomètre de toitures enchevêtrées, le soleil hivernal, déjà près de se coucher, qui brillait tenacement contre les fenêtres de notre maison sur Fairmount. Le jardin d'hiver nous offrait la solitude nécessaire au type de dispute dans laquelle nous étions englués, car l'endroit est toujours désert : la ville a d'emblée considéré qu'il s'agissait d'une ridicule sottise, de surcroît mauvaise pour la santé en ces jours tuberculeux, à cause de l'humidité et de la moiteur ambiants. À l'époque de l'hégémonie Hyland, l'annonce le vendredi soir de licenciements dans une ou plusieurs des fabriques ou usines de la famille se propageait à travers la ville à la vitesse d'une flamme attisée par le vent et, la nuit venue, une foule d'ouvriers nouvellement chômeurs et vociférants montaient Haddon's Hill d'un pas lourd, entouraient la folie sans défense et brisaient la moitié des carreaux, que le samedi matin les Hyland, avec une force d'âme et une lassitude bien à eux, faisaient remplacer par des équipes dûment payées regroupant les mêmes ouvriers qui les avaient brisés la veille.

« Tu es totalement indécrottable », a ajouté ma femme.

Elle me regardait sans méchanceté, avec à peine l'ombre d'un sourire.

« Tu en as conscience, non ? Tu dois, je pense. »

287

C'était une froide journée et, ici à l'intérieur, de brillants filets de condensation ne cessaient de ruisseler le long des panneaux de verre gris de brume, si bien qu'on avait l'impression d'être dans un hall haut de plafond circonscrit par de grands pans de rideaux de perles argent et brillants. De vieux brûleurs à gaz étaient fixés sur les entretoises de la charpente en bois. Longtemps auparavant, quelqu'un avait gravé les mots « Les boches à la potence » sur l'un des grands panneaux, sans doute avec une bague en diamant, et du coup j'ai imaginé Freddie Hyland, les yeux exorbités, la langue sortie et bleue, grotesquement pendu à l'une des poutres métalliques au-dessus de nous.

J'ai dit à Gloria que je ne voyais pas de quoi elle parlait et qu'à mon avis elle non plus. Est-ce que, lui ai-je demandé, pendant des années, des années et des années, depuis le fameux jour du pique-nique dans le parc, Marcus et elle avaient été – quoi ? Des amants clandestins ?

« Oh, ne sois pas ridicule ! » m'a-t-elle répondu en tendant le menton en avant et en riant.

Ces derniers temps, j'avais remarqué son nouveau rire : un son froid, métallique, qui ressemble beaucoup au carillon d'une cloche lointaine se déployant au-dessus des champs un jour de gelée et qui doit être, maintenant que j'y songe, le pendant du petit sourire glacé de Marcus que Polly m'avait décrit de manière si mémorable. Je transpirais à présent et pas seulement à cause de la chaleur moite du jardin d'hiver. Je les imaginais tous les deux ensemble, ma femme et mon ancien ami, en train de discuter de moi, lui souriant et elle avec son nouveau rire tintant, et j'ai éprouvé le coup de poignard de l'angoisse la plus nette, la plus pure qui soit, si pure et si nette que, l'espace d'une seconde, elle m'a coupé le souffle. On découvre toujours de nouvelles façons de souffrir.

« En plus, a poursuivi Gloria, tu as un sacré culot de me faire la morale sur le thème des amants clandestins. »

Nous avions avancé jusque dans la Palm House, un nom bien pompeux pour ce qui n'est qu'une des extrémités du bâtiment fermée par des panneaux de verre. C'est un espace sinistre, claustral, peuplé d'une végétation imposante, plus proche des animaux que des plantes, avec de grosses feuilles de la taille d'oreilles d'éléphant et des paquets de trucs épais et poilus à la base qui donnent l'impression que les végétaux sont affublés de chaussettes tirebouchonnantes. Assise sur un petit banc de pierre, Gloria fumait une cigarette, un peu penchée en avant, les jambes croisées et un coude en appui sur un genou. J'avais du mal à comprendre comment elle pouvait être, ou paraître, aussi calme. Elle avait mis son grand manteau blanc à col conique, celui que je déteste. Ici, dans cette atmosphère humide, chaude et fétide, j'avais la sensation d'avoir basculé d'une haute fenêtre et de planer, porté, allez savoir comment, par un puissant courant : d'ici peu, j'entamerais un long plongeon vers la terre durant lequel l'air hurlerait à mes oreilles tandis que le sol se rapprocherait en tournoyant à une vitesse étourdissante et de plus en plus vertigineuse. Malgré ça, j'avais aussi envie de rire, un besoin insensé et douloureux.

« Tu aurais dû me le dire », ai-je marmonné.

Je suis sûr que je me tordais les mains.

« Te dire quoi ?

— Pour le pique-nique. Pour toi et (j'ai cru m'étouffer) pour toi et Marcus. »

Là, elle est repartie de son petit rire.

« Il n'y avait rien à dire à ce moment-là. En plus, je t'avais vu en train de reluquer Polly ce jour-là, ce jour-là il y a des années, d'essayer de voir sous sa robe.

— Qu'est-ce que tu racontes ? » ai-je protesté.

Oui, j'ai beaucoup protesté ce jour-là.

« Tu imagines des choses ! »

Je sentais dans mon dos ces créatures aux oreilles énormes ; ces arbres éléphantesques n'oublieraient rien de ce qu'ils entendaient, l'annonce de ma chute enfin.

« Écoute, la seule chose qui se soit passée, m'a dit Gloria avec patience, comme si elle cherchait à réexpliquer un problème compliqué à un simple d'esprit, c'est que nous nous sommes rendu compte que nous étions des âmes sœurs, Marcus et moi. »

J'ai eu l'impression que quelque chose de lourd et de doux en moi se retournait dans un splash.

« Quoi, me suis-je écrié d'une voix enrouée. Toi et ce grand échalas ? »

Comme vous le voyez, j'en étais arrivé aux injures. Il ne m'avait pas fallu longtemps.

« Des âmes sœurs ? ai-je répété dans un nouveau chevrotement de dégoût. Tu connais mon mépris pour ce genre de truc, non ?

— Oui, m'a-t-elle répondu en me regardant sans broncher, oui. »

Je suis passé devant elle et j'ai dégagé, avec le gras de mon poing, une petite ouverture dans la buée recouvrant le panneau de verre. De l'autre côté, un ciel récuré et, sur l'horizon, une frange de nuages roses teintés de plomb rappelant un rembourrage qui serait sorti de son enveloppe. On dirait qu'il y a toujours des nuages comme ça, même par les journées les plus dégagées ; il doit toujours pleuvoir quelque part. Je me suis tourné pour parler à ma femme, assise de dos sur le banc, mais me rendant compte que je n'y arriverais pas je suis resté à contempler la lueur pâle de sa nuque penchée, impuissant. Gloria a pivoté et m'a regardé par-dessus son épaule.

« Comment l'as-tu su ? m'a-t-elle demandé.

— De quoi parles-tu ?

— Du prétendu pique-nique.

— Lequel ? »

Elle m'a fixé, les lèvres pincées.

« Je ne risque pas trop de faire allusion à celui auquel nous avons participé tous les quatre, non ? »

Je lui ai répondu que quelqu'un avait dû les voir ensemble, Marcus et elle.

« Bien sûr, a-t-elle fait, amusée. C'était inévitable, je présume, vu ce qu'est cette ville. »

Puis elle m'a observé avec davantage d'attention, a froncé les sourcils, subitement soucieuse, m'a-t-il semblé.

« Viens, m'a-t-elle ordonné en tapotant la place vide sur le banc à côté d'elle, viens t'asseoir, mon pauvre. »

Il n'y a que dans les rêves que les choses sont inévitables ; dans le monde éveillé, il n'y a rien qu'on ne puisse éviter, hormis une illustre exception. C'est toujours ce que j'avais vécu jusqu'alors. Mais sa façon de faire, de tapoter le banc et de me dire mon pauvre m'annonçait une inévitabilité inéluctable.

« Dis-moi la vérité, l'ai-je implorée en m'affaissant à côté d'elle.

— Je t'ai dit tout ce qu'il y a à dire. »

Elle a lâché son mégot à ses pieds et l'a écrasé adroitement du talon.

« La personne, quelle qu'elle soit, qui nous a vus, n'a pas pu voir grand-chose. J'avais apporté une de tes bouteilles de vin et Marcus quelques sandwichs infects qu'il avait achetés Dieu sait où. Nous sommes allés à Ferry Point et je me suis garée sur la place qui domine le pont. On a parlé pendant des heures. J'ai eu horriblement froid. Tu aurais dû voir mes doigts, comme ils étaient rouges. »

J'aurais dû voir ses doigts.

« C'était quand ? ai-je demandé en m'enfonçant plus profondément et presque douillettement dans mon malheur tout neuf.

— Juste après ton départ, quand Marcus a compris ce qui se passait depuis un bout de temps, m'a-t-elle expliqué d'une voix plus dure. Moi, je le savais depuis très longtemps, bien sûr.

— Qu'est-ce que tu veux dire par depuis très longtemps ?

— Depuis le début, je pense.

— Et ça ne te gênait pas ? »

Elle a réfléchi à ma question, s'est de nouveau penchée en avant en remuant les orteils dans une de ses chaussures.

« Si, ça me gênait. Mais j'ai versé toutes les larmes que j'avais à la mort de la petite, donc il ne m'en restait plus pour toi. Désolée. »

J'ai hoché la tête en fixant mes mains. On aurait dit qu'elles appartenaient à quelqu'un d'autre : noueuses, parcourues de veines aussi grosses que des cordes, décolorées.

« Si tu savais, ai-je poursuivi, pourquoi ne lui as-tu rien dit ?

— À Marcus ?

— Oui, à Marcus. Puisque vous étiez des âmes sœurs. »

Elle a esquissé une sorte de mouvement réprimé sous son manteau.

« Je croyais qu'il savait aussi. On ne parlait jamais de toi ni de Polly, en tout cas pas avant que tu partes.

— Et là ? Vous avez parlé de nous alors ?

292

— Pas beaucoup. »

J'ai regardé un palmier géant qui se dressait au-dessus de nous, telle une trombe d'eau verte gelée s'exhibant dans toute sa grandeur baroque et solennelle. Les frondes non encore déployées, aussi larges dans leur largeur maximale que des canoës locaux, avaient de profonds reflets dorés et portaient, aux endroits où elles étaient les plus basses, de nombreuses marques, hiéroglyphes de vieux graffitis. Quelle chose massive il faisait, campé là en une position d'apparente souffrance, mais qu'il était aérien aussi. La tension des choses : indépendamment du médium employé, c'était toujours l'élément le plus difficile à saisir. Tout s'arc-boute pour résister à l'attraction du monde, tente de s'élever tout en demeurant cloué au sol. Un violon, nerveusement tendu sur ses cordes, est toujours plus léger qu'il n'y paraît et, quand on s'en saisit, on a l'impression qu'il cherche à nous échapper. Pensez à l'arc d'un archer juste après que la flèche en acier trempé est partie, pensez au ping de la corde, à l'élasticité de son arc, à la vibration et au vrombissement sur toute sa longueur incurvée. Ai-je jamais réalisé quelque chose qui ait cette souplesse, cet allant avaleur d'air ? Je crois que non. Mes travaux à moi étaient toujours gravides, alourdis par le trop-plein de mes attentes.

« Polly n'est pas au courant, n'est-ce pas ? » ai-je marmonné.

Je m'exprimais en failli lugubre essayant de savoir si sa porte d'entrée au moins est bien restée sur ses gonds.

« De quoi ?

— De ce second pique-nique présumé que vous avez fait, Marcus et toi.

— Je ne sais pas ce que Polly sait, m'a-t-elle répondu avec une sorte d'éclat de rire. Polly a d'autres fers au feu. »

D'autres fers, quels autres fers ? n'ai-je pas demandé. Non, je n'allais pas insister davantage. Il y avait des limites au nombre de coups que je pouvais encaisser, venant de cette matraque-là.

J'ai ajouté que tout ce qu'il y avait eu entre Polly et moi était terminé ; de toute façon, si on mesurait ça sur l'échelle générale des choses, ça n'avait pas été très important.

« Oui, a dit Gloria en hochant la tête. Et entre Marcus et moi, quoi qu'il y ait eu ou pas, c'est fini aussi. »

Je me suis levé pour aller me poster de nouveau devant le carreau de la serre et de nouveau j'ai contemplé la ville. Le soleil que nous voyons se coucher n'est pas le soleil lui-même, mais son image résiduelle réfractée par la lentille de l'atmosphère de la Terre. Tirez-en une leçon, si vous voulez ; moi, je n'en ai pas l'énergie.

« Qu'est-ce qu'on va faire maintenant ? ai-je balbutié.

— Rien du tout, a répliqué ma femme en s'emmitouflant étroitement dans son manteau malgré la chaleur humide qui nous enveloppait. Pour nous, il n'y a rien à faire. »

Elle avait raison. Tout était déjà joué, même si, à mon avis, elle n'avait pas encore idée de ce que ce tout allait impliquer. Pourquoi les surprises de la vie sont-elles presque toujours désagréables avec en prime, rien que pour faire bonne mesure, un petit quelque chose de méchamment comique ?

Un jour, récemment, j'ai marché jusqu'à Ferry Point et j'ai escaladé la pente escarpée de la colline, en traversant des fourrés de genêts encore en fleur et des taillis hérissés de tiges de fougères mortes très pointues et traîtres. Je suis tombé à plusieurs reprises, j'ai déchiré mon pantalon, je me suis égratigné les genoux et j'ai complètement esquinté mes chaussures absurdement peu adaptées au terrain – que sont donc devenues les bottes que Janey m'avait prêtées à Grange Hall ? Quand j'ai fini par arriver en haut, je me suis fait l'effet d'être une sorte de Billie Bunter, la peau cuisante et meurtrie après encore un autre de ces malheureux accidents dont il est coutumier. Pauvre Billy, tout le monde se moque de lui, je ne comprends pas pourquoi : personnellement, il me paraît très triste. Le sommet de la colline est plat, comme s'il avait été proprement tranché, ce qui laisse un large cercle de sol argileux où pas grand-chose ne pousse, même en été, sinon des broussailles, des chardons et çà et là un coquelicot solitaire, timide et rougissant. C'est un endroit très fréquenté par ce que nous appelions avant des couples de tourtereaux – ils montent en voiture la nuit et se garent face au célèbre panorama, encore qu'ils n'aient guère l'esprit à contempler le paysage, d'autant qu'il y a peu de chances qu'ils distinguent grand-chose dans le noir. J'ai déjà vu jusqu'à une demi-douzaine de voitures là-haut, garées côte à côte, tels des phoques se dorant au soleil, les vitres couvertes de buée ; en général, il n'en sort aucun bruit, même si de temps en temps un ou deux véhicules se mettent à brimbaler sur leurs amortisseurs, doucement d'abord, puis avec une ardeur de plus en plus pressante. Parfois aussi, des gens seuls viennent ici. Ils se garent à bonne distance des autres, leurs véhicules baignant apparemment dans une sorte d'obscurité plus marquée. Leurs pare-brise, aux prises avec un désespoir muet, fixent sombrement la nuit tandis que, derrière les reflets du verre brillant, flamboie le bout d'une cigarette qui rougeoie et s'éteint, rougeoie et s'éteint.

La vue est magnifique, j'en conviens. L'estuaire, large plaque d'argent moucheté, s'étend vers l'horizon, flanqué de bois de noisetiers où personne ne s'aventure à part un rare chasseur et dominé par de paisibles collines joliment arrondies qu'encadrent les limites du ciel. Ici, sur ces hauteurs décapitées, la souche d'une tour en ruine forme une sorte de moignon de doigt pointé vers le ciel sous le coup d'une furieuse récrimination ; à l'époque des Normands, la tour devait surveiller le gué étroit de la rivière en contrebas, à présent enjambée par le vieux pont métallique qui, à en juger par son aspect branlant, ne devrait pas tarder à s'écrouler. C'est là que le fermier au camion m'a récupéré durant cette nuit d'orage et de cavale, il y a combien de mois maintenant ? Pas plus de trois – je peux à peine y croire ! Et c'est ce pont que Marcus a raté de peu en descendant.

Encore essoufflé et haletant, je me suis assis sur un rocher moussu au pied du mur latéral de la tour. Qu'est-ce qui m'avait amené ici ? Ce lieu avait une signification singulière, non, des significations multiples. C'était ici que Marcus et ma bourgeoise avaient eu leur premier rendez-vous amoureux, durant ce second pique-nique où ils avaient bu mon vin et mangé les infects sandwichs de Marcus. Était-ce en plein jour ou de nuit ? En plein jour sûrement : même des amants clandestins ne feraient pas un pique-nique dans le noir, non ? J'ai imaginé les doigts de Gloria rougis par le froid. Je l'ai imaginée levant son visage souriant, les yeux clos. J'ai imaginé le front de Marcus barré par une mèche de cheveux, que soulevait le souffle de Gloria. J'ai imaginé la voiture brimbalant sur ses amortisseurs.

J'ai fermé les yeux et j'ai senti sur mes paupières la modeste chaleur du soleil de novembre.

Les choses continuent d'aller de travers dans le grand univers – vous parlez d'un anthropomorphisme ! Ces éruptions solaires n'ont pas l'air de devoir se calmer. Des vrilles de feu et de gaz émergent de fissures dans la croûte incandescente de l'astre et fusent dans l'espace, à plus d'un million de kilomètres de haut pour certaines, paraît-il. Les magasins vendent un bidule permettant d'observer ces perturbations titanesques, un masque en carton équipé d'une sorte de filtre spécial au niveau de la fente des yeux. On tombe sur des enfants, et pas que des enfants, masqués et pétrifiés en pleine rue, le nez levé vers le ciel, comme envoûtés, ce qu'ils sont, je présume, le soleil étant le plus vieux et le plus séduisant des dieux. Il y a de spectaculaires pluies de météorites aussi, feux d'artifice gratuits à la tombée de la nuit, aussi bien cadencées que la mécanique universelle. Tous les deux jours, on apprend une nouvelle catastrophe. De terribles marées submergent des archipels et balaient tout devant elles en noyant des dizaines de milliers de petits hommes bruns, des pans de continents se brisent et s'écroulent dans la mer tandis que des volcans recrachent des tonnes de poussières qui enténèbrent les cieux partout dans le monde. Entre-temps, notre pauvre Terre estropiée effectue lentement sa rotation excentrique avec des tremblotements de toupie en fin de course. Le vieux monde revient, en une progression rétrograde qui fonctionne à plein régime, si bien que d'ici peu tout sera comme avant. C'est ce qu'affirment devins et médiums. Les églises sont bondées, résonnant de foules de fidèles dont les chants chevrotants se lamentent et implorent.

J'ai dû m'endormir une minute pendant ma pause au soleil sur mon rocher protégé par le moignon de la tour. C'est un truc qui m'arrive de plus en plus souvent ces jours-ci ; cette légère narcolepsie est apparemment causée par les tourments du cœur. En entendant qu'on m'apostrophait, je me suis réveillé en sursaut. C'était un vieux bonhomme voûté et très maigre, le menton hérissé de barbe et l'œil chassieux. L'espace d'une seconde, je l'ai pris pour le vieux fermier au camion, aux cheveux droits sur la tête et – si seulement j'avais su – au conte prophétique sur la noyade. Tout bien réfléchi, c'était peut-être lui. À ce stade de décrépitude, je dirais que rien ne ressemble plus à un vieillard qu'un autre vieillard. Son pantalon, retenu par un jeu de ficelles, comme il aurait sûrement appelé ses bretelles, et d'une saleté extraordinaire, aurait pu en accommoder deux comme lui et flottait sur son postérieur et ses jambes décharnées. Il avait une chemise sans col, un long manteau et, comme son pantalon, ses bottes sans lacets étaient beaucoup trop grandes pour lui.

« T'as une clope, mon pote ? » m'a-t-il demandé dans un coassement.

J'ai répondu que non, je n'avais pas de cigarette et, aussitôt, sans savoir pourquoi – à moins que quelque chose dans l'œil laiteux du petit vieux ne m'ait rafraîchi la mémoire –, je me suis rappelé que je montais régulièrement ici, des années auparavant, quand j'étais gamin, avec un copain de classe dont j'étais amoureux. Son prénom, vous ne me croirez pas, était Oliver. Je dis amoureux, mais bien entendu j'utilise ce terme dans son sens le plus innocent ; il ne nous serait pas venu à l'esprit, à Oliver comme à moi, de même nous toucher. Pendant la plus grande partie d'une année scolaire, nous avons été inséparables. Nous étions les deux Olly, l'un petit et gros, l'autre grand et mince. Je ne l'aurais jamais montré, mais j'étais terriblement fier d'être vu en sa compagnie, comme si j'étais un explorateur et lui une noble créature d'un pittoresque impressionnant, un chef peau-rouge, par exemple, ou un prince aztèque, que j'aurais ramené avec moi après de longues années de pérégrinations. À la fin, un triste septembre, il est parti s'installer dans une autre ville avec sa famille, loin, me laissant seul. On s'était promis de garder le contact et je pense que nous avons même échangé une lettre ou deux, mais après la connexion s'est rompue.

L'un des attraits de mon copain, et non des moindres, était qu'il avait un œil de verre. Il n'est pas fréquent de croiser un œil de verre de nos jours, à moins que l'expertise des fabricants actuels donne à ces prothèses l'aspect du vrai. Oliver avait perdu son œil dans un accident – même s'il tenait à affirmer sombrement que ce n'en était pas un, pas du tout : son frère lui avait tiré dessus avec un fusil à air comprimé. Il était très susceptible pour ce qui concernait sa défiguration et je pense qu'il s'était convaincu que les gens ne remarquaient rien si on n'attirait pas leur attention dessus. Il détestait retirer sa prothèse, alors que je souhaitais instamment qu'il le fasse – qui ne voudrait pas observer les gadgets derrière, toutes ces veines pourpres qui serpentaient là, cet enchevêtrement de microtubes, ces minuscules embouts dotés de ventouses à leurs extrémités ? Lorsqu'il a fini par céder – qu'est-ce qu'on ne ferait pas pour un ami à cet âge-là ! –, j'ai éprouvé une profonde déception. Il s'est penché en avant et, serrant les doigts d'une main, a effectué un vif mouvement de rotation et, hop, l'œil s'est retrouvé dans sa paume, plus gros qu'une grosse bille, brillant, humide de partout et exprimant, allez savoir comment, indignation et stupeur en même temps. Comme je l'ai signalé, ce n'était pas l'appareillage qui m'intéressait le plus, mais l'orbite. Cependant, quand il a relevé la tête et m'a fait face avec une curieuse timidité de jeune vierge, il n'y avait pas la caverne béante que j'avais espérée, mais juste un trou rosâtre et fripé avec une fente noire à l'endroit où les paupières ne se rejoignaient pas totalement. « C'est pour le remettre que c'est embêtant », m'a lancé Oliver d'un ton légèrement blessé, légèrement accusateur.

Le vieil homme s'était éloigné et traînassait sur le sommet de la colline en toussant à la façon d'une chèvre et en se grattant. Que cherchait-il, qu'espérait-il dénicher ? L'endroit était jonché de paquets de cigarettes froissés, de mégots écrasés, de mini-bouteilles d'alcool vides, de bouts de papier semés de taches non identifiables, de capotes étalées dans la boue. Que fabriquions-nous ici, l'autre Olly et moi ? Assis à l'ombre du mur de la tour, comme moi aujourd'hui, on passait des heures à discuter avec passion de la vie et de sujets connexes. Oh, quel tandem sérieux nous formions ! Mon copain avait un regard étrangement fixe et, malgré ou à cause de son œil de verre, particulièrement pénétrant. Je le trouvais d'un raffinement merveilleux et il était certainement plus intelligent et bien plus cultivé que j'aurais jamais espéré l'être. Il savait tout sur le désormais tristement célèbre postulat du Brahman, alors que je n'en avais même pas entendu parler, et il était capable de discourir sur la théorie des infinités jusqu'à la saint-glinglin. Son père l'avait inscrit, m'avait-il dit, à l'Institut de technologie Godley, ce siège de prouesses technologiques qu'Oliver appelait familièrement et avec une nonchalance impressionnante le vieux ITG. J'étais bien trop intimidé pour évoquer devant lui mes projets de peinture. En y repensant, j'ai dans l'idée que je ne l'intéressais pas beaucoup, en dépit de notre grande amitié – même parmi les écoliers, il y en a toujours un qui est aimé et l'autre qui aime. Je me demande ce qu'il est devenu. Un boulot sans intérêt quelque part, je suppose, assistant gestionnaire, peut-être, dans une banque de province. Il est rare que les types vraiment intelligents se montrent à la hauteur de leurs débuts prometteurs, tandis que nombre d'empotés finissent par se secouer et par briller. Moi, j'ai fait le contraire, j'ai commencé par briller, puis je me suis éteint.

Gloria attend un enfant. Pas le mien, inutile de le préciser. Elle ne sait qu'en faire, et moi non plus. Pas la peine de reparler de colère, de jalousie, d'amer chagrin ; tout ça est évident. On perçoit très vivement, elle et moi, le côté un tantinet grotesque de notre malheur. On est embarrassés et on ne sait comment gérer cette situation. On pourrait faire comme si j'étais le père, rien de plus facile, mais je ne pense pas qu'on le fasse. Peut-être que Gloria s'en ira, comme autrefois les dames de la bonne société lorsqu'elles se découvraient fort mal à propos dans une situation intéressante. Il y a la maison d'Aigues-Mortes sur laquelle elle continue à se pencher ; elle pourrait peut-être s'y retirer jusqu'à son terme – que j'adore ces vieux euphémismes gracieux –, mais à quoi bon ? Il lui faudrait bien revenir un jour avec, dans ses bagages, son bébé inexpliqué et en pleine santé. Pour le moment, elle n'a pas l'intention de me quitter. Même si elle ne me l'a pas dit de manière aussi explicite, je le sais. Elle a de bonnes raisons de s'en aller et je suppose que techniquement j'ai de bonnes raisons de lui demander de partir, mais depuis quand les bonnes raisons constituent-elles de bonnes raisons pour faire quoi que ce soit ? Il ne s'agit pas de protéger notre réputation – je crois que Gloria ne se soucie même pas de ce que Polly pense d'elle –, juste de faire ce qu'il faut. Cela vous paraîtra bizarre, j'en ai conscience, et je ne suis moi-même pas très sûr de ce que ça veut dire, mais ça veut dire quelque chose. Pour ce qui est de la morale et des mœurs, je ne crois pas à grand-chose, pourtant je suis convaincu qu'il est possible, pas forcément d'ordonner le désordre mais, du moins, de l'organiser en configurations non dénuées d'harmonie pour certaines. Une fois de plus, c'est une question d'esthétique. Là aussi, j'ai le sentiment d'avoir l'agrément tacite de Gloria.

301

Tout est confus, bien sûr, chaotique. Je songe à réunir les parties concernées – peut-être pas Olive et certainement pas Dodo, même si je sais qu'elles seraient plus qu'intéressées – pour leur expliquer qu'une erreur a été commise, que, en toute justice, je ne devrais pas avoir à faire les frais de toutes ces dissensions, de tous ces tourments. Enfin, peut-être ne devrais-je pas parler de justice. Je ne prétends pas être la seule partie lésée ; nous le sommes tous ici. Mais c'est moi le voleur – c'était moi –, je ne suis pas la victime. Et je veux en effet dire clairement que personne ne m'a pris ce qui m'a été pris, que c'est moi qui ai décroché. Je suis seul responsable de mon infortune.

Le vieux bonhomme est revenu de sa prospection, les mains vides, et s'est assis à côté de moi sur le rocher en arrangeant les amples jambes de son pantalon autour de ses genoux, telle une femme qui ajuste ses jupes avec modestie. Le rocher était suffisamment large pour nous accueillir tous les deux, de sorte qu'on était là l'un et l'autre sans être néanmoins ensemble. J'étais heureux qu'on soit dehors, car il sentait remarquablement mauvais, même pour un vagabond : peau d'animal en décomposition avec des suggestions de gaz naturel et des notes de fromage bien fait.

« C'était un copain, ce gars, hein ? » a-t-il voulu savoir.

J'étais en train d'observer un petit nuage orange translucide qui se frayait innocemment un chemin le long de l'arête d'une des basses collines et s'apprêtait à traverser l'estuaire. J'ai pensé à Oliver, je veux dire Marcus, penché sur son établi, la loupe de bijoutier vissée à l'orbite, bricolant avec minutie dans les entrailles de la montre de mon père, une Elgin.

« Je l'a vu, l'aut' jour, dans sa grosse bagnole, quand il a bu le bouillon. C'était par là-bas. »

302

Il m'a indiqué l'endroit de son ongle crasseux.

« Il y a encore les marques de pneus dans l'herbe, si tu veux les voir. »

Il s'est gratté vigoureusement, a soupiré, hoché la tête, puis craché pour faire bonne mesure.

« On aimerait pas avoir à se reprocher un truc pareil, hein ? » a-t-il dit.

Enfin, je pense que c'est ce qu'il a dit, à moins que mes oreilles ne m'aient égaré, ce qu'elles aiment faire à l'occasion, en des occasions difficiles. Le petit nuage plaquait une tache rosée sur la surface de l'eau loin en contrebas.

Tic, toc.

Tic.

Toc.

Noël, avec ses clochettes et ses boules, est enfin derrière nous. Il a été particulièrement sinistre cette année ; ce n'est guère surprenant, vu les circonstances. Gloria et moi avons passé la journée dans une paisible solitude, loin du monde et, en général, loin l'un de l'autre. On a bu un verre de vin ensemble à midi, puis chacun s'est retiré dans ses quartiers, avec un plateau, une bouteille et un livre. Très civilisés. Nous attendons la nouvelle année avec une inquiétude diffuse. Qu'adviendra-t-il de nous tous ? De fatidiques événements, plusieurs fatidiques événements nous guettent. Gloria va rester ici, ça semble certain – il n'est plus question d'Aigues-Mortes –, du moins jusqu'à la naissance de l'enfant. J'envisage de lui suggérer qu'on essaie de faire en sorte que ça marche, nous trois, papa, maman et la petite surprise à maman. Drôle de fantasme, j'en conviens. L'enfant ne sera pas une fille, je pense. En tout cas, j'espère que non : la dernière n'a pas eu beaucoup de chance. Non, j'imagine qu'il y a là-dedans un autre Marcus l'horloger qui attend son heure.

J'ai fait une descente dans mes cachettes secrètes, ici et à la maison de gardien – une initiative angoissante, cette visite, j'ai eu l'impression d'être mon propre fantôme –, et j'ai jeté à la poubelle un paquet de trésors d'une époque révolue. À commencer par la dame en porcelaine de Miss Vandeleur, celle à la robe verte, que j'ai sortie de sa boîte à cigares toujours odorante et soigneusement époussetée ; il y avait aussi le couteau de poche au manche en nacre chapardé il y a des années à mon bien-aimé ami Oliver, celui à l'œil de verre, et une petite assiette en cristal subtilisée – ce sera, hélas, la dernière apparition de ce doux mot charmant qui, pour moi, évoque tellement Polly –, un jour fort lointain dans mes souvenirs, dans un palais vénitien qui semblait encore miroiter des reflets des lumières sur l'eau. Tout est parti dans un sac au fond de la poubelle. Donc, vous voyez, je me suis amendé. C'est un hummm que je vous entends marmonner ?

Que je savoure ces derniers jours, les derniers de l'année, tous intensément bleu et anthracite avec des nuances miel et de longues zones d'ombre sur des fonds à la Chirico. Le soleil est toujours en ébullition et, grâce à ses éruptions intempestives, notre faux été de Noël se prolonge. Un grand silence règne, comme si le monde, tapi dedans, retenait son souffle. Qu'attendons-nous ? J'ai l'impression d'être séquestré, dans la clandestinité, de ne pointer le bout de mon nez que de temps à autre pour prendre la température de l'air. Oui, imaginez-moi, Brock le blaireau au fond de son terrier, sur le qui-vive lui aussi, dans l'attente de Dieu sait quoi, la fourrure parcourue de picotements, car il pressent que quelque chose d'effroyable ne va pas tarder à se produire.

Un jour, il y a peu, Polly m'a sommé de la recevoir à l'atelier. Et c'était bien une sommation : sa requête avait quelque chose d'impérieux. J'ai docilement grimpé l'escalier escarpé et grinçant et je l'ai trouvée là, sur la dernière marche, qui m'attendait devant la porte, comme très souvent, mais de manière bien différente. Elle portait un long manteau près du corps et des talons hauts – des talons hauts ! – et avait une nouvelle coupe de cheveux, courte et d'une sévérité élégante. Un rai de lumière provenant d'une petite fenêtre au-dessus du palier lui tombait dessus et lui prêtait un air de statue, de sorte qu'on aurait dit une vague allégorie de la ténacité, l'Endurance féminine ou l'Esprit du veuvage, quelque chose dans ce goût-là. Elle m'a salué avec beaucoup de sérieux ; elle affichait une mine préoccupée, comme si elle avait fait halte sur le chemin d'un rendez-vous autrement plus important – réminiscence de Perry Percival. Elle n'a pas retiré les mains des poches de son beau manteau : craignait-elle que je m'imagine qu'elle me prendrait dans ses bras ? J'ai tendu la main devant elle afin d'ouvrir la porte et me suis revu – en quelque sorte représenté à l'identique sur un jeu de cartes que ma mémoire aurait passé au crible – en train de faire le même geste, de me pencher de la même façon, un peu gauchement, un peu en déséquilibre, en d'innombrables occasions par le passé.

À l'intérieur, l'atelier avait l'aspect familier-pas familier des salles de classe le jour de la rentrée. Tout paraissait trop éclairé et beaucoup trop outré. L'odeur, bien sûr, ravivait ma mémoire et mon cœur ; rien de tel qu'une odeur. Polly a jeté un coup d'œil indifférent autour d'elle et son regard ne s'est même pas arrêté sur le canapé.

« Comment vas-tu depuis le temps ? » m'a-t-elle lancé.

Elle a penché la tête de côté et m'a étudié ; on aurait pu croire qu'elle se livrait à une évaluation judicieuse, non de ma personne, mais de mon portrait, et n'appréciait guère ce qu'elle découvrait.

« Tu n'as pas l'air en forme. »

Je lui ai répondu qu'elle avait raison, car je ne me sentais pas en forme, c'était sûr. J'ai ajouté qu'elle, en revanche, avait l'air, avait l'air – hélas ! impossible de trouver le mot juste : les formulations aussi compliquées n'existent pas.

Elle a affiché un vague sourire, haussé un sourcil et, durant une seconde, je lui ai trouvé une ressemblance choquante avec ma femme. Avec ces talons, elle avait une demi-tête de plus que moi. Elle se tenait de nouveau sous la lumière qui tombait cette fois de la grande lucarne sous laquelle nous nous étions si souvent allongés en contemplant avec délices les lents changements du ciel, les processions majestueuses des nuages, les mouettes d'un blanc laiteux qui tournoyaient et piquaient vers la terre. Elle a déboutonné son manteau. Dessous, elle portait une jupe et un haut qui m'a paru avoir une ressemblance suspecte avec un *dirndl*, même si c'est sans doute une idée qui me vient a posteriori. La jupe, évasée, lui arrivait à mi-mollets, et le corsage semblait aussi imprenable qu'une cotte de mailles, or je me suis surpris à m'élancer, en ouvrant grand les bras, comme si elle allait peut-être, comme si je pensais vraiment qu'elle allait peut-être venir s'y nicher. Elle s'est reculée de deux à trois centimètres, son sourcil a décrit un arc encore plus accentué et il n'en a pas fallu davantage pour me stopper net. J'ai laissé mes bras retomber le long de mon corps et on a cessé de se regarder en même temps. Il y a eu des raclements de gorge. Polly s'est écartée, a fait quelques pas délibérément lents, puis inévitablement elle s'est arrêtée à la table où inévitablement elle s'est saisie de la petite souris de verre à la queue cassée qu'elle a tournée entre ses doigts en fronçant les sourcils.

« Elle était là tout du long », ai-je dit.

Elle a continué à examiner la souris.

« Comment ça, tout du long ?

— Quand on était ici.

— Et je ne m'en suis jamais aperçue. »

Elle a hoché la tête en esquissant une grimace qui n'exprimait rien de spécial. Ses pensées étaient loin de cette souris, de moi, de cette pièce, de ce moment. Elle était quelqu'un d'autre à présent. Moi, bien sûr, je me suis rappelé Marcus me disant, au Fisher King ce fameux jour, qu'il ne connaissait plus sa femme ; que de leçons négatives l'amour ne nous assène-t-il pas ! Elle s'est éloignée de la table, les mains toujours au fond des poches de son manteau.

« Et Gloria, s'est-elle enquise d'un ton plus vif, plus cassant, à moins que ce n'ait été un effet de mon imagination, comment va-t-elle ?

— Oh, petit à petit, elle va mieux, ai-je répondu. Voilà. »

Bien entendu, je mourais d'envie de lui demander pourquoi elle m'avait fait venir ici, et d'entendre sa réponse ; la simple curiosité est un besoin extrêmement fort, je trouve. Elle a cessé de faire les cent pas, a fixé le canapé pensivement, sans le voir, je m'en suis aperçu. Ensuite, elle m'a jeté un regard en coulisse, l'œil plissé.

« Et vous allez garder l'enfant ? Tu vas faire semblant d'être le père ? » m'a-t-elle lancé comme si elle allait pouffer de rire.

Je n'ai rien répondu, me suis contenté de lui présenter mes paumes en un geste d'impuissance ; je devais un peu ressembler à l'un des Christs à moitié crucifiés d'Olive.

Elle s'est remise à arpenter la pièce en revenant sur l'accident de Marcus – ce sont les mots qu'elle a utilisés, son accident. Elle s'exprimait lentement, en se calquant sur le rythme de ses pas. On aurait cru qu'elle dictait un texte, afin que soit enregistrée une déclaration dont elle devrait par la suite attester la vérité. J'ai essayé d'évoquer, de revoir les après-midi que nous avions passés ensemble, à nous rouler dans les bras l'un de l'autre, mais ces deux amants formaient désormais un autre couple, aussi méconnaissables pour moi que l'était cette nouvelle Polly, plus grande, plus grave, impossiblement distante, qui déambulait devant moi. Marcus avait toujours été inattentif, a-t-elle poursuivi, ou peut-être valait-il mieux dire qu'il n'était pas attentif, qu'il ne faisait pas attention en tout cas, alors qu'il aimait cette vieille bagnole merdique. Pauvre Marcus, a-t-elle conclu en hochant la tête. Était-ce pour cette raison, me suis-je demandé, que nous étions là, pour qu'elle puisse me dicter sa déposition, que je la consigne dans les archives et referme le livre des aveux ? Lorsque les gens disent, ainsi qu'ils le font aujourd'hui, que Marcus a dévalé la colline de Ferry Point et plongé accidentellement dans la mer étale d'un après-midi d'automne, un bourdonnement résonne sous mon crâne, une vibration rapide et monotone qui me donne mal à la tête et m'oblige à plisser mes paupières endolories. C'est dû, j'imagine, à un hurlement réprimé. Pourtant, en écoutant Polly et en la regardant entrer et sortir de ce parallélogramme de lumière blafarde déployé par terre sous la lucarne, je n'ai perçu en moi qu'une tendre tristesse, presque une forme de compassion.

Peu après, je me suis aperçu qu'elle avait cessé de parler de Marcus – peut-être qu'au départ elle n'avait pas parlé de lui, peut-être que j'avais mal entendu ou bien que je m'étais fait des idées –, qu'elle discutait de quelqu'un d'autre, quelqu'un qui n'avait absolument rien à voir avec son mari décédé. En fait, aussi stupéfiant que cela puisse paraître, c'était de son futur mari qu'il était à présent question.

« Naturellement, nous ne resterons pas ici, disait-elle, ce serait impossible, vu tout ce qui s'est passé. »

Elle s'est interrompue, m'a fixé d'un œil clair et ingénument interrogateur où j'ai cru néanmoins déceler une vague supplique.

« C'est vrai, hein ? a-t-elle insisté. Moi, je pense que ce ne serait pas possible. »

Mais où, lui ai-je demandé, en cherchant confusément à gagner du temps, où comptait-elle aller ?

« Oh, à Regensburg, m'a-t-elle répondu en écorchant un peu le nom de la ville, je l'ai remarqué (il va falloir qu'elle apprenne à maîtriser le *r* teuton), où Frederick possède toujours une maison de famille. »

Elle a lâché un petit rire.

« C'est un château en réalité, je crois. »

Puis elle a froncé les sourcils.

« Ça nous changera beaucoup d'ici. »

Elle était maintenant bien loin, je le voyais, et rien de ce que j'aurais pu dire ou faire ne l'aurait ramenée ici. Je me suis assis sur le canapé, les mains, paumes offertes, mollement posées sur les cuisses. À coup sûr, j'avais aussi la bouche mollement ouverte, la lippe rouge brillant et pendante, le souffle court et bruyant. Regensburg ! D'une certaine façon, j'avais pressenti que ce lieu occuperait un jour une place importante dans cette pitoyable catastrophe qu'est ma vie. J'ai vu tout le bazar clairement, sorte d'illustration d'une page du livre d'heures du prince Frederick le Grand, l'air sévère et stupide dans son manteau bordé de fourrure et son chapeau pointu, recevant un lys symbolique d'un truc quelconque des mains de son épouse revêtue de sa longue robe bleu de Limbourg, lui accompagné de son page, le vieux Matty Myler, et elle des sœurs Hyland en guise de demoiselles d'honneur, tous entourés de licornes gambadantes et, dans le lointain, une maquette miniature de la cité, avec ses flèches et ses fanions, ses tours et ses nids de grues et, haut, très haut au-dessus de la scène, encadré par une arche dorée, le grand orbe du soleil répandant sa bénédiction dans toutes les directions.

Freddie Hyland. Oh, Freddie, avec ta cravate, tes pellicules et ton bé-bé-bégaiement. Donc, tout du long, c'était toi, le loup rôdant dans le paysage serein. Pourquoi n'ai-je pas deviné que tu retenais ton souffle ? Je n'ai pas eu la présence d'esprit de te prendre au sérieux. C'était aussi simple, et aussi simplement banal, que ça. Eh bien, là, j'ai appris une leçon, entre autres : ne jamais sous-estimer quiconque, même un Freddie Hyland. J'aurais pu tarabuster Polly pour qu'elle me fournisse des détails, des dates, des heures, des lieux, car j'étais sûrement en droit de les entendre, mais je me suis abstenu. Je présume qu'elle mourait d'envie de me les donner, non pas par cruauté ni par souci de revanche toutefois – elle ne s'est jamais montrée revancharde, ni cruelle, même pas là, à la fin –, mais juste pour entendre ça à voix haute, cet extraordinaire conte de fées qu'elle s'était fabriqué à partir de ce qui ressemblait à un gros tas de déchets. Je ne pouvais guère m'insurger – ne méritait-elle pas d'être heureuse ? Car elle comptait bien l'être : je le voyais dans chacun des gestes de son nouveau comportement. Et quid de Marcus, décédé si récemment ? Je ne voulais surtout pas citer son nom et j'espérais aussi qu'elle ne parlerait plus de lui. Je crai-gnais que cette nouvelle grande version étonnamment calme de la Polly auprès de laquelle je m'allongeais sur ce vieux canapé vert aujourd'hui si triste me m'inflige toute une batterie de justifications, feutrées, raisonnées, patiemment égrenées sur ses doigts.

Elle se préparait à partir. Je voyais bien qu'elle essayait de me plaindre ou du moins de faire comme si. Je devais offrir un triste spectacle, ainsi terrassé, le souffle coupé. Mais je ne pouvais plus m'intégrer dans son monde : les angles totalement émoussés, les flancs glissants, encombrant et aussi peu maniable qu'un piano coincé à l'entrée d'une pièce, je n'avais pas la forme qu'il fallait. En plus, pourquoi m'aurait-elle voulu, moi, le gros crapaud, alors qu'elle avait déjà son prince ?

Elle a boutonné son manteau et s'est rapprochée à petits pas de la porte. Elle m'a expliqué qu'elle allait rendre visite à ses parents et s'était arrêtée en chemin. Son père était malade – on craignait une pneumonie – et sa mère avait une de ses crises habituelles. Les laisser lui serait extrêmement difficile, a-t-elle ajouté. Elle reviendrait souvent les voir, bien sûr, mais ce ne serait pas pareil que d'être ici pour veiller tendrement sur eux. Encore affalé devant elle, je l'ai regardée d'un air torve sans rien répondre. Elle avait sorti une fine paire de gants en cuir de chevreau noir et les enfilait en remuant vivement les doigts. J'ai remarqué qu'elle ne portait pas de bague, mais me suis dit qu'elle devait en avoir une, un héritage de famille, sans doute, remontant à l'époque de la Maggie de fer, avec les armes des Hohengrund gravées dans un diamant, et qu'elle l'avait retirée et cachée en m'attendant en haut de l'escalier. Dans l'euphorie de nos débuts, j'avais souhaité qu'elle ait une bague. Cette idée l'avait fait rire – comment aurait-elle expliqué ça à Marcus ? J'avais déclaré qu'il y avait plusieurs façons de la porter sans qu'on la voie : elle pouvait la glisser sur un cordon noué autour de son cou ou bien la coudre dans un vêtement, lui avais-je suggéré, excité à la pensée de ce petit anneau d'or se réchauffant dans l'opacité argent entre ses seins ou luisant dans l'ombre de ses cuisses. Elle n'avait rien voulu entendre et, même si je ne l'avais pas montré, j'en avais été grandement déçu et abattu.

« Ah, pendant que j'y pense, a poursuivi Polly, alors que son attitude, attentive et néanmoins distraite, désireuse d'être loin mais retenue par une ultime tâche, dénotait clairement que ce qu'elle allait dire l'avait mobilisée depuis le début. Je me demande (elle a fermé le poing et fixé d'un air contrarié le dos tendu de son gant) si tu prendrais le chien. Barney, je veux dire. Ils ne sont vraiment plus en état de s'en charger et je soupçonne Janey de lui flanquer des coups de pied quand tout le monde a le dos tourné. »

Elle a fait un pas dans ma direction avec un petit sourire éclatant et quémandeur, un sourire dont je ne l'aurais pas crue capable.

« Oh, ne dis pas non, Olly », a-t-elle murmuré.

Je me rappelle avoir pensé : C'est la dernière fois que je l'entendrai prononcer mon nom. Elle a avancé d'un pas supplémentaire, ce qui a d'une certaine façon contribué à adoucir encore davantage la luminosité de ses yeux gris opalescents et leur a donné de l'éclat.

« Tu veux bien adopter ce malheureux ? m'a-t-elle supplié en affectant une voix zozotante de bébé. S'il te plaît ? »

Tentant de me relever, je me suis tortillé sur les vieux ressorts amortis du canapé et j'ai fini par me remettre debout avec un grand grognement, puis me suis planté devant elle en chancelant légèrement. J'ai dû hocher la tête, ou elle a dû croire que je l'avais fait, car elle a applaudi joyeusement, m'a remercié avec une précipitation rauque, puis a avancé encore d'un pas, avec un grand sourire cette fois et en tendant même les lèvres pour m'octroyer ce qui aurait sans doute dû être une bise reconnaissante sur la joue. Saisi de panique, j'ai reculé jusqu'à ce que le bord des coussins du canapé pressé contre l'arrière de mes mollets m'arrête. Je pense que si elle m'avait touché, ne serait-ce que d'un de ses doigts gantés, je me serais brisé en une myriade de minuscules fragments, tel un verre de vin pulvérisé par les trilles frénétiques d'une soprano. Une seconde plus tard, elle était partie, dévalait l'escalier en trombe, puis j'ai entendu claquer la porte d'en bas. Je l'ai imaginée traversant la rue en courant, les genoux en dedans comme de juste, les pans de son manteau volant au vent. Je me suis traîné jusqu'au carré d'air où elle s'était tenue et, là, j'ai levé la tête et inspiré lentement, profondément. Elle pouvait changer tout ce qu'elle voulait chez elle, sauf son odeur qui mêlait les discrètes fragrances du beurre et du lilas. Il paraît qu'on n'a pas souvenir d'une odeur, c'est faux.

Je me suis approché de la table pour me saisir de la petite souris de verre : je l'ai pressée si fort dans ma main que le bout de queue cassé m'a percé la paume et fait saigner. Un stigmate ! – un seul, mais pour l'heure il me suffisait.

Voilà donc le tableau. Gloria va avoir un enfant, Polly a son prince et moi j'ai un chien en bout de course. Vous admettrez que ce n'est pas une mauvaise conclusion. Barney, le pauvre vieux, est couché à mes pieds ou dessus, comme d'habitude. Il est lourd, le poids de la mortalité est là. Sa respiration, rapide et rauque, ressemble au bruit d'un moteur mécanique, un peu rouillé et doté d'un piston défectueux, qui fonce vers ce moment où il s'arrêtera brutalement dans un bref et ultime soupir. Par instants, ledit moteur se coupe bel et bien, mais c'est juste pour contribuer à la libération d'un de ces pets d'une discrétion trompeuse, dont la puanteur fait virer l'air au vert, épouvantable et néan-moins adorable memento mori qui vous soulève le cœur. Je me suis entraîné à repérer cette *ominous caesura* et, sachant ce qui va suivre, vide précipi-tamment les lieux. Pendant que je me rue vers la sortie, le chien lève sa grosse tête carrée et me lance un regard chargé d'un mépris épuisé. M. Plomer, le père de Polly, me l'a confié devant la porte d'entrée richement décorée de Grange Hall, au coucher du soleil, un après-midi de janvier, en me remerciant profusément ; il souriait désespérément, sans paraître remarquer les larmes massées sous ses paupières qui tombaient comme autant de gouttes de mercure dans l'air crépusculaire et cons-tellaient la manche de son vieux manteau de tweed de sombres taches de la taille de pièces de six pence. De Mme P., il n'y avait pas trace, ce dont je me suis réjoui, je l'avoue.

J'avais cru que Gloria s'opposerait à ce que je prenne le chien, mais elle trouve au contraire très drôle que j'en sois encombré et, quand d'aventure son œil tombe sur la bête, elle sourit, se mord la lèvre et hoche la tête avec un étonnement ravi.

« Eh bien, tu peux déjà être content qu'elle ne t'ait pas laissé Pip », m'a-t-elle sorti.

Pour le moment, son ventre arrondi ne se remarque pratiquement pas. Nous n'avons toujours rien décidé. Je pense que nous ne ferons rien, à notre habitude, comme tout le monde, je pense ; toutes les décisions se prennent rétrospectivement. Si Gloria exige vraiment que je m'en aille, ce qu'elle peut encore faire si je ne file pas droit, peut-être que j'irai vivre avec Olive et Dodo. Je pourrai couper du bois, puiser de l'eau et faire un Caliban parfait. Quant à Olive et son amie, j'imagine qu'elles remarqueront à peine ma présence, puisque je trimerai au jardin, que je serai tranquillement assis près de la cuisinière le soir, à me rôtir les tibias, à boire ma bière brune et à cogiter sur les glorieux moments de ma vie d'antan.

Je me suis livré à quelques calculs. En des périodes éprouvantes, les nombres apportent toujours une distraction, un réconfort même. Il y a eu ce premier pique-nique dans le parc où, sans même m'en rendre compte, j'ai fixé mon œil d'araignée goulue sur Polly, et où Marcus et ma femme sont devenus des âmes sœurs, pour reprendre les termes de Gloria, quoi que ça ait pu requérir et impliquer. Les années ont passé, quatre au moins, jusqu'à la brillante soirée des Clockers, en décembre, où je suis tombé totalement amoureux de Polly – appelons ça quand même de l'amour. Puis elle et moi sommes sortis ensemble pendant quoi, neuf mois, un peu plus ? Oui, on était en septembre quand il y a eu cet orage et que j'ai pris la fuite. Ce doit être à ce moment-là, juste à ce moment-là, que Marcus et Gloria ont laissé leurs âmes de côté pour s'occuper de leur chair et de leur sang, dans le sens le plus propre, le plus impropre de l'expression, d'où la condition bourgeonnante de ma femme. Mais ce que je veux savoir, c'est quand exactement Freddie Hyland a pris ma place au centre de la toile d'araignée et posé ses pattes poisseuses sur ma précieuse Polly. Je n'ai absolument pas le droit de le demander, je le sais, et de toute façon personne ne pourra me répondre. Je doute même qu'Olive et Dodo aient la réponse à cette question.

Marcus me manque, un peu. C'est dans les derniers jours de novembre qu'il est mort. Je ne me souviens pas de la date, n'ai pas envie de m'en souvenir. Il avait perdu Polly, il avait perdu Gloria, il m'avait perdu. Je doute d'avoir représenté une grande perte pour lui, mais on ne sait jamais. Il me manque, donc pourquoi ne lui aurais-je pas manqué ? Le lendemain du jour où on a sorti la voiture de l'eau, j'ai envisagé de me rendre à Ferry Point pour y jeter la montre de mon père, histoire de marquer ce triste événement, mais je n'ai pas pu.

En farfouillant dans la maison pour préparer ce fameux autodafé des objets mal acquis, je suis tombé sur la chemise en toile que mon père avait fabriquée afin d'y ranger, telle une sainte relique, le portrait que j'avais brossé de ma mère sur son lit de mort. La couverture de toile était moisie, le papier Fabriano avait pas mal jauni et ses bords étaient chiffonnés, mais le dessin lui-même m'est apparu aussi neuf qu'au premier jour. Qu'elle était ravissante, même dans la mort, ma pauvre mère. J'étais accroupi là dans le grenier, à méditer sur son image, assailli par les décombres du passé et les narines picotées par une douce odeur de moisi, quand je me suis fait la réflexion que je ferais peut-être bien de me remettre à le creuser, ce passé, pour réapprendre tout ce que j'avais cru savoir. Oui, je vais peut-être m'embarquer dans un grand recommencement. Ce n'est pas vraiment une entreprise originale, je vous l'accorde, mais pourquoi devrais-je accepter que ça me freine ? Je n'ai jamais aspiré à l'originalité et, même dans ma modeste époque de gloire, je me suis toujours contenté de pousser ma charrue dans les sillons tout tracés que je connaissais bien. Qui sait, le vieux barbouilleur têtu réapprendra peut-être même à peindre, ou apprendra carrément pour la première et dernière fois. Je pourrai esquisser un portrait de groupe de nous quatre, main dans la main, en train de faire une ronde. Ou peut-être tirerai-je ma révérence et laisserai-je Freddie Hyland compléter le quartet, tandis que, debout sur le côté, dans mon costume de Pierrot, je plaquerai des accords mélancoliques sur une guitare bleue.

Pourquoi ai-je volé tous ces machins ? Ça me paraît irréel aujourd'hui, ce que j'ai été avant.

On aurait cru, n'est-ce pas, que la contemplation de l'image de ma mère, saisie il y a si longtemps par ma jeune main, aurait éveillé de doux souvenirs d'elle, et d'elle seule, mais à la place c'est à mon père que je me suis surpris à penser. Un hiver alors que je n'avais pas plus de cinq ou six ans, j'ai contracté une de ces mystérieuses maladies infantiles, dont les effets sont si vagues et si généraux que personne n'a jamais pris la peine de leur donner un nom. Des jours durant, je suis resté alité, à moitié délirant, dans une pièce obscure, à m'agiter et à gémir sous le coup d'une voluptueuse souffrance. Sur ordre du médecin, mes frères avaient été bannis et dormaient dans une autre partie de la maison – je pense qu'on les avait peut-être même confinés avec la pauvre Olive –, de sorte que mes rêves fébriles avaient pour cadre une bienheureuse solitude. Il fallait changer mes draps tous les jours et je me souviens d'avoir été fasciné par l'odeur de ma propre transpiration, âcre puanteur de beurre rance et de corps mal lavé, pas totalement déplaisante, en tout cas à mes narines. Ma mère devait être affolée – la polio était très répandue à l'époque – et sans doute veillait-elle constamment sur moi, en m'offrant du bouillon de poule et de l'extrait de malt et en tamponnant mon front brûlant avec un gant humide. Pourtant, c'est mon père qui, tous les soirs, me procurait un moment spécial et exquis de répit pétri de tendresse, quand, se faufilant en dernier dans ma chambre, il glissait la main sous ma tête, la soulevait un peu, puis, remarquablement vif et adroit, retournait du côté frais mon oreiller trempé, brûlant et puant. Je suis absolument certain qu'il savait que j'étais réveillé, mais une convention tacite entre nous voulait que je sois profondément endormi et inconscient du petit service qu'il me rendait. Moi, bien entendu, je m'interdisais de céder au sommeil tant qu'il n'était pas passé me voir. Quel étrange et puissant sentiment, pour moitié de bonheur et pour moitié de peur joyeuse, j'éprouvais quand la porte s'ouvrait et déployait brièvement un éventail de lumière sur le sol de la chambre, et que la grande silhouette dégingandée m'approchait à pas de loup, tel le bon géant d'un conte de fées. Qu'elle paraissait bizarre aussi, cette main qui ne ressemblait pas à la main de quelqu'un que j'aurais connu, qui ne ressemblait pas du tout à une main, en fait, mais à quelque chose qui serait venu d'un autre monde ; j'avais alors l'impression que ma tête ne pesait rien – tout mon être, d'ailleurs, me semblait immatériel et, l'espace d'un moment, je flottais librement, loin du lit, de la chambre, de moi-même, pareil à une paille, à une feuille, à la dérive et en paix, porté par la douce obscurité.

*Cet ouvrage a été composé et mis en pages
par ÉTIANNE COMPOSITION
à Montrouge.*

Imprimé en France par CPI
en décembre 2017

N° d'édition : 56503/01
N° d'impression : 143977